野菜料理大図鑑

野菜だけ?

目からウロコの野菜まるごと料理術

野菜まるごと料理術 7 つの提案

ダイコン2本、ジャガイモ3kg、ハクサイ1個。季節の畑の恵みは、いつもドン！とまとめてやってきます。
これまでの野菜料理のイメージをくつがえす料理術で、大地の元気を丸ごと食卓にのせて味わいましょう。

1

ココロを真っ白にして

さわってみる、ながめてみる、かじってみる、切ってみる、すりおろしてみる。まずはアタマもココロも白紙にして、ふだん慣れ切って見過ごしている野菜たちの多彩な個性を、五感すべてで受け止めてみませんか。

ひんやり、とげとげ、ぷるん、ごつごつ、つるん。透き通ってたり、赤かったり、紫だったり、穴があいてたり、種が詰まっていたり。アクの強いやつ、すじばったやつ、むっちりしたやつ、渋いやつ、苦み走ったやつ、クセのないやつ。シャキッ、コリッ、ほっこり、とろとろ。カタチも色も、手ざわりも、味も、かたさもいろいろ。野菜ってホントにおもしろい。野菜という生きたアート素材たちと遊ぶ毎日の料理はとっても創造的、発見の連続です。

2

野菜でメインディッシュを

長い間、その栄養価や健康的価値、おいしさの深さが忘れられていた野菜に対して、急速に関心や評価が高まってきているのはとてもうれしいことなのですが、さまざまな本で紹介される野菜料理は、まだまだ肉や魚と取り合わせた引き立て役としてのイメージから、抜け切れていません。

野菜は、主役になれる才能をもった有能な食材です。栄養的にも、これまでの栄養の概念を越えた力に満ちています。肉や魚とは種類の違うコクと風味をもった野菜のめくるめくおいしさを楽しまないのはもったいない！ 野菜を主役にしてつくるヘルシーでシンプルでクリエイティブなメインディッシュをグルメに楽しもう！ というのが本書の提案です。

3

おいしさを引き出す

「味をつける」のではなく、野菜のなかの「おいしさを引き出す」。今までの料理の概念を一掃して、ピンときた料理から、レシピをガイドにつくりはじめてください。回を追うごとに、自然に、季節季節の野菜のなかの元気の素とおいしさを最大限に引き出す料理の技が身についていきます。

食べている間にカラダ全体に力が満ちてきて、ココロがウキウキしてくる充足感のあるおいしさは最高です。

おいしさを引き出すのは、ミネラルたっぷりの自然塩と、発酵調味料の味噌、醤油、梅酢、純米酒、そして良質の植物油。これだけで、変幻自在のおいしさが生まれます。

4

砂糖は使わない

自然塩や味噌、醤油で旨味を引き出した旬の野菜は、飽きのこないナチュラルな甘さです。砂糖抜きの野菜料理の切れのいい深みのあるおいしさを知ったら、砂糖入りの煮物は食べられなくなりました。ブラックで飲むコーヒーの味を知ったあとの砂糖入りコーヒーに対するイメージを思い出してください。砂糖がいかに素材の旨味を殺す調味料かわかります。本書では砂糖を使わない料理『グリーンクッキング』を提案しています。

5

皮もアクも丸ごと食べる

野菜は皮つきのまま調理します。皮をむくのはサトイモの皮とタマネギの茶色い薄皮だけ。ジャガイモは新芽を取り、ヤマイモはひげ根を直火で焼きます。

ゆでこぼしや水さらしも基本的には必要ありません。ワラビのアクは灰で抜きますが、野菜のアクは栄養素であり旨味成分です。

野菜を皮ごと煮ると自己分解酵素が働いて早く煮えるって知ってましたか？　消化酵素も働いて必要な栄養分がムダなく吸収され、微量栄養素のチームワークで完全燃焼します。豊富な繊維が腸からのスムーズな排泄も促します。ミネラルのバランスもいいので、おいしさも健康度も大幅にアップ、キッチンにも体の中にもゴミが残らないので、気分も体調も毎日すっきりです。

6

おいしさの最高潮をとどめる

「わーっ、ダイコン豊作だ！」「トマトばっかりこんなに食べられない！」家庭菜園や宅配野菜でこんな思いをしたことはありませんか。一人暮らしや少人数の家庭では、使い切れないまま鮮度が落ちて腐ったりひからびていく野菜が悩みの種になっています。

こんなときに役立つのが本書の『ストック料理術』。新鮮なうちにまとめて一気に料理して、今日の食卓から始まって、毎日の食卓にも次々に多彩なおいしさを展開、料理そのものが次の料理の下ごしらえであり、保存法にもなっている頼れる技です。

もうこれで、畑の野菜をどーんと引き受けられますね。

7

時間をおいておいしく

新鮮な料理ほど、おいしくて栄養があると思い込んでいませんか。醤油煮や味噌煮など、翌日の方が旨味が出ておいしくなるものがたくさんあります。サラダやステーキなど、西洋の料理は時間がたつと劣化しておいしくなくなってしまいますが、乾物や漬け物、味噌など、保存食や発酵食品の豊富な日本の伝統料理法には、保存するだけではなく、保存している間にどんどんおいしさも栄養も高まる魔法のような技がいっぱい。

時間をおくことで生命力が充電される、冷蔵庫いらずの省エネ生活で調理時間を大幅に節約することができます。

CONTENTS

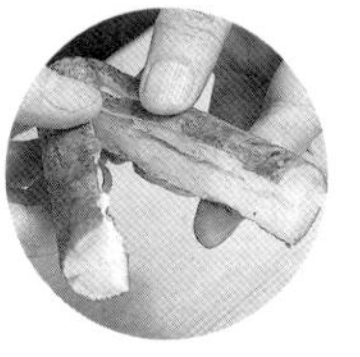
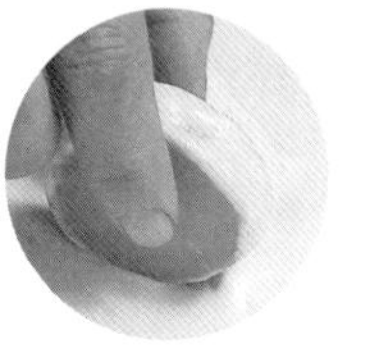

食材と料理コラム

レシピの表記について

分量　本書で表示した1カップは200cc、大さじ1は15cc、小さじ1は5ccです。野菜の分量はレシピによって個数表記のもの、グラム表記のものがあります。野菜の大きさには幅があるので、確実においしく仕上げられるようにグラム表記を多用しました。材料のめやすは4人分ですが、日持ちするものはおいしくつくりやすい量で記しているものもあります。

調理時間　野菜の調理時間はめやすです。季節や品種によって、多少の誤差があることを頭に入れて取り組んでください。途中で何度も味見をして野菜の煮え頃を五感で覚えましょう。だんだんに勘が磨かれていきます。

調理道具　鍋は厚手のふたの重い鍋、鉄の中華鍋、鉄製の厚いフライパンを、蒸し器は木製のせいろを使用しています。

だし汁　基本的には、だしはとりません。コンブなどの海草や干しキノコを一緒に入れて調理し、具としても活用します。野菜と食材の組み合わせだけでも充分な旨味が生まれます。だし汁をあらかじめ準備するものは、コンブや干しキノコを水につけておき、一度さっと火を通します。

小麦粉　とくに種類は選びませんが、無漂白の国産小麦粉をおすすめします。

油　油の基本は伝統技術で搾ったナタネ油とゴマ油です。7：3の割合で混ぜて使うと栄養的にバランスがよくなります。また、使い分けることで風味の違いを楽しめますが、トータルでは7：3のバランスになるようにします。オリーブ油はアクセントとしてたまに、または少量使います。

トマト味噌ソースをつくる

トマトと味噌は相性バツグン！

南米ペルー生まれのトマトは、のどの渇きを癒し、体をクールダウンさせてくれる野菜です。たっぷりのβ-カロチン、ビタミンB、C、さらに血圧を下げて動脈硬化を予防するルチンも含まれています。赤い色素はカロチンの仲間、リコピンの色。リコピンとβ-カロチンには活性酸素を抑え、ガンを予防する働きがあるといわれ注目を集めています。

体を冷やすトマトと、体を温める味噌――驚きの組み合わせでつくる、相性バツグンのトマト味噌ソースは、味も栄養バランスも絶妙です。麦味噌でつくるとコクと旨味のあるイタリアントマトソース、豆味噌でつくるとデミグラスソース感覚のトマトソースになります。

あっ！という間のトマト味噌ソース

1 皮を下にしてザク切りに。皮は旨味の素なので取らないで！

2 鍋に油をひいて強火にかけ、へらを差し入れて小さい泡が出てきたらトマトを炒める。

■材料（できあがり約500g）

トマト1kg、油大さじ2、味噌大さじ4、塩小さじ1/2

☺ 気軽につくりたいときは、レシピを半量にすると、所要時間約10分でできます。

■つくり方

❶ トマトを半分に切ってヘタを取り、皮つきのままザク切りにする。

❷ 油を熱して、トマトを強火でさっと炒める。油が全体にまわるくらいでOK。

❸ ❷に塩をふり、トマトの上へ味噌をのせて、そのままふたをして沸騰したら中火にして煮る。途中、決して混ぜない。

❹ 水分が上がってきたら弱火にし、10分ほど煮込む。

❺ ふたを開けて、トマトの形がなくなり、味噌がほとんど溶けていたら、全体に混ぜ合わせる。

❻ 混ぜながら強火で水気をとばして完成。残った皮もおいしいので取り除かずに。

♪ 旬にたっぷりつくってビン詰めにしておくと便利。

♪ なめらかなソースにしたいなら、フードプロセッサーにかけます。

3 味噌はトマトの上に置く。

4 水分が上がってきても、まだ混ぜない。

5 トマトの形がなくなって味噌が溶けたところで、初めて混ぜ合わせる。

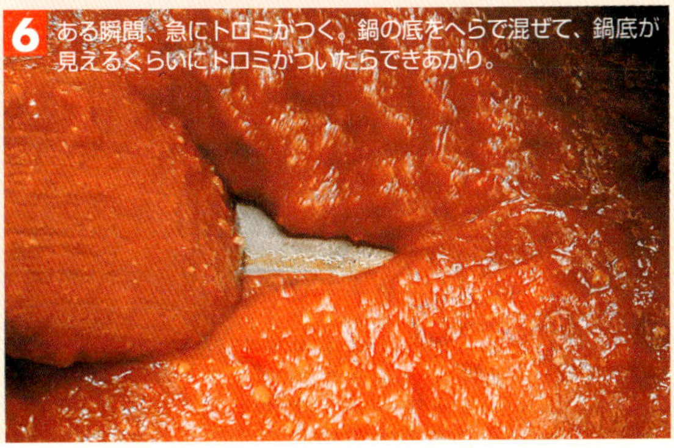
6 ある瞬間、急にトロミがつく。鍋の底をへらで混ぜて、鍋底が見えるくらいにトロミがついたらできあがり。

トマト味噌ソースを使って・・・

トマト味噌ライス

ごはんと残り野菜を炒めてイタリアンランチのできあがり

■材料（2人分）

ごはん320g、シメジ60g、サヤインゲン10本、油大さじ2、塩小さじ1/3、トマト味噌ソース120g

■つくり方

❶ フライパンに油を熱してほぐしたシメジを軽く炒め、サヤインゲン、塩半量、ごはんの順に炒める。

❷ 全体がさっくり混ざったら、残りの塩をふって炒め、トマト味噌ソースを混ぜる。

いつものチャーハンが
イタリアンディッシュに！

揚げ野菜のトマト味噌マリネ

素揚げ野菜を漬けるだけで本格ラタトゥイユのよう！

■材料（3人分）

タマネギ、ナス、ピーマンなど季節の野菜合わせて250g、トマト味噌ソース60g、塩小さじ1/4、揚げ油適量

☺ 野菜はニンジン、カボチャ、レンコンなどでもおいしい。数日おいしく食べられます。

■つくり方

❶ 野菜はすべて皮ごと食べやすく切る。ナスには切り目を入れて。

❷ 野菜を180℃の油で素揚げし、揚げたてを塩を加えたトマト味噌ソースに漬ける。

♪ 小麦粉をまぶして揚げた豆腐を一緒に漬ければ豪華な主菜に。

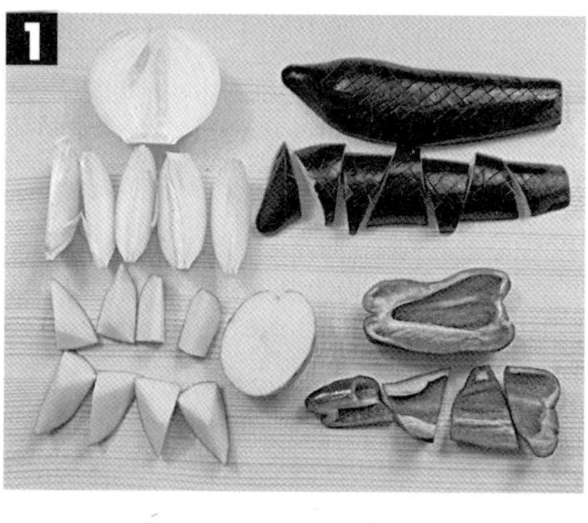

ピッツァ マルゲリータ

トマトとオレガノの風味を楽しむチーズなしのピッツァ

■材料

簡単ピッツァ生地（下記参照）1枚、トマト味噌ソース大さじ5、オレガノ小さじ1、

■つくり方

下記の焼きあがりピッツァ生地に、トマト味噌ソースをぬり、オレガノを散らす。

いつでもささっと
ピッツァができちゃう

粉・塩・油・水だけでつくれる簡単生地

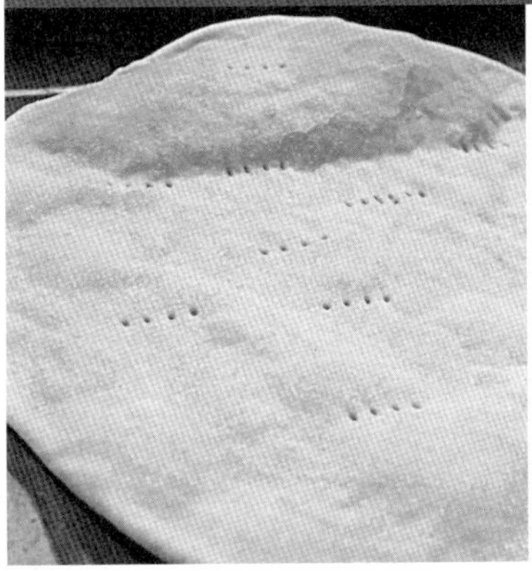

簡単ピッツァ生地

■材料（直径25cm）

小麦粉100g、塩小さじ1/4、ナタネ油大さじ1/2、ぬるま湯60cc

■つくり方

❶ 小麦粉に塩、油を混ぜ、ぬるま湯を一気に入れて混ぜる。
❷ 箸でかき混ぜながら、粉を全部まとめる。
❸ てのひらで転がして、手にくっつかなくなるまで素早くこねる。
❹ なめらかになったら、クッキングシートの上にのせ、めん棒で直径25cmくらいにのばし、生地にフォークで穴をあける。
❺ クッキングシートにのせたまま180℃のオーブンで8～10分焼く。

1 ぬるま湯でこねるとふわふわの生地に。

2 粉を箸で全部まとめる。

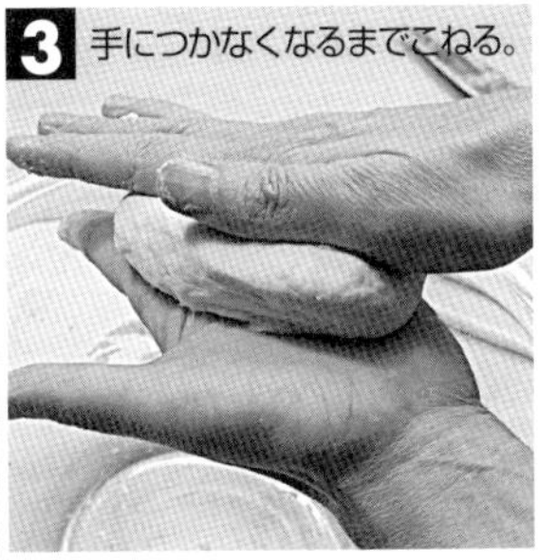

3 手につかなくなるまでこねる。

4 クッキングシートの上でのばすと、焼くときにラク。

トマト味噌ソースは、そのほかこんな料理にも…

●パンにぬってハーブをふればピザトースト　●雑穀と炒め合わせてパスタにかければミートソース風

●野菜と重ね合わせてラザニア風、ドリアやグラタンにも！

トマト味噌ソースで
HOTソースをつくる

P7で紹介したトマト味噌ソースにちょっぴり手を加えて、本格アラビアータソースをつくりましょう。何でも入れて煮込むだけで、イタリアンな一皿に。簡単で満足度大のソースです。つくってから時間をおいた方がよりおいしくなります。

本格イタリアンのアラビアータソースがあっという間に

1 ニンニクは、まず繊維に直角にスライス。

スライスしたものを千切りに。

最後にみじん切りにする。

HOTソース

■材料（できあがり約1カップ）
ニンニク1カケ、赤トウガラシ1/2本（好みで加減）、タマネギ1/2個（100g）、オリーブ油・ナタネ油各大さじ1、トマト味噌ソース（→P7）120g、塩小さじ1/3

☺ 赤トウガラシの代わりにタカノツメ（赤トウガラシより小さくて辛い）を使う場合は分量を控えて。

■つくり方
1. ニンニク・赤トウガラシをみじん切りにする。
2. タマネギは粗くみじん切りする。
3. 油にニンニクを入れて熱し（炒め方→P62）、タマネギと赤トウガラシを加えて炒め、タマネギがやや透き通ったら、トマト味噌ソースと塩を加えて少し煮込む。

♪ タマネギは歯ごたえが残るようにさっと炒めるのがコツ。

赤トウガラシは種を取ってからみじん切り。

2 まず半分に切り横から切り込みを入れる。

倒して繊維と平行に切り込みを入れる。

繊維に対して直角に薄く切って、みじん切りに。

3 タマネギはクタッとさせないように、さっと炒める。

トマト味噌ソースで
中華チリソースをつくる

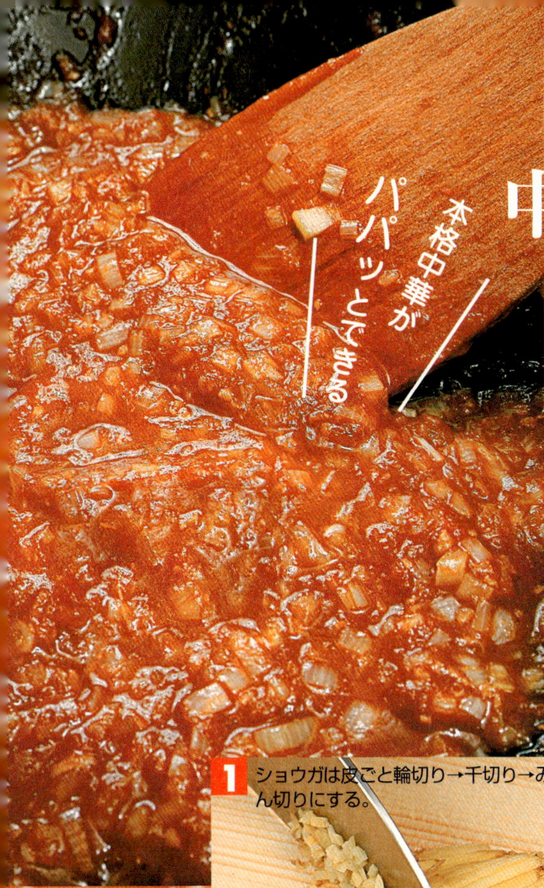

P7で紹介したトマト味噌ソースに一手間かけると中華チリソースに早変わり。コクがあって、野菜だけでもエビチリ風のメインディッシュが簡単につくれます。ところどころに残ったトマトの皮が、エビの皮のような食感と風味を醸し出します。

中華チリソース

■材料（できあがり約1カップ）

ショウガ・ニンニク各1/2カケ、長ネギ（白い部分）70g、赤トウガラシ1/2本、ゴマ油・ナタネ油各小さじ1、トマト味噌ソース（→P7）120g、醤油・酒各大さじ1、

■つくり方

1. ショウガ・ニンニクをみじん切りにする。
2. 長ネギは縦に切り目を入れてから繊維に直角にみじん切り、赤トウガラシは種を取ってからみじん切りにする。
3. 油にニンニクを入れて熱し（炒め方→P62）、ショウガ・長ネギ・赤トウガラシの順に加えてさっと炒める。
4. トマト味噌ソースを混ぜ入れ、醤油・酒を加えて一煮立ちさせる。

1 ショウガは皮ごと輪切り→千切り→みじん切りにする。

2 長ネギは縦に切り目を入れる。

繊維に直角に切ってみじん切りに。

3 ショウガ、長ネギ、赤トウガラシを順に入れてさっと炒め、トマト味噌ソースと醤油、酒を加える。

HOTソースを使って・・

マカロニアラビアータ

レストランに負けない本格パスタがとっても簡単

■材料（2人分）

マカロニ150g、水2リットル、塩小さじ2/3、あればオレガノ（乾燥）大さじ1、HOTソース（→P10）1カップ

☺ オレガノのほかに、バジルなどのハーブでもOK。

■つくり方

❶ 鍋に水を入れて火にかけ、沸騰したところに塩を入れてマカロニをゆでる。

❷ HOTソースを温め、ゆでたてのマカロニとオレガノを混ぜる。

♪ マカロニが熱いうちにソースをからませます。

マカロニをペンネに変えればより本格的

ベイクドポテトのHOTソース

ピリッとしたソースがジャガイモの甘さにマッチ

■材料（5～6人分）

ジャガイモ700g、塩小さじ1と1/2（ジャガイモの重量の1%）、ナタネ油適量、HOTソース（→P10）1カップ

■つくり方

❶ よく洗って水を切ったジャガイモに、塩をしっかりまぶし、丸ごと鉄板の上にのせて200℃のオーブンで15分くらい焼く。

❷ 焼きあがったら、ジャガイモにそれぞれ十文字の切り目を入れて、上から油をたっぷりぬり、オーブンに戻して10～15分焼く。

❸ 焼き色がつき、中まで火が通ったら、オーブンから取り出し、HOTソースをかける。

1 ジャガイモに塩をまぶしておく。

2 オーブンから取り出して切り目を入れ、油をぬる。

3 火が中まで通ったか、竹串で確認。

ほくほくジャガイモのおいしさ倍増!

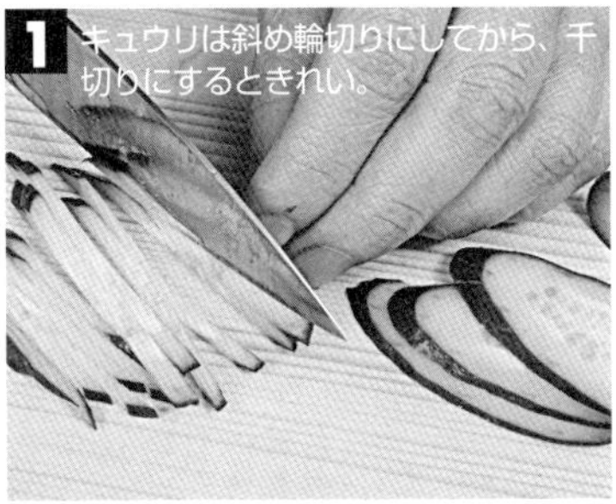

1 キュウリは斜め輪切りにしてから、千切りにするときれい。

アラビアータonソーメン　食欲がないときにもオススメ

■材料（1人分）
ソーメン80g、HOTソース（→P10）1カップ、キュウリ1/2本、バジル1枚

■つくり方
❶ ソーメンはゆでて水洗いし、皿に盛る。キュウリは千切りにする。
❷ ソーメンに、HOTソース、キュウリ、きざんだバジルをのせる。

ピリ辛のイタリアン
ジャポネーゼ
冷やしヌードル

ホットブルスケッタ　何枚でも食べられる

■材料
好みのパン・HOTソース（→P10）・バジル各適量

■つくり方
スライスしたパンにHOTソースをのせて、230℃のオーブンで4分焼き、バジルをちぎってのせる。
♪ オーブントースターで焼いてもOK。

あなたなら
何にのせて
楽しむ？

厚あげアラビアータ　和風素材とも相性がいい

■材料
厚あげ、HOTソース（→P10）各適量

■つくり方
厚あげを食べやすい大きさにスライスして素焼きし、温めたHOTソースを添える。

HOTソースは、そのほかこんな料理にも…
●マッシュポテトにのせてオーブンで焼けばラザニア
●炒めたシメジやナスと混ぜてパスタソース

中華チリソースを使って

揚げナスと枝豆のチリソース

色と食感のコントラストがたまらない

■材料（4人分）

ナス4本、枝豆15個、揚げ油（ナタネ油7：ゴマ油3）適量、中華チリソース（→P11）1カップ

■つくり方

❶ ナスは縦半分に切って、斜めに切り込みを入れる。
❷ ナスの水気をふいてから、180℃の油で中に火が通るまで1分くらい揚げる。
❸ 枝豆は熱湯でゆで、塩を適量ふって冷まし、さやから出しておく。
❹ ❷を皿にきれいに盛りつけ、枝豆を散らし、中華チリソースをかける。

1 ナスは斜めに切り込みを入れる。

2 このくらいまで揚げる。クタッとしすぎないように注意。

3 枝豆は塩味をしっかりつけて冷ます。

中華めんにのせて
タンタンめん風に

フノリ・糸寒天・生野菜にのせて
ホット中華サラダ

1. 軸と葉を分けて切ると、二つの食感が楽しめる。

2. 豆腐は水気を切って、一口大に切る。

3. 軸は1分油通しする。

葉は30秒油通しする。

マーボー豆腐とは一味違う本格中華です

チンゲンサイと豆腐の中華チリソース煮
豆腐のボリュームメニューで家族みんなが大満足

■材料（2人分）
チンゲンサイ大1株（120g）、豆腐半丁、油通し（水2カップ、油大さじ1、塩小さじ1）、中華チリソース（→P11）1カップ

■つくり方
1. チンゲンサイは軸と葉を分け、軸は株ごと縦に12等分、葉は6mm幅の小口切りにする。株元に泥がついているときは、切ったあと、ザルに入れて洗う。
2. 豆腐は水気をしっかり切っておき、縦半分を10等分する。
3. チンゲンサイは油と塩を入れた熱湯でさっとゆで、ザルにあげて、水気を切る。
4. 鍋に中華チリソースを熱し、その中へ❷を並べて熱し、仕上げに❸を入れてさっと煮る。

焼きカボチャの中華チリソース
甘いカボチャを大人の味に

■材料（3人分）
カボチャ150g、塩一つまみ、中華チリソース（→P11）大さじ4
☺ ブロッコリーやサツマイモなどの季節野菜でもおいしい。

■つくり方
カボチャをくし型に切ってフライパンに並べ、中火で素焼きにして、途中塩をふる。皿に盛って、中華チリソースをのせる。

中火で両面を返しながら10分くらい焼く。途中、塩を忘れずに。

素焼きカボチャが一瞬で中華に変身

麦味噌・豆味噌

コク味調味料として
どんな料理にも
大活躍！

味噌は、高温多湿な日本を生き抜くために必要な力を与えてくれる、頼もしい調味料。
解毒力や殺菌力、免疫力を高める働きなどがあり、味はもちろん、生命力を引き出して調身してくれる、優れた発酵食品です。
味噌汁を毎日飲んでも飽きないほど、日本人の食生活に浸透している味噌ですが、最近は西洋風の食事に押され、食べる機会が減っています。
和洋中、どんな料理にも合う味噌をもっと活用して、食卓に呼び戻しましょう。

エノキの切りあえ　ナメタケ風おかず。お湯を注げばスープに！

<材料>

エノキ25g、味噌40g
☺ 味噌は、切ってまとめたエノキの量の見た目1/2がめやすです。

<つくり方>

①生のエノキを、乾いたまな板の上で2cmの長さに切り、四角くまとめる。まとめたエノキの、見た目の半量の味噌を用意する。
②包丁の腹を使ってエノキを味噌に混ぜ、なじむまで味噌ごと切って混ぜ込む。
♪ 旬の野菜、山菜、海草でもOK（→P49、P187）。長期保存用なら味噌を多め、具を細かくきざみます。

味噌マリネ

素揚げ野菜を漬けるだけ！

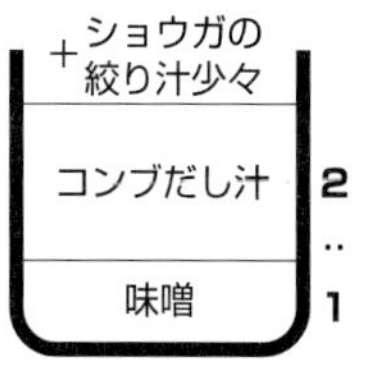

<つくり方>

①味噌大さじ3と1/3（50ｇ）をコンブだし汁1/2カップで溶き、ショウガの絞り汁小さじ1/2を混ぜて、味噌マリネ液をつくる。
②素揚げした根菜などを①に漬け込む。
♪ 素揚げ野菜は、かたいものは薄く、やわらかいものは大きめにコロッと切って、揚がったものからどんどん漬け込むのがコツ。

味噌マスタード

パンにおすすめの味噌ディップ

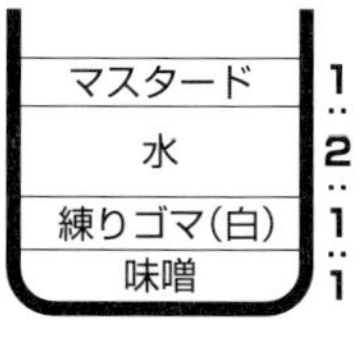

<つくり方>

①味噌と練りゴマ（白）各大さじ1をすり混ぜて、水大さじ2を入れて薄くのばす。
②マスタード大さじ1を混ぜ合わせ、味をみて薄味なら、塩少々で味をととのえる。
♪ スライスした天然酵母パンに、味噌マスタードをぬって、キュウリなどの具をはさめば、手軽に本格派のサンドイッチがつくれます。

味噌ドレッシング コレクション

手軽につくれて、サラダやあえ物にコクと香りをプラス

<つくり方>
材料を、図の下のものから順に、しっかり混ぜ合わせる。

割り味噌

| 水 | 大さじ4～8 |
| 味噌 | 大さじ4 |

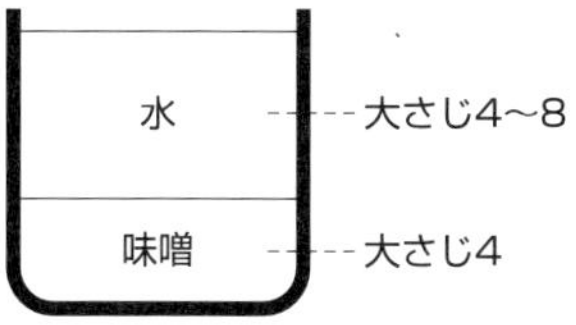

♪ 水の量は好みや用途に合わせてトロミを調整してください。火にかけて煮れば、長期保存も可能です。おひたしなどにピッタリ！

酢味噌ドレッシング

酢	大さじ2
水	大さじ2
味噌	大さじ2と2/3

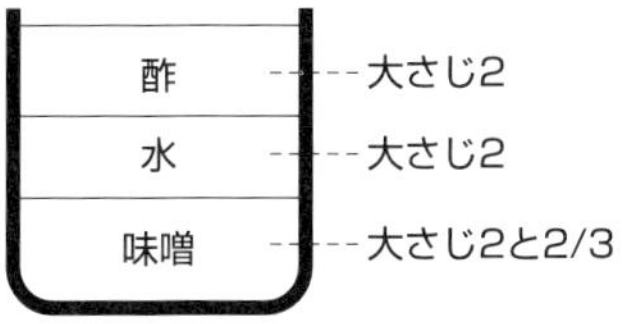

♪ 水をコンブだし汁にしてもコクが出ておいしい。ネギなどにあえれば、簡単にぬたがつくれます。

梅酢味噌ドレッシング

梅酢	小さじ1
水	大さじ2
味噌	大さじ6

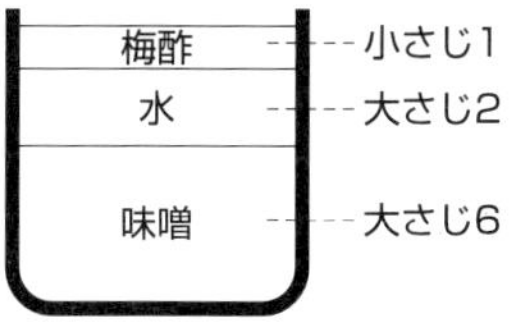

♪ キュウリの塩もみにあえると、梅酢の酸味がおいしい、さっぱりサラダになります。

カラシ酢味噌ドレッシング

カラシ	小さじ1
水	小さじ1
梅酢味噌ドレッシング	全量(左記)

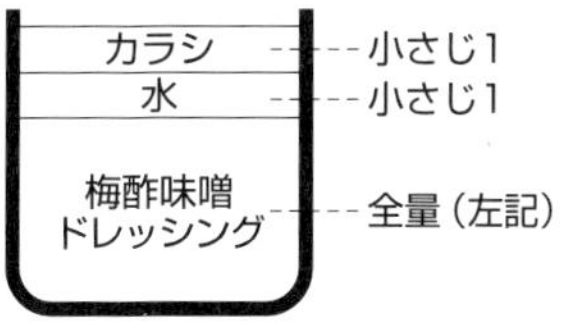

♪ あえ物に便利です。塩ゆでのニラや青菜のおひたしなどにあわせてもGood！

ユズ味噌ドレッシング

+ユズ皮少々	
水	大さじ2
ユズの絞り汁	大さじ2
味噌	大さじ2と2/3

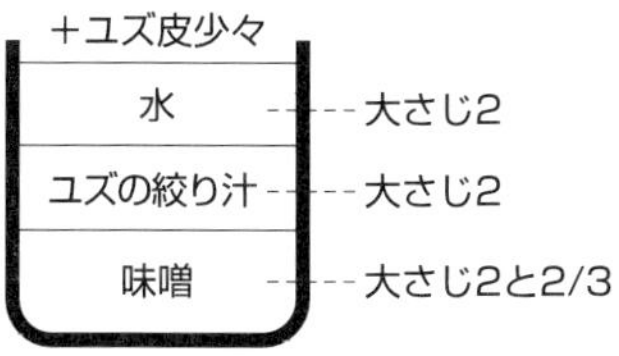

♪ ダイコンおろしやパスタにかけても、おいしい。さわやかなユズの香りが食欲をそそる！

ゴマ味噌クリーム

水(コンブだし汁)	大さじ4
練りゴマ	大さじ1と1/3
味噌	大さじ2と2/3

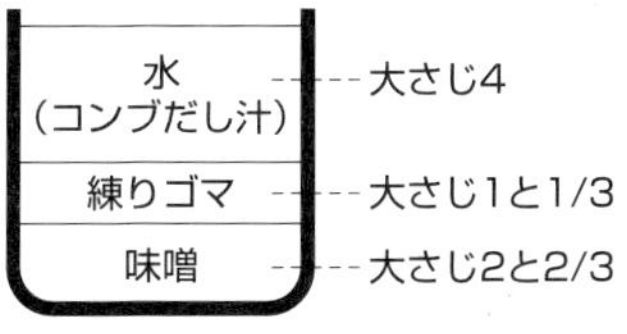

♪ クリーム状になるまで、しっかり混ぜてのばします。ゆで野菜などにかけてどうぞ。

MEMO

味噌は完全栄養食品

味噌の原料の大豆は、栄養豊富ですが消化しにくいのが難点です。煮た大豆を麹菌、酵母菌、乳酸菌などの微生物の力で発酵させ消化しやすくしたものが味噌です。酵素やビタミンなどの栄養素も増え、ガンや動脈硬化を予防し、放射能の害を打ち消す力があります。

血圧を下げる味噌の働き

味噌には血流をよくする作用があり、血圧を下げてくれます。また味噌汁は、素材から溶け出す血圧を下げる働きのあるカリウムとマグネシウムの損失を防ぎ、血圧を下げるために有効な飲み物。高血圧予防のため塩分控えめなどと味噌汁をやめたり、味を薄める必要はないのです。

合わせ味噌のコツ

旨味の強い麦味噌、濃厚なコクをもつ豆味噌を合わせると、まろやかな味わいになり味噌汁にぴったり。また、夏は麦味噌、冬は豆味噌を多めに使うなど、季節で配分を変えると体が引き締まるおいしさが生まれます。白っぽい麦味噌、濃褐色の豆味噌の色合いも料理に活かしましょう。

味噌の塩分換算

味噌の塩分は塩の1/9。つまり、いつもの食塩味の料理も、塩を9倍の味噌におきかえて調味すれば、味噌のコクと旨味があふれ出す新鮮な一品に早変わりします。塩小さじ1(5g)が、味噌大さじ3(45g)に相当します。

ナスに切り目を入れて蒸す

ジューシー、トロリの果肉が絶品！

ナスは体を冷やす働きが強い夏野菜。約90％が水分で、のぼせ改善や利尿作用があり、古くから漢方薬にも利用されてきました。ナスの色は、抗ガン成分をもつ色素のポリフェノール、そして動脈硬化を防ぐ色素のナスニンの色。この2つの色素は皮に凝縮しているので、皮ごと調理がオススメです。皮と実を分けると、皮ごととは違った二つの食感を楽しむことができます。

1 2cmの筒型に切ったナスは表面に格子に、丸ごとのナスは表と裏の両面に斜めの切り目を入れる。

2 蒸し器を強火にかけ、蒸気がしっかりあがったらナスを入れたせいろを重ね、そのまま強火で15分蒸す。

淡泊な味わいの蒸しナスには、油がよく合います。皮ごと蒸したナスをひらいてフライパンで焼いた大胆な蒸しナスのピカタは、フィリピン料理をアレンジした料理です。丸ごと蒸しナスをひきたてる、すぐできておいしい定番中華香味だれ2品も絶品です！

1 真ん中に包丁を入れて開く。

フォークでよくつぶして、食感をやわらかく。

3 スプーンで溶き衣をかけるようにして。

4 ナスに火が通っているので、焼き時間は短くてOK。

蒸しナスを使って

ひらき蒸しナスのピカタ

ナス1個でメインディッシュ！

■材料（3人分）

蒸しナス（→P18）3本、ニンニク1カケ、タマネギ70g、ピーマン1/3個、パプリカ1/3個、塩小さじ3/4、ナタネ油大さじ4、塩・コショウ各適量、溶き衣（小麦粉1カップ、塩小さじ1、水2/3カップ）

■つくり方

❶ 丸ごと蒸したナスのヘタを持ち、真ん中に切れ目を入れて開き、フォークでつぶしながら平らに大きく広げる。

❷ ナタネ油大さじ1にニンニクを入れて熱し（炒め方→P62）、タマネギ・ピーマン・パプリカのみじん切りを加えて炒め、塩で味つけしてナスにのせる。

❸ 小麦粉と塩を混ぜ、水を加えて溶き衣をつくり、1/3量の溶き衣を皿に広げてナスをのせ、塩・コショウをふり、スプーンでまわりの衣をナスにかける（残りの2本も同様に）。

❹ フライパンにナタネ油大さじ1を熱して❸を皿から滑らすようにして入れて焼く。焼けたら裏返してフライ返しで押し、平らに焼く（残りの2本も同様に）。

♪ やわらかくつぶした❶のナスをフライにするのもおいしい。

蒸しナスを使って

蒸しナスのおひたし

油醤油風味のナスの果肉が口の中でとろけます

■材料（3人分）

蒸しナス（→P18／筒型に切ったもの）3本分、油醤油（下記参照）、ミョウガ適量

■つくり方

❶ 縦に千切りにしたミョウガをさっと水にさらし、水気を切って蒸しナスにのせる。

❷ 油醤油を❶にかける。

1 ミョウガはさっと水にさらす。

ナスのおいしさがきわだつ

蒸しナスのニラソース

裂いた蒸しナスにソースがしみて…

■材料（4人分）

蒸しナス（→P18／丸ごと）4本、ニラソース（下記参照）適量

■つくり方

蒸しナス1本を縦に4～6等分にして器に盛り、ニラソースをかけていただく。

♪ そのまま漬け込めば、おいしい中華マリネに。

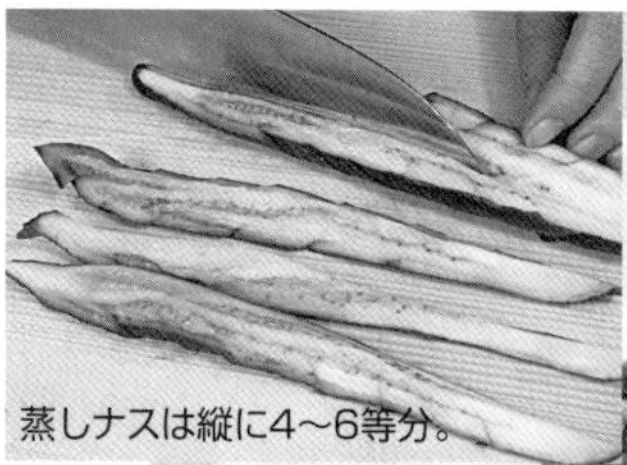

蒸しナスは縦に4～6等分。

さっぱりしたナスが
コクのある一品に変身

毎日大活躍！定番中華香味だれ

食欲をそそる風味がたまらない

油醤油

■つくり方

醤油にゴマ油を加えるだけ。逆だと混ざりにくいので注意。

ニラソース

■材料

ニラ50g、醤油大さじ6、梅酢大さじ2、ゴマ油大さじ1と1/3

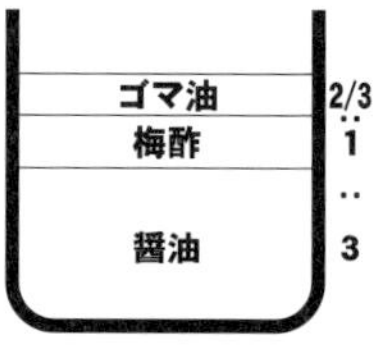

■つくり方

みじん切りのニラを調味料に漬け込むだけ。なくなってきたら、材料を足していけばOK。つくってすぐからおいしくて、長期保存がききます。

♪ できたても、つくりおきもそれぞれおいしい。冷やっこ、ザク切りキュウリ、炒め物のかくし味、めんのトッピング、ギョウザのたれなどに。

ナスを皮と実に分ける

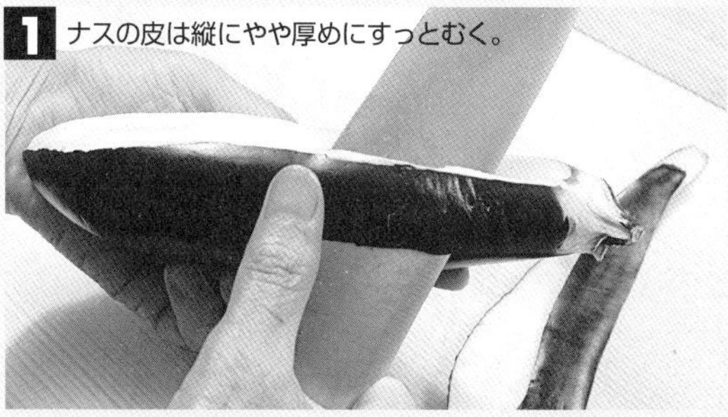
1 ナスの皮は縦にやや厚めにすっとむく。

ナスのソフトな果肉と、栄養・おいしさが凝縮した皮をそれぞれ分けて調理すると、皮つき丸ごとで食べるときとは違った食感と風味。皮と実、二つの味わいを楽しむ知的食術を紹介しましょう。

■材料
ナス5〜6本、濃度1%の塩水（水1カップ、塩小さじ2/5）、塩小さじ4/5（皮をむいたナスの重量の1%）

2 皮は斜めに2〜3等分して濃度1%の塩水につける。

3 皮が浮いてこないよう皿などで重石を。※下記「ナスの皮のキンピラ」に使用

4 果肉は2cmに筒切り。重量の1%の塩をまぶし15分蒸す。※下記「蒸しナス冷やし」に使用

蒸しナス冷やし

やわらかい果肉とジュワッとしみ出す冷たいスープが絶品

■材料（4〜5人分）
上記の蒸したナスの実5〜6本分、薄口醤油大さじ1、酒大さじ2、塩小さじ1、コンブだし汁（水2カップ＋コンブ5cm）、ショウガの絞り汁少々

■つくり方
❶ 鍋にコンブだし汁と薄口醤油・酒・塩・ショウガの絞り汁を入れて火にかけ、沸騰したら火から下ろす。
❷ 器に❶を入れ蒸しナスを並べてひたし、冷蔵庫で冷やす。
♪ 数日間食べられます。

皮をむくと
未知の食感に

ナスの皮のキンピラ

皮の歯ごたえが活きたユニークキンピラ

■材料（4〜5人分）
上記のナスの皮5〜6本分（60g）、油・酒・醤油各大さじ1、七味トウガラシ小さじ1/2、白ゴマ適量

■つくり方
❶ 塩水につけた皮の水気を切り、油を熱したフライパンでさっと炒め、酒・醤油・七味トウガラシを順に加えてからめる。
❷ 器に盛って、煎った白ゴマをふりかける。

1 しんなりしてきたら味つける。

ナスの皮、
とあなどることなかれ

ナスを素焼きする

ナスの果肉に火を通すと、やわらかでありながら存在感のある独特のおいしさが楽しめます。とくに素焼きは、ナスの水分と成分が火のエネルギーを受けて、形を残したまま、ジューシーなおいしさをたっぷり楽しませてくれるグルメ調理術。焼き網や厚手のフライパンで素焼きして、たれに漬けて、おいしさを引き出しましょう。

焼き方

焼き網で焼く

フライパンで焼く

焼きナスをたれに漬ける

ホットでもクールでもおいしい

ナスのイタリア風焼き漬け

イタリアンドレッシングに漬けて

■材料（2人分）
ナス1.5本（100g）、ズッキーニ100g、パプリカ1/2個、ミニトマト5個、バジル（飾り用）少々、たれ（おろしニンニク1カケ分、オリーブ油大さじ5、薄口醤油大さじ1、塩小さじ1/4）

■つくり方
❶ ナスとズッキーニは8mm～1cmの輪切りにし、パプリカは縦半分に切って乱切り、ミニトマトは十字に切り込みを入れて素焼きする。
❷ たれの材料を混ぜておき、❶を漬け、耐熱皿に盛る。
❸ 温めたオーブントースターで5分焼き、上からバジルを散らす。

1 シシトウは焼いたとき破裂しないよう穴を開ける。

ナスは食べやすい長さに切り、縦に6～8等分。

ナスとシシトウの醤油焼き漬け

手軽さからは想像できない、深いおいしさ

■材料（2～3人分）
シシトウ1パック、ナス1本、醤油大さじ2

■つくり方
❶ シシトウは1個につき10ヵ所くらい穴を開け、ナスは食べやすい長さに切って縦に6～8等分する。
❷ ❶を焼き網または厚手のフライパンで、しんなりして焼き色がつくまで焼く。
❸ 器に盛り、醤油をかける。

おいしい醤油さえあればできちゃう

ナスカルビ焼きと呼びたい
コクと食感

2 ナスは押してみてへこむぐらいまで焼く。

素焼きしてたれにつけておけば保存も可能。

ナスが主役のベジ・バーベキュー

焼きベジパーティはいかが？

■材料（3人分）

ナス2本、長ネギ1本、カボチャ100g、生シイタケ6枚、インゲン9本、ピーマン3個、厚あげ1枚、油適量、バーベキューのたれ（下記参照）

■つくり方

❶ ナスは8mm～1cm、長ネギは8mmでそれぞれ斜め切りにする。カボチャは5mm幅に、生シイタケは1/2に切る。インゲンはそのまま、ピーマンは半分に切る。厚あげは食べやすく切る。

❷ ❶を素焼きし、たれに30分以上漬けておく。

❸ 油を熱した鉄板、またはフライパンで焼く。

♪ ナスは味を含ませて焼くと、動物性のものに近い食感になります。一度焼いてあるので、バーベキューのときさっと火が通り、待たずに食べられます。

野菜がおいしくなる便利たれ

バーベキューのたれ

■材料

白ゴマ大さじ2、味噌大さじ2、ニンニクおろし小さじ1/2、醤油大さじ3、ゴマ油大さじ5、酒大さじ4、長ネギ（みじん切り／→P11）大さじ5

■つくり方

❶ 白ゴマを煎ってすり鉢ですり、味噌をすり合わせる。ニンニクおろし、醤油、ゴマ油、酒を順にすり合わせる。

❷ 最後に長ネギのみじん切りを混ぜ合わせる。

1 材料を順番にすり合わせる。

2 最後に長ネギを箸で混ぜる。

蒸しナスをアラブ風に

蒸しナスクルトン入りモロヘイヤスープ

若さとスタミナを保つ王様のスープ

■材料（4人分）

皮をむいた蒸しナス（→P21）適量、モロヘイヤ100g、コンブだし汁3カップ、ニンニク1/2カケ、コリアンダー（乾燥／あれば）小さじ1/2、オリーブ油小さじ2、塩小さじ1/2、コショウ少々

■つくり方

❶ モロヘイヤは茎のかたい部分をカットする。
❷ 粘りが出るまで細かくきざんだ生のモロヘイヤにコンブだしを加え、トロミが出るまで1分くらい煮る。
❸ 別の鍋にオリーブ油をひき、スライスしたニンニクを炒め（→炒め方P62）、ニンニクがキツネ色になったらコリアンダーを入れる。
❹ ❸の全体がキツネ色になったら❷を加え、塩とコショウで味つけする。
❺ サイの目に切った蒸しナスを❹に加え、軽く温める。

1 茎のかたい部分をカット。

2 粘りが出るまで細かくきざむ。

モロヘイヤにコンブだしを加えて煮ておく。

1分くらい煮込むとこのくらいのトロミが出る。

3 ニンニクがキツネ色になったらコリアンダーを入れる。

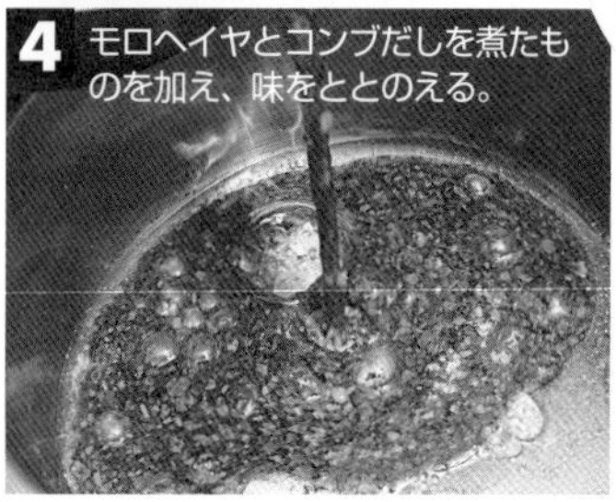
4 モロヘイヤとコンブだしを煮たものを加え、味をととのえる。

スパイシー&トロトロ

スープより濃くすればソースに早変わり

蒸しナスのモロヘイヤソース

グリーンのソースに映える透明な蒸しナス

■材料（2〜3人分）

上記の蒸しナスのモロヘイヤスープの材料と同じ（ただし、モロヘイヤ80g、コンブだし汁1/2カップ、塩小さじ1にする）

■つくり方

上記のモロヘイヤスープと❶〜❹の手順は同じ。仕上げに❹を皿に敷き、筒型に切った蒸しナスをのせてできあがり。

蒸しナスのアラブ風ディップ

アラブ料理の定番メニュー「ババ・ガヌージュ」

■材料

ナス5〜6本（400g）、ニンニク2カケ、オリーブ油大さじ3、塩小さじ1

■つくり方

❶ ナスの皮をむき、ニンニクを一緒に蒸し器に入れ、強火で20分蒸す。

❷ ❶をまな板にのせ包丁でたたき、ペーストに。

❸ ❷をフライパンに入れて中火で水分をとばし、オリーブ油と塩を混ぜ、まとまったら火を止める。

♪ ニンニクは蒸すと匂いが消え、栄養価もアップ。

1 ニンニクとナスを一緒に蒸す。

2 ペースト状になると、最初より見た目少なくなる。

3 フライパンで水分をとばして油と塩で味つける。

2 味噌と相性のいいショウガの絞り汁を加えて仕上げる。

蒸しナスの味噌風味ディップ

日本版フムスはパンやごはん・生野菜にもぴったり

■材料

ナス5〜6本（400g）、味噌大さじ4、ゴマ油（またはナタネ油）大さじ1と1/3、塩小さじ1/2、ショウガの絞り汁大さじ1

■つくり方

❶ ナスの皮をむき、強火で20分蒸して包丁でたたき、ペーストにする。

❷ ❶をフライパンに入れ、味噌を加えてよく混ぜたら中火にかけて水分をとばし、油と塩とショウガ汁を混ぜる。まとまったら火を止める。

家族中で大人気！

カボチャを千切りにする

新しい素材として活用！

カボチャは、カロチンをはじめ、ビタミン類、食物繊維、ミネラルなどをバランスよく豊富に含む緑黄色野菜です。黄色が濃いものほど豊富なカロチンは、体内でビタミンAに変化し、ビタミンCとともに粘膜や皮膚の抵抗力を高めて、風邪などの細菌感染を予防してくれます。旬は夏ですが保存がきくので、昔から秋〜冬の大切なビタミン源として食べられています。

1 最初にタワシで丸洗い。切ってからは洗わない。

2 半分に切ってから1/4に切る。

3 ヘタを取る。

4 表面のかたいデコボコを取る。

5 種を取る。

煮物などはわたが少し残るくらい、菓子ならしっかり取る。

6 さらに半分に切って放射状に薄く切る。

7 薄切りをずらして重ね、2mm幅の千切りに。

カボチャを皮ごと千切りすると、カボチャぎらいの人も納得の新しいおいしさが出現して、料理の幅が広がります。甘味があって、砂糖がいらなくなるのもカボチャ料理のうれしい点。すべてのレシピがサツマイモでもつくれるので、カボチャのシーズンオフはぜひチャレンジを。次ページのレシピはジャガイモでもつくれます。

カボチャの千切りを使って

カボチャのシュレッドケーキ

ほろっと繊細な口あたり

■材料（直径12×高さ6cmの型1個分）

カボチャの千切り（→P26）300g、小麦粉大さじ4、塩小さじ1/3強、干しアンズジャム（→P73）大さじ6、クルミ20g、油少々

☺ カボチャは1/4個で300gくらいなので、覚えておくと便利。

■つくり方

❶ 千切りのカボチャに小麦粉と塩を混ぜて生地をつくる。クルミは煎って粗みじんにしておく。

❷ 型に油をぬって❶の生地をしっかり押しつけながら半分くらい詰めたら、クルミ2/3量とジャム大さじ4を敷き詰め、残りの生地を詰める。

❸ アルミホイルをかぶせて200℃のオーブンで約25分蒸し焼きにして、アルミホイルをはずしてさらに5分焼く。

❹ 型から出し、まわりをへらで整えて表面に残りのジャムをぬり、クルミを散らす。

♪ カボチャに塩をふって時間をおくと、しんなりしてしまうので、すぐに型に詰めます。

カボチャの千切りでケーキができちゃった！
1 水は入れない。
生地はギュウギュウ押しつけながらしっかり詰める。
2 ジャムとクルミは間に1層だけ詰める。
3 最初はアルミホイルをかぶせて焼く。

シュレッドケーキを2度楽しめる
1 正方形にのばす。
2 三角に4等分する。
3 一枚ずつ、さらに薄くのばす。
4 シュレッドケーキをパイ生地ではさむ。
5 フォークで空気穴をあける。

パンプキンパイ

シュレッドケーキをアレンジ

■材料（4個分）

パイ生地（→P82）1単位、シュレッドケーキ適量

■つくり方

❶ パイ生地を2等分し、正方形の箱形にかためてから（長方形にしたいときは長方形の箱形に）、めん棒で厚さ2〜3mmの正方形にのばす。

❷ ❶を三角に4等分し、計8枚の三角形の生地をつくる。

❸ ❷をさらに薄くのばす。

❹ ❸にシュレッドケーキを切ってのせ、もう1枚の生地を上からかぶせる。

❺ フォークで生地の端を押さえ、表面には空気穴をあけて180℃のオーブンで15分焼く。

カボチャの千切りを使って

ハッシュドパンプキン

甘味をつけないパンケーキ

味つけは塩だけなのに
しっかり
おいしい

■材料（直径12cm・2枚分）
カボチャの千切り（→P26）150g、塩小さじ1/3
小麦粉大さじ1、ナタネ油大さじ1

■つくり方
❶ カボチャの千切りと塩、小麦粉を混ぜ合わせる。
❷ フライパンに油を熱して、❶の半量を入れて直径12cm・高さ1cmくらいにのばし、ふたをして弱火でじっくり蒸し焼きにする。
❸ 途中で裏返し、両面で5分くらい焼く。

1 水は入れない。

2 あまり薄くしすぎない方がおいしい。

ハッシュドパンプキンコロッケ

ハッシュドパンプキンを簡単アレンジ

■材料（4個分）
上記のハッシュドパンプキン2枚、溶き衣（小麦粉1/2カップ、塩小さじ1/4、水80cc）、パン粉・揚げ油各適量

■つくり方
❶ ハッシュドパンプキンを4等分し、2枚ずつ重ねる。
❷ 小麦粉に塩と水を加えて混ぜて濃いめの溶き衣をつくり、❶にたっぷりつけて、パン粉をまぶす。
❸ 180℃の油でカラッとするまで揚げる。

マッシュしたカボチャでは
出せない味

1 4等分する。

2 小麦粉と塩を混ぜ、中央を箸でかき混ぜながら一気に水を注ぐとダマにならない。

濃いめの溶き衣をへらなどでぬるようにしっかりつけると失敗しない。

カボチャとキヌサヤとタマネギの炒め物

シャキッとした歯ごたえがおいしい

■材料（2人分）

カボチャの千切り（→P26）75g、キヌサヤ80g、タマネギ50g、ゴマ油大さじ1、塩小さじ1/2強、醤油小さじ1（好みで）

☺ キヌサヤはインゲンやピーマンの千切りでも、タマネギは長ネギで代用してもOK。

■つくり方

❶ キヌサヤのすじを取る。
❷ キヌサヤは、包丁を遠くから引くようにして千切りにする。
❸ タマネギは薄いまわし切りにする。
❹ 油を熱してタマネギ、カボチャを炒め、タマネギが半透明になったらキヌサヤを加えてさっと炒め、塩をふり火を止める。好みで醤油を入れてもOK。

ダブルの千切りがおいしい

1 キヌサヤはすじを取る。

2 遠くの方に包丁の先を置く。

手前にスーッと引くように切る。

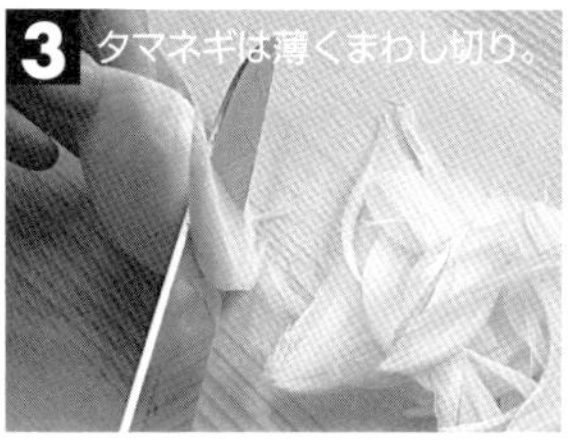

3 タマネギは薄くまわし切り。

4 炒めすぎに注意！

カボチャとニラとハルサメの炒め物

ほんのり甘さがうれしい

さっぱりしてても、カボチャのボリュームで満足感いっぱい

■材料（3人分）

カボチャの千切り（→P26）100g、緑豆ハルサメ8g、ニラ50g、ナタネ油大さじ1、塩小さじ3/4、酒大さじ1、醤油小さじ1、ゴマ油小さじ1

☺ 緑豆ハルサメはゆでた状態のものなら約30g（ゆでると約4倍になる）。

☺ ニラをピーマンにしてもおいしい。

■つくり方

❶ ハルサメを大きいビニール袋の中でハサミを使って切る。
❷ ❶を沸騰した湯で3分ゆでる。
❸ フライパンにナタネ油を熱してカボチャを炒め、半透明になったらハルサメ、ニラの順に加えてさっと炒めて塩、酒で味つけする。
❹ 仕上げに醤油とゴマ油で風味をつける。

1 まわりに飛び散らず、扱いやすい。

2 ハルサメは沸騰した湯に入れる。

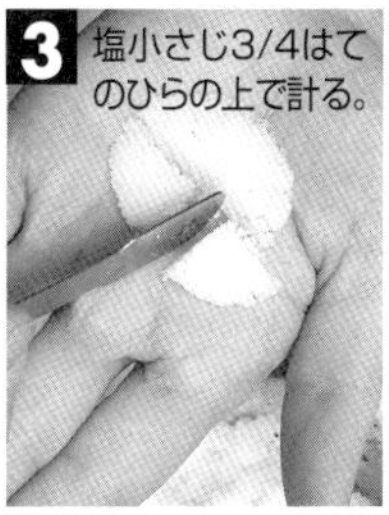

3 塩小さじ3/4はてのひらの上で計る。

インドのヒマラヤ山麓を原産地とするキュウリは、世界に400以上の品種があります。日本のキュウリは皮が薄く、サラダに合うさわやかさと歯ごたえが特徴で、体にこもった熱をとる働きがあるので、旬の夏には夏バテ予防に効果大。また成分のほとんどが水分のため、水を飲むのと同じように利尿効果があり、むくみの改善、消炎にも効く薬効の高い野菜です。

キュウリをおろす

粗く、細かく。おろし方の違いで味が変わる

キュウリを2種類におろす

目の粗いおろし器でおろしたもの

目の細かいおろし器でおろしたもの

粗くおろしたキュウリを使って

キュウリの味噌おろしうどん　言葉に表わせないおいしさ

■材料（1人分）

うどん100g、粗くおろしたキュウリ1本分、ダイコンおろし150g、A（味噌大さじ1と1/2、ゴマ油大さじ1、水大さじ2、塩小さじ1/6、ニンニクのみじん切り少々）、ノリ適量

■つくり方

❶ うどんをゆでる。その間にAの材料を順に加えて混ぜ、おろしキュウリ、ダイコンおろしと合わせる。

❷ ゆであがったうどんを冷水で洗い、❶をかけ、ちぎったノリを散らす。

♪ ゆでたてとおろしたてのタイミングを揃えるのがポイント。

ダイコンおろしは誰でも知っていますが、キュウリおろしはなぜか知られていません。実は、おろしたキュウリって、とてもおいしいんです。同じ「おろす」でも、道具が違うとまったく違った食材になり、粗くおろせばつぶつぶに。細かくおろすとさらさらに。その違いも楽しいもの。ポイントはおろしたてで食べることです。

ほろっと口の中で
崩れる食感が新鮮

おろしキュウリとキナコのコフタ

インド料理「コフタ（野菜団子）」はいかが？

■材料（6〜7個分）

粗くおろしたキュウリ（→P30）250g、キナコ25g、カレー粉小さじ1/2、塩小さじ1/2、揚げ油適量

■つくり方

❶ キュウリはおろしたあと、しっかり水気を切る。
❷ ❶にキナコ、カレー粉、塩を加えて手でよく混ぜる。
❸ 片手でキュッと握って一口大にし、180℃の油で揚げる。
♪ 水分が多すぎると揚げ油の中でバラバラになるので、キュウリは必ず粗くおろしたものを使うこと。

1 キュウリをザルに入れ、手で隅に寄せて水気を切る。

2 キュウリはキナコと見た目同量くらいまで水気を切る。

3 片手でキュッと握って形をつくる。

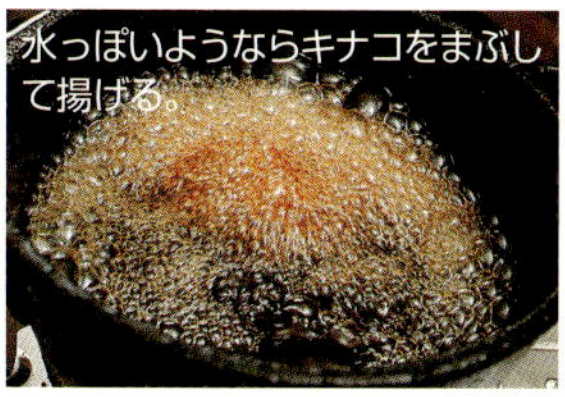
水っぽいようならキナコをまぶして揚げる。

細かくおろしたキュウリを使って

揚げ野菜のキュウリドレッシング

この夏、クセになりそうなおいしいドレッシング

■材料（2人分）

ナス・ジャガイモ各100g、ニンジン50g、揚げ油適量、A（細かくおろしたキュウリ（→P30）1本分、赤梅酢大さじ1、薄口醤油小さじ2）

■つくり方

❶ ナスは長めの乱切りにして1分揚げる。ジャガイモは1cm角の棒切りで2分、ニンジンは長めの乱切りで1分半揚げる（油は180℃）。
❷ ❶を器に盛り、Aの材料を混ぜ合わせたものをかける。

おろしキュウリに
ハマりそう

切り干しダイコンのハリハリ漬け キュウリおろしあえ

パリパリした舌ざわりがおいしい

■材料（5〜6人分）

細かくおろしたキュウリ（→P30）1/2本分、切り干しダイコン50g、干しワカメ5g、赤梅酢25cc、水12cc、赤トウガラシ1/2本

■つくり方

❶ 水の入ったボウルに切り干しダイコンを入れてほぐし、すぐに水を切って両手でキュッと絞り、食べやすく切る。
❷ 赤梅酢を水で割り、❶と細かく輪切りにした赤トウガラシを漬ける。
❸ 戻したワカメを1cm角に切って❷とあえ、食べる直前におろしキュウリをかけ、混ぜながらいただく。

切り干しダイコンが
まったく
別の素材のよう

キュウリを千切りにする

生でよし、炒めてよしのキュウリの千切りの新鮮なおいしさをご紹介します。この切り方なら、両端に残った皮の濃いグリーンが美しく、歯ごたえもしなやか。マッチ棒ほどの太さが基本です。すりこぎで繊維をたたきあえるタイ風サラダは、暑い季節にぴったり。いずれも簡単で味わい深く、舌も体も大喜びの料理ばかりです。

切り方

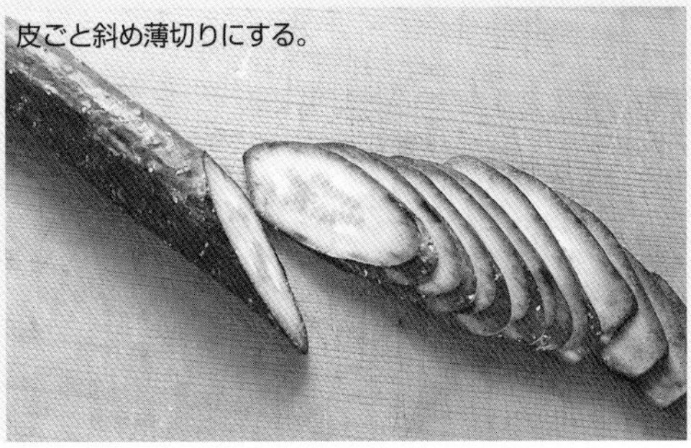
皮ごと斜め薄切りにする。

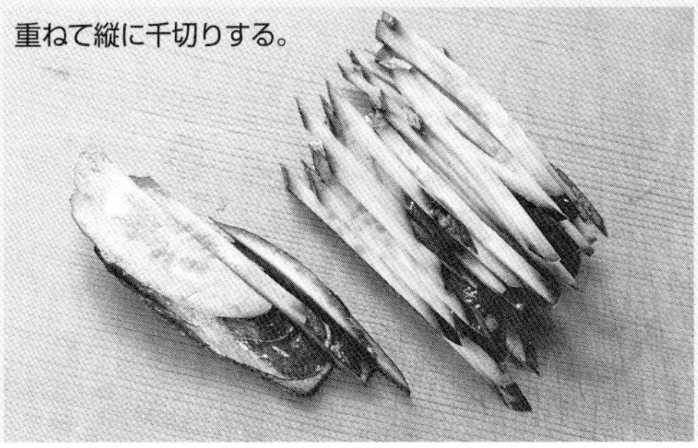
重ねて縦に千切りする。

キュウリの千切りを使って

冷や汁 ～和風ヴィシソワーズ～

日本の夏の味覚「冷や汁」をジャガイモ風味に

■材料（6人分）

キュウリの千切り1本分、ジャガイモ200g、ミョウガ1本、青ジソ2枚、水4カップ、コンブ5cm、塩小さじ2/5、味噌80～100g

■つくり方

❶ ジャガイモを薄い輪切りにしてから、極細の千切りにする。ミョウガは薄い半月切りに、青ジソは千切りにする。

❷ 鍋に水・コンブ・ジャガイモ・塩を入れ、煮崩れないようにやわらかく煮て、冷ましておく。1日おいてもOK。

❸ ❷のだし汁を一部取り出して味噌を溶き、鍋に戻してキュウリを加える。

❹ お椀に盛って、ミョウガと青ジソを散らす。

1 ジャガイモは極細の千切りに。

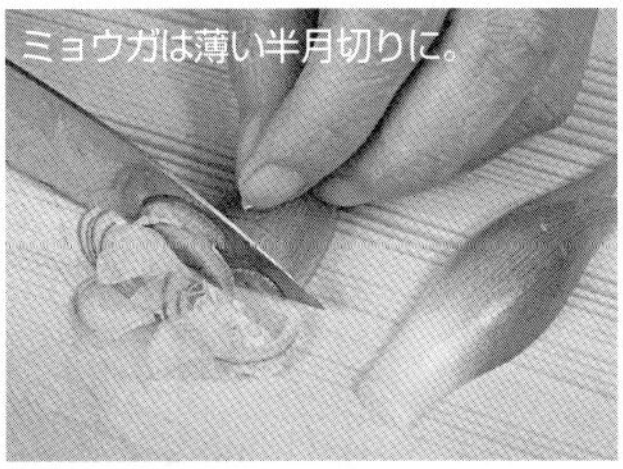
ミョウガは薄い半月切りに。

青ジソは千切りに。

3 だし汁を少し取り出して味噌を溶き、鍋に戻す。

2 ジャガイモが透き通るぐらいまで煮て冷ましておく。

焼きそばや
焼きうどんの
具にも大活躍

キュウリとヒジキの中華炒め ヌーベル中華ディッシュ！

■材料（4人分）

キュウリの千切り（→P32）1本分、ニンジン30g、ニラ70g、ヒジキのさっと煮1単位（下記参照）、ゴマ油（炒め用大さじ1、仕上げ用大さじ1/2）、ショウガの絞り汁小さじ2〜3、醤油大さじ1

■つくり方

❶ ニンジンは斜め輪切りを千切り、ニラは4〜5cmのザク切り。

❷ フライパンに油を熱し、ニンジン、キュウリ、ニラ、ヒジキのさっと煮の順に炒め、ショウガの絞り汁、醤油を加えてさっと混ぜ、仕上げのゴマ油を加える。

すぐできて、活用自在の一品

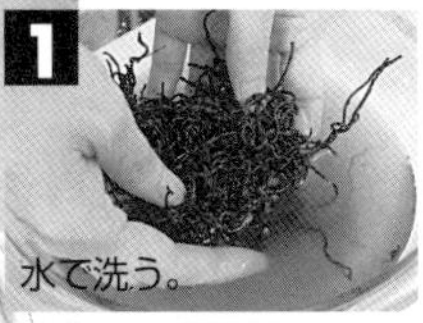
1
水で洗う。

砂や石が混じらないよう
手ですくう。

ヒジキのさっと煮

■材料（1単位分）

ヒジキ30g、醤油大さじ2、水1と1/2カップ

■つくり方

❶ ヒジキをボウルに入れて洗い、水をはって5分おき、ザルにあげる。長いものは切っておく。

❷ 鍋に醤油と水を合わせ、ヒジキを入れて火にかける。沸騰したら中火で少し汁が残るくらいまで煮含める。

♪ 混ぜごはん、サラダ、炒め物の具にも活用。

タイ風ピリッとサラダ

タイ東北部の郷土料理「ソムタム」を和風にアレンジ

■材料（4人分）

キュウリの千切り（→P32）1本分、ダイコン200g、塩小さじ1/3、タクアン30g、トマト100g、ナッツ（クルミやアーモンドなど好みで）20g、赤トウガラシ1/2〜1本、レモン汁大さじ1と1/2、薄口醤油小さじ2

☺ 本来は青いパパイヤでつくる料理。タクアンがなくてもおいしいですが、入れると味も健康度もUP！

■つくり方

❶ ダイコンをキュウリと同じくらいの千切りにする。

❷ キュウリとダイコンをボウルに入れて混ぜ、塩をまぶして15分くらいおき、水が出てきたら軽く絞る。

❸ タクアンはキュウリより細い千切りに、トマトはザク切り、ナッツは粗みじん、赤トウガラシは種を取っておく。

❹ 赤トウガラシをすり鉢ですってレモン汁で溶く。

❺ ❹にトマトを入れてすりこぎで軽くたたき、キュウリ、ダイコンを入れてすりこぎで繊維をたたきながらあえて、タクアン、醤油、ナッツを混ぜ合わせる。

♪ 生のコリアンダーの葉などを入れると、よりタイ風に！

1
ダイコンは千切り。

2
水が出たら絞る。

3
タクアンはキュウリ
より細い千切りに。

4
トウガラシをすって
レモン汁で溶く。

5
たたくと食感も味も
変化。

酸味と
辛味のきいた
真夏に
うれしい味

キュウリを乱切りにする

キュウリを乱切りにすると、緑の濃淡・歯ごたえ・舌ざわりの3つの変化が楽しめる、新食感の食材になります。大きく、小さく、コロコロに、細長くてシャープにと、いろいろ試してみてください。

切り方

キュウリを1/3ずつ回転させながら斜めに切る。

大きめの乱切りと小さめの乱切り。

キュウリの乱切りを使って

1 煎ると抗酸化成分が出て体にもいい。
2 焦げた薄皮を取ると雑味が入らずおいしい。
3 ナッツをたたきながらすりつぶすのがコツ。

キュウリのナッツあえ　一日おいてもおいしい

■材料（4～5人分）

キュウリの大きめの乱切り2本分、ナッツ（クルミ、アーモンドなど）50g、赤トウガラシ1/2本、パセリ2g、醤油・酢各大さじ1

☺ 赤トウガラシとパセリの量は好みで加減して。

■つくり方

❶ ナッツをいい香りがしてくるまでフライパンで煎る。
❷ ❶をザルの上で転がして、焦げた薄皮を取る。
❸ ❷をすり鉢に入れ、たたきながら粗くすりつぶす。
❹ ❸に醤油・酢・みじん切りにした赤トウガラシとパセリを混ぜ、キュウリをあえる。

キュウリとジャガイモの白酢クリーム

マヨネーズよりコクがあっておいし～い

■材料（4～5人分）

キュウリの小さめの乱切り2本分、塩小さじ1/2、ジャガイモ200g、水4カップ、塩小さじ2/5、白酢クリーム1単位（下記参照）

■つくり方

❶ キュウリの乱切りに、塩小さじ1/2をまぶす。
❷ 皮つきのジャガイモを鍋に入れ、分量の水と塩小さじ2/5を入れて水からゆでる。
❸ ❷を1cm角に切り、❶と白酢クリームであえる。

野菜がおいしくなる便利たれ

白酢クリーム

■材料（1単位分）

豆腐1/4丁（75g）、味噌大さじ1、練りゴマ（白）大さじ1、レモン汁大さじ1、塩小さじ1/5

■つくり方

すり鉢で豆腐と味噌、練りゴマをよくすり合わせ、なめらかになったらレモン汁と塩を入れる。

キュウリとジャガイモの青ジソ風味マリネ

しば漬けとオリーブ油でつくるおいしいマリネ

■材料（4～5人分）

キュウリの小さめの乱切り（→P34）2本分、ジャガイモ100g、塩小さじ1/5（ジャガイモの重量の1%）、トマト60g、しば漬け10～15g、青ジソ4枚、マリネ液（薄口醤油大さじ1、赤梅酢大さじ1、オリーブ油大さじ2）

■つくり方

❶ ジャガイモは重量の1%の塩をまぶして15分蒸し、キュウリと同じくらいの乱切りにする。トマトはザク切りに、しば漬けは半分に切る。青ジソは粗く刻む。

❷ キュウリと❶をマリネ液に漬け込む。

1 トマトは皮を下にしてザク切りに。

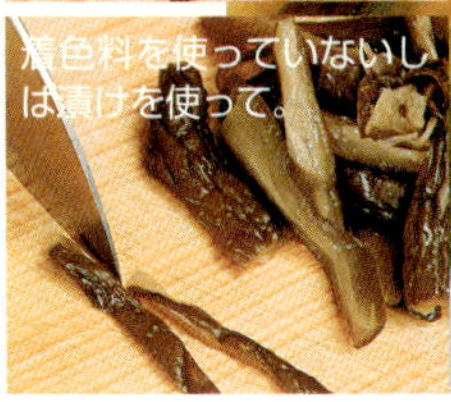
着色料を使っていないしば漬けを使って。

たっぷりまとめてつくると便利

1 ニンニクはみじん切り。

ナスは乱切り。

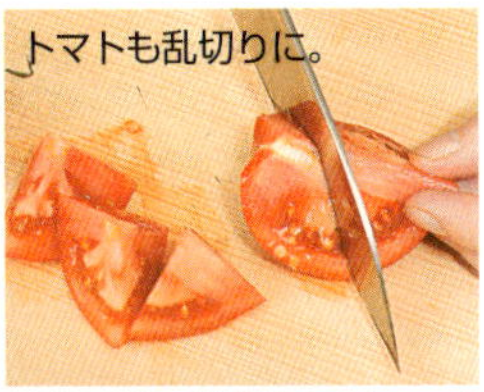
トマトも乱切りに。

2 野菜を炒めて味つけしたらコンブとローリエを加え、野菜から出る水分だけで煮込んでいく。

3 野菜の水分が出て沸騰してきたら、味噌をのせる。

夏野菜のラタトゥイユ

アツアツも、冷たくしてもGood！

■材料（3人分）

キュウリの大きめの乱切り（→P34）1本分、ニンニク1/2カケ、ナス1本（100g）、トマト1個（200g）、タマネギ1/2個（100g）、オリーブ油大さじ1と1/2、塩小さじ1、白ワイン（または酒）大さじ1、コンブ5cm、ローリエ1枚、味噌小さじ1

■つくり方

❶ ニンニクをみじん切りに、ナス、トマトをキュウリと同じくらいの大きさの乱切りに、タマネギを一口切りにする（切り方→P176）。

❷ 鍋にオリーブ油とニンニクを入れて弱火でニンニクの香りを出し（炒め方→P62）、タマネギ、ナス、トマト、キュウリの順に強火でさっと炒め、塩、ワインをふり入れてコンブとローリエを加え、ふたをしてそのまま強火で煮る。

❸ ❷が沸騰したら中弱火にして、味噌を上にのせて、再びふたをして20分煮込む。

♪ 日持ちするので、パスタソースやリゾットに応用しても。

赤梅酢

キリッとした
酸味の塩分が
丈夫な体をつくる

梅干しづくりの過程でできる梅酢は、梅干しと同じく、解毒力や殺菌力、新陳代謝の促進などたくさんの薬効をもつ、塩の仲間です。
塩からつくられる醤油や味噌などの調味料と同じように、私たちの体に塩分を補給し、体内を温めて活発にしてくれます。
塩分が多いので、調味に使うときは加減が必要ですが、健康をもたらす梅酢のキリッとした酸味を積極的に利用して、メニューの幅を広げましょう。

ちらしずし　手づくりすし酢で簡単ちらし

＜材料＞

すし飯（ごはん300g、本みりん7cc、梅酢7cc）、干しシイタケ2枚、ニンジン10g、干しシイタケの戻し汁１カップ、醤油大さじ１、インゲン適量

＜つくり方＞

①戻した干しシイタケを千切りにし、ニンジンは斜め輪切りを千切りにする。
②鍋に干しシイタケの戻し汁と醤油を入れ、①を煮る。
③梅酢とみりんを合わせ、炊いたごはんに切るように混ぜ込む。
④ごはんに②を混ぜて器に盛り、塩ゆでして薄切りにしたインゲンをのせる。

和洋おまかせ梅酢ドレッシング

サラダや料理に一味プラスするときにもおすすめ。冷蔵庫で保存可能なので、つくりおきしておくと便利です。どちらのドレッシングも油が分離するので、使うたびにシェイクしてください。

梅酢和風ドレッシング

空きビンなどに、材料を図の下のものから順に入れて振り混ぜる。
♪ 冷蔵庫で2週間くらい保存可能です。

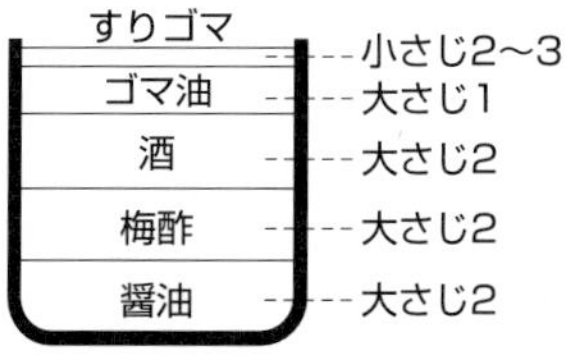

梅酢洋風ドレッシング

容器に1/4梅酢を入れ、2〜3倍量の油を足して振り混ぜる。
♪ 冷蔵庫で長期保存が可能です。

□梅酢でヨーグルト□

使い終わった梅酢の空きビンも、捨てずにヨーグルトづくりに利用しましょう。梅酢の中には乳酸菌がたくさん生きているので、空いた梅酢のビンに豆乳を入れて軽く振り、ジャムの空きビンなど口の広い容器に移しかえて、しっかりふたを閉めておけば、乳酸菌の働きで発酵が進み、自然にヨーグルトができあがります。一度食べたらやめられないおいしさ！ ぜひおためしを。

キャベツの梅酢サラダ

野菜の甘味がきわだつ一品

<つくり方>

キャベツ300ｇを大きくザク切りして、梅酢小さじ2をかける。

♪ ショウガやミョウガなどを漬け込んだ梅酢（→P93香味野菜の梅酢漬け）を、香味野菜ごとかけると、さらにおいしくなります！

カキの梅酢サラダ

カキの旨味アップの絶品！

<つくり方>

熟したカキ180gをくし形に切り、梅酢大さじ１をふりかける。

♪ カキの甘さとコクが、梅酢の塩味と酸味によって引き出されます。サラダとしても、漬け物がわりにも食べられる手軽な一品です。

カボチャの梅酢炒め

キリッとした甘さ、厚さが決め手

<つくり方>

カボチャ150gを薄切りにして、ゴマ油大さじ2で炒め、仕上げに梅酢を大さじ1かける。

♪ カボチャは中までしっかり火を通します。

MEMO

陽性の酸味がおすすめ

米酢も梅酢も強い酸味をもち、クエン酸サイクルを活発にして代謝を高める働きがありますが、米酢は体を冷やす陰性、梅酢は体を温める陽性の性質をもっています。酸味を楽しむなら、体を冷やすことなく安心して使える梅酢が絶対におすすめです！

赤梅酢で食卓に彩りを

梅を塩漬けにすると出る液を白梅酢といい、これに赤ジソを入れて漬けあがった梅干しの汁が赤梅酢。ふつう、殺菌力の強い赤梅酢を「梅酢」と呼びます。梅酢をふりかけるだけで、美しい赤い液が料理に彩りをそえてくれるだけでなく、旨味も健康度もUP。便利でおいしい健康調味料です。

体を癒す梅酢ウォーター

汗を多くかいたときなどには水180ccに対して梅酢小さじ1を混ぜた梅酢ウォーターがおすすめ。水分と塩分を体に補給し、疲労回復を助けます。梅酢をコンブだし汁で割るだけのたれもソーメンやサラダに合い、疲れた体を癒す味。コンブだし汁500ccに梅酢大さじ1を入れ煮立てれば、梅酢おすましとして楽しめます。

香味野菜のおいししさ保存

丸ごとまたは薄切りのショウガを密閉容器に入れ、材料が漬かるまで梅酢を注ぎふたをすれば、薄切りなら半日漬けから食べられる紅ショウガに。梅酢の殺菌力は野菜のおいしさをそのまま保存してくれます。

生のトウモロコシを削ぐ

粒コーンでは味わえない新鮮な食感

スライスコーン

よく研いだ包丁でトウモロコシの芯を持って回しながら削ぐ。コーンの薄い輪切りをつくるつもりで。1本から約80〜100gとれる。

実を削いだ芯は残し、だしに使う。

私たちがよく食べているトウモロコシはスイートコーンという甘味種。糖質が多く、ビタミン、ミネラルをバランスよく含んだ高エネルギー食品です。糖質は消化吸収が早いので、夏の体のエネルギー補給や疲労回復に威力を発揮。粒の白い部分にはコレステロールを下げるリノール酸が、粒の表皮には食物繊維がそれぞれ豊富で、健康維持や美容に見逃せません。

生のトウモロコシのおいしさは格別。夏の間だけの味覚なので、旬に思いっきり楽しみましょう。粒をはずす「粒コーン」が一般的ですが、インド仕込みの切り方「スライスコーン」もとってもおいしいのでチャレンジしてみて。トウモロコシの皮のキュッとした歯ごたえと、実のソフトな甘味がバランスのよい新素材です。

スライスコーンを使って

スライスコーンと
タマネギ
ダブルの甘さ

コーンスープ青ジソ風味

舌にやさしく、腸にもやさしいスープ

■材料（6人分）

スライスコーン（→P38／芯も使う）2本分、タマネギ1個、ゴマ油小さじ1/2、コンブ5cm、水4カップ、塩小さじ1と1/3、クズ粉大さじ2と1/2（同量の水で溶く）、青ジソ1枚

■つくり方

❶ タマネギを5mm角に切り、ゴマ油を熱してタマネギを透き通るまで炒め、コンブと水、スライスコーン、トウモロコシの芯を入れ、塩を加えて中火で10〜15分煮る。

❷ ❶に水で溶いたクズ粉をまわし入れ、トロミをつける。

❸ ❷を器に盛り、青ジソの千切りを散らす。

1 トウモロコシの芯から出てくるエキスがおいしさのポイント。

2 クズ粉でトロミをつけ、しばらく煮る。

2 スプーンで生地をすくって揚げる。

1 最初に水以外の材料をすべてボウルで混ぜ合わせる。

スライスコーンのフリッター

コーンスープと同じ材料でつくれて簡単！

■材料（4人分）

スライスコーン（→P38）50g、タマネギ100g、小麦粉50g、塩小さじ1/2、水1/4カップ、揚げ油適量

■つくり方

❶ タマネギは5mm角に切り、水以外の材料をすべてボウルで混ぜ合わせて、最後に水を加える。

❷ ❶を大さじすり切り1杯分ずつ油に入れ、170℃の油で2分揚げる。

♪ カレー粉などのスパイスを少々加えると、さらにおいしくなります。

黄金色が美しい
新しい食感の
かき揚げ

粒コーンとカボチャのごはんを炊く

味も旨味も相性抜群のコーンとカボチャはカロチンたっぷりのヘルシーな組み合わせ。基本のごはんを炊いておけば、ドレッシングをかけてサラダに。そのまま丸めてコロッケに。水を足せばリゾットに。次々と変身してとても便利です。

粒コーンとカボチャのごはん

■材料（1単位分）

粒コーン（生のトウモロコシから実をはずしたもの）100g、カボチャ300g、タマネギ200g、油大さじ2、白米1カップ、コンブ5cm、水1と1/2カップ、塩小さじ1と1/2、白ワイン（または酒）大さじ2

■つくり方

❶ カボチャを一口大の薄切りに、タマネギをまわし切りにする。油を熱してタマネギが透き通るまで炒め、カボチャと粒コーンを加えてさらに炒める。

❷ ❶に白米を入れてコンブと水を加えて煮立たせたら、塩と白ワインを入れて煮る。

♪ カボチャ・タマネギは放射状に切ることで、味・エネルギー・栄養・歯ごたえを均一にするのがおいしさのポイント。

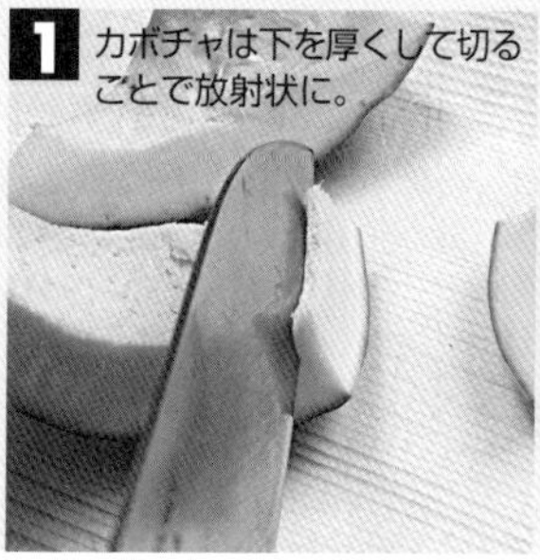

1 カボチャは下を厚くして切ることで放射状に。

タマネギは放射状にまわし切り。

2 麦や雑穀でもおいしい。

塩と白ワインを入れて炊く。

粒コーンとカボチャのごはんを使って

粒コーンとカボチャのリゾット

カロチンたっぷりのヘルシーリゾット

■材料（2人分）

上記の粒コーンとカボチャのごはん1/2単位、水1/2〜1カップ（好みで加減する）、塩一つまみ

■つくり方

粒コーンとカボチャのごはんに水と塩を足して、好みのやわらかさになるまで煮込む。

ごはんにしみ込んだ
旨味が溶け出す

ごはんがあっという間にサラダに変身！

粒コーンとカボチャのサラダ

主食にもなるさっぱりコックリサラダ

■材料（3人分）

粒コーンとカボチャのごはん（→P40）1/2単位、キュウリ1本（100g）、塩小さじ1/5（キュウリの重量の1%）、赤梅酢小さじ2/3

■つくり方

❶ 冷やした粒コーンとカボチャのごはんに赤梅酢をかける。

❷ キュウリを薄切りにして塩をまぶし、❶に混ぜ合わす。

2 キュウリを混ぜてできあがり。

1 赤梅酢をかけるとドレッシングの味わいに近づく。

粒コーンとカボチャのごはんを握って食べやすい大きさに。

溶き衣・パン粉をつけて揚げる。

粒コーンとカボチャのコロッケ

ほんのり甘い主食コロッケ

■材料

粒コーンとカボチャのごはん（→P40）適量、溶き衣（小麦粉1/2カップ、塩小さじ1/4、水1/3カップ／溶き方→P28）、パン粉・揚げ油各適量

■つくり方

粒コーンとカボチャのごはんを握って、溶き衣とパン粉をつけて180℃の油で揚げる。

揚げたてを手でパクッとつまみたい

インゲンは栄養を幅広くバランスよく含むマメ科の植物。ビタミンAやB、ミネラル類、食物繊維、良質なタンパク質などが豊富です。1年に3回収穫できるため三度豆とも呼ばれますが、旬はやはり夏。タンパク質に含まれるアスパラギン酸が疲労解消に効果的なので、夏バテ防止に積極的に食べたいもの。鮮度が落ちるのが早いので、新鮮なうちに食べ切りましょう。

インゲンを丸ごと使う

丸ごとならではの形と食感にワクワク

インゲンの1本揚げ

大胆でユニークな一品

■材料（4人分）

インゲン100g、ニンジン1/4本、板麩1枚（なくてもOK）、溶き衣（小麦粉1/2カップ、塩小さじ1/4、水80cc）、揚げ油適量

■つくり方

1 ニンジンは斜め輪切りを千切り。

2 板麩を湯で戻し（→P116）細長く切り、インゲンに巻きつけてニンジンをのせる。

3 溶き衣の材料を混ぜ（濃いめにつくり塩をきかせるのがポイント）、インゲンをつける。

4 180℃の油でカラッと揚げる。

薄口醤油と夏ミカンの香りが絶妙にマッチ

1 インゲンは手で折る。

夏野菜のおいしさを満喫！

1 タマネギは繊維と垂直に1mmの薄切り

3 水は入れず、野菜から出る水分だけで煮込む。

砂糖を使わないから
インゲンの甘さがきわだつ

2 ゴマを半ずりにすると、プチプチと粉々の2段階の食感が楽しめる。

初夏から夏にかけて次々に実るインゲン。美しいグリーン、キュッと歯ごたえのある食感、ほんのりさわやかな甘味が目にも舌にもおいしい野菜です。

インゲンの夏ミカン煮　ほんのりビターなおいしさ

■材料（4人分）

インゲン200g、夏ミカンの果肉1/2個分、ゴマ油大さじ1、コンブ5cm、水1/2カップ、薄口醤油（または白醤油や醤油）大さじ1

■つくり方

❶ インゲンは手で二つに折る。

❷ 夏ミカンは包丁で小房を切り落として薄皮をむいておく（皮のむき方→P71）。

❸ 鍋にゴマ油を熱し、インゲンを入れて中火でさっと炒め、コンブと水、薄口醤油を入れ、ふたをして煮含める。

❹ 最後に夏ミカンの果肉を混ぜ合わせる。

インゲンのくたくた煮　イギリス家庭料理の定番

■材料（6人分）

インゲン500g、タマネギ1個（200g）、トマト2個（400g）、ニンニク1カケ、油大さじ3、塩大さじ1、コショウ小さじ1/3、醤油小さじ2

■つくり方

❶ タマネギは繊維と垂直に1mmの薄切り、トマトはザク切り、ニンニクは千切りにする。

❷ 鍋に油とニンニクを入れて弱火にかけ、いい香りがしてきたら（炒め方→P62）タマネギを入れ中火でしなやかになるまで炒め、トマトを加えてさっと炒める。

❸ ❷にインゲンを入れて塩・コショウで味つけし、ふたをして中弱火で20分煮込む。

❹ ❸に醤油をふって味をととのえ、大きく混ぜながらトロミがつくまで10分煮込む。

♪ 数日、楽しめます。くたくたに煮たインゲンの味は、子どもも大好きな、やみつきになるおいしさです。

インゲンのゴマ醤油あえ

食感のハーモニーがうれしい究極のあえ物

■材料（4人分）

インゲン200g、ゴマ大さじ6、醤油大さじ3

☺ ゴマをたっぷり入れるのがポイント。

■つくり方

❶ 二つに折ったインゲンを塩一つまみ（分量外）を入れた熱湯で5〜7分ゆでる。

❷ ゴマを煎って、すり鉢で半ずりにし、醤油を加える。

❸ ❶を❷であえる。

醤油

香味、風味を楽しんで お腹を丈夫に

醤油は、ソイソースとして世界でも愛されている日本発の万能調味料。味噌と同様たくさんの薬効をもつ発酵食品であり、醤油の中に生きている有用微生物が、健康効果とともに、味の深みや香りをつくりだしています。
どんな食材、料理とも相性がよく、多様な味を生みだしてくれる醤油ですが、意外に身近すぎて、使い方も固定的になりがち。ここでは、そんな醤油の簡単活用術をご紹介します。ぜひ試してみてください！

揚げ車麩の寄せ鍋　手軽で経済的なすき焼き風鍋

＜材料＞ 6人分

車麩3個、ハクサイ1/2個、ダイコン4cm、ニンジン3cm、長ネギ1本、シメジ1/2パック、豆腐2/3丁、白滝1/2袋、寄せ鍋のつゆ（コンブだし汁4カップ、醤油大さじ6、酒大さじ4）

☺ シイタケやシュンギクなど材料は好みで。

＜つくり方＞

①車麩は戻さず1/2か1/3に切り、素揚げする。野菜などの材料は食べやすい大きさに切る。寄せ鍋のつゆは、すべて混ぜ合わせる。
②鍋に材料を並べ、合わせたつゆを注いで煮ながらアツアツを食べる。

カンタン便利！「割り醤油」3種

割り醤油は、おひたし、サラダ、つけ汁にも使える基本の合わせ調味料。ポイントは、醤油を水で割ることだけ。反対に水を醤油で割ってしまうと水っぽくなるので要注意！

基本の割り醤油

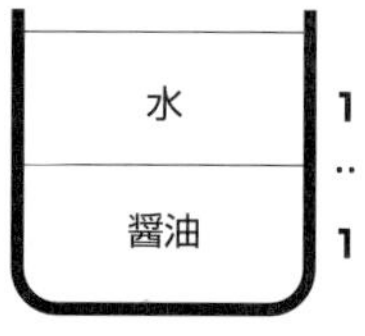

梅酢醤油

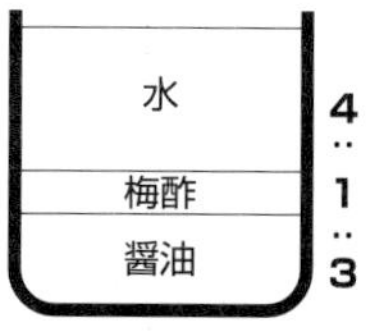

和風ドレッシング

♪ ワサビやユズなどの薬味をプラスした、旬の風味を楽しむ割り醤油もオススメです。

シンプルめんつゆコレクション

めんや野菜の味を生かす絶妙の味！

そばのつけつゆ

醤油、酒、塩、水、コンブの順に入れて5分煮立てる。
♪ そのままめんにからめて。冷蔵庫で保存可能です。

```
+コンブ10cm
水     ── 2カップ
塩     ── 小さじ2/3
酒     ── 大さじ4
醤油   ── 大さじ8
```

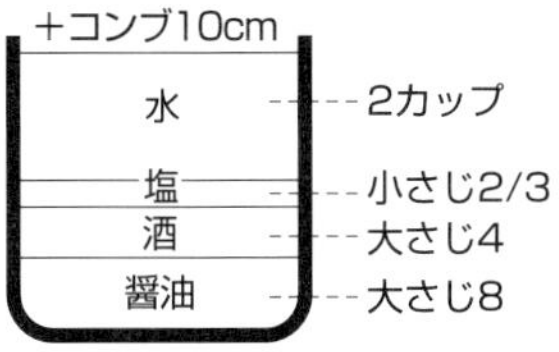

うどんのつけつゆ

上記のそばつゆを半量の水で割るだけで、おいしいうどんのつけつゆに。

```
水            1
そばのつけつゆ  2
```

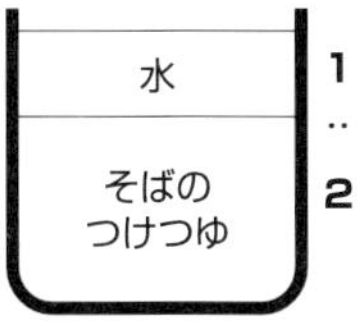

かけつゆ、天つゆ

上記のそばつゆを同量の水で割る。
♪ 煮込みうどんのつゆ、上品な天つゆにもなります。

```
水            1
そばのつけつゆ  1
```

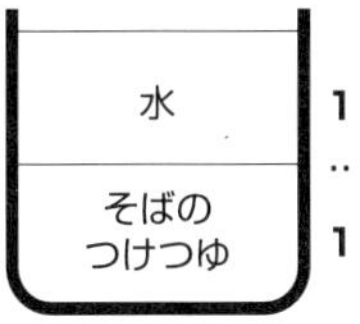

基本の天つゆ

♪ めんや天ぷらのつゆだけでなく、たれやあんかけの素としても大活躍します。

```
コンブだし汁  3
醤油         1
```
+ ダイコンおろし 1人 15g

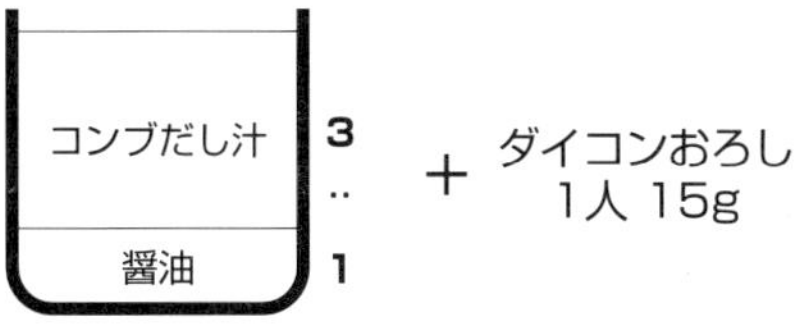

□盛りつけにも一工夫□

旬の青菜を熱湯でさっと塩ゆでし、軽く絞って3cmに切り、皿に立てます。割り醤油を皿の底に注ぎ、しばらくおくと、毛管現象でおひたし全部に適度な旨味がしみ渡ります。

MEMO

お腹もうれしい調味料

醤油は、食欲を増進させ、胃液の分泌を活発にして消化を助けてくれる働きがあります。乳酸菌が腸内微生物を活発にする、日本のヨーグルト的存在なのです。ヨーグルトよりも日本人の体に合っていて、腸の中から元気にして体調をととのえてくれます。

ブレンドも楽しい

醤油には関東発の濃口醤油と、関西発の薄口醤油がありますが、色も塩分の感じ方も違います。濃口醤油は褐色で濃厚な旨味と香り。薄口醤油は濃口よりも色が淡く、塩味のきいたさっぱり旨味。混ぜて使うと色合いも楽しく、味の世界も広がります。

一ふりのすすめ

シチューに醤油を一ふり、炒め物に一ふり、チャーハンに一ふり。先入観を捨てて、醤油をもっと気軽に、さまざまな料理に入れてみましょう！ どんな料理にも溶け込んで旨味がアップします。かくし味としてほんのちょっと入れるのがコツです。

醤油と水の不思議

おすましをつくるときに、①醤油をだし汁で薄める、②だし汁に醤油を加える、のどちらにするかで、塩味の感じ方が変わります。同じ塩分でも①は濃く、②は薄めに感じるのです。薄味に仕上げたいときは②、濃いめなら①と、調理のときこの感覚を利用すると便利です。

ズッキーニを焼く、揚げる、あえる

バター風の透明なコクを存分に楽しむ

ズッキーニはキュウリによく似ていますが、カボチャの仲間。カボチャ同様カロチンをたっぷり含み、ビタミンB、食物繊維も豊富です。カロチンは免疫を強化して風邪の予防や粘膜を保護し、ビタミンBは血行を促進して美肌効果を発揮します。また、亜鉛なども含んでいるので貧血の予防にもなり、低カロリーでダイエットにいいなど女性にはうれしい食材です。

ズッキーニは開く寸前の花に詰めものをしたり、キュウリほどの大きさに実ったものを料理して食べます。油と相性抜群なので、焼いたり揚げたりするのがオススメですが、輪切りにしてさっと蒸し、サラダやマリネにしても、手軽に旨味のあるやさしい甘さが楽しめます。黄色ズッキーニも同じように料理できます。

ズッキーニを焼いて

ズッキーニのパンケーキ

カナダケベック州のおばあちゃんの味

■材料（1枚分）
ズッキーニ1本（200g）、小麦粉1カップ、塩小さじ1/2、油適量

■つくり方
❶ ズッキーニを皮ごとおろす。
❷ ❶と小麦粉、塩を合わせて生地をつくる。
❸ フライパンに多めの油を熱し、❷の生地を丸く流し入れて、ふたをして中火で焼く。ふちが乾いて裏面に焼き色がついてきたら、裏返す。
♪ ズッキーニの水分によって、生地がかたければ水を、やわらかければ小麦粉を足して調節してください。
♪ 生地がやわらかすぎると、裏返せないので注意。塩をきかせて、多めの油で焼くのがポイント。

1 ズッキーニをおろす。
2 おろしたズッキーニはこれくらい入れる。
もったりした生地をつくる。
3 多めの油で生地を丸く焼く。
ふちが乾いて裏に焼き色がついたら裏返す。

ズッキーニのトマトピカタ

トマト入りの衣で、目にもおいしいメインディッシュ

■材料（4人分）
ズッキーニ2本（400g）、塩小さじ4/5（ズッキーニの重量の1%）、衣（小麦粉1カップ、塩小さじ1、トマト140g、水3/4カップ）、油適量

■つくり方
❶ ズッキーニは両端を切り落とし、厚さ8mmで縦に切り、塩をまぶす。
❷ トマトを粗みじん切りにし、小麦粉、塩、水と合わせて、衣をつくる。
❸ ❶に❷をつけ、油を熱した中火のフライパンで焼く。
♪ 衣に塩をきかせ、多めの油でカリッと焼くのがおいしさのポイント。
♪ いろいろな野菜を焼いてみましょう。

1 太いもので4等分、細いものなら3等分くらいがめやす。
塩をまぶすのを忘れずに。
2 衣をつくる。イチゴミルクのよう。
3 ズッキーニに衣をつける。
まず衣を敷き、上にズッキーニをのせる。
衣を上からかけながら焼く。

ズッキーニを揚げる、あえる

バターをフライにしたような
コクのある味わい

ズッキーニのカツレツ

海外のベジタリアンビュッフェの定番メインディッシュ

■材料（3人分）
ズッキーニ1本（200g）、塩小さじ2/5（ズッキーニの重量の1%）、溶き衣（小麦粉1/2カップ、塩小さじ1/4、水1/3カップ）、パン粉・揚げ油各適量

■つくり方
❶ ズッキーニを厚さ8mmの輪切りにして、塩をまぶす。
❷ 溶き衣の材料を混ぜて（溶き方→P28）❶につけ、パン粉をまぶして170℃の油で揚げる。
♪ ズッキーニに塩をまぶしたら、水分が出てクニャクニャにならないうちに揚げること。

1 ズッキーニは肉厚がおいしい。この厚みがポイント。

ズッキーニの塩もみナッツ風味

切って絞るだけとは思えないリッチテイストの塩もみ

■材料（3人分）
ズッキーニ1本弱（150g）、塩小さじ3/4、ナッツ15g

■つくり方
❶ ズッキーニを厚さ3mmの半月切りにする。
❷ 塩をまぶしてしばらくおき、水分が出てきたら軽く絞る。
❸ ナッツを煎って粗みじん切りにし、❷をあえる。

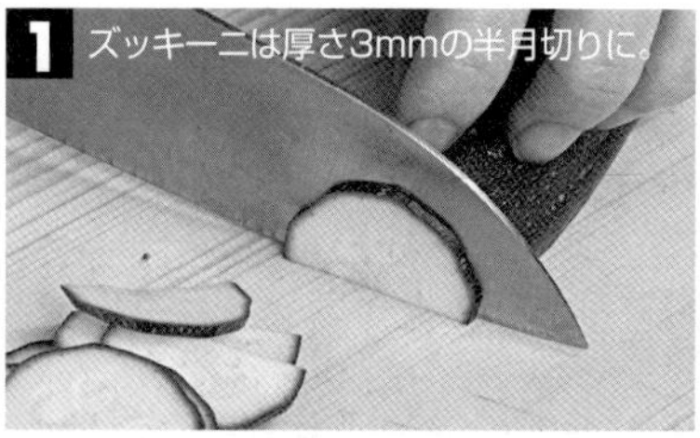
1 ズッキーニは厚さ3mmの半月切りに。

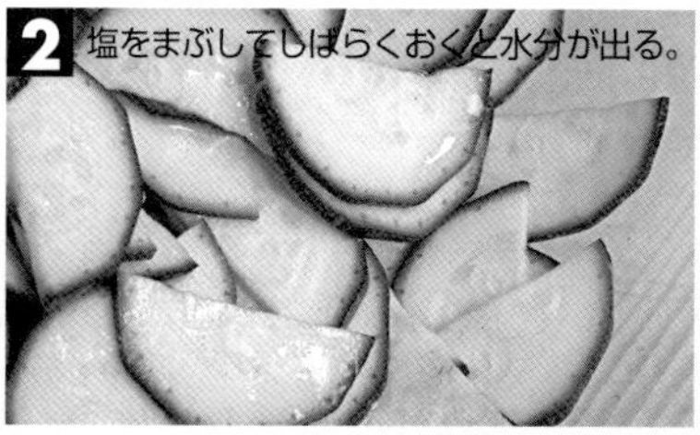
2 塩をまぶしてしばらくおくと水分が出る。

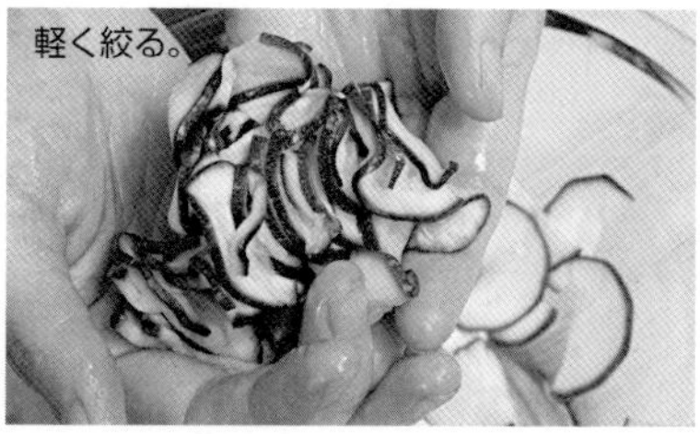
軽く絞る。

梅干し

梅・塩・シソの三位一体パワーが元気をくれる日本の伝統健康食品

梅を海の塩と赤ジソと一緒に漬け込む梅干しは、古くから受け継がれてきた日本人の活力の源泉ともいえるミラクルフード。
殺菌作用、血液浄化、疲労回復、二日酔いにも効くなど、梅干しの薬効は、梅・塩・シソの3つのパワーが集結しているから実に多様です。
梅肉は料理に活かすと、ほどよい酸味が味の変化を与えてくれる便利調味料。おいしいだけでなく、梅干しをたっぷり食べられて、家族みんなが丈夫になります。

梅醤番茶　疲れたなと思ったら

梅醤番茶の効能

- 疲労回復
- 内臓を強くする
- 活力を増進する
- 脳を爽快にする
- 夏バテ解消
- 血行促進
- 貧血、冷え性の改善
- 下痢の回復
- 二日酔いの回復

<つくり方>

①中くらいの大きさの梅干し1個の種を取って梅肉をつぶし、醤油小さじ2～3を加えてよく練る。

②おろしたショウガの絞り汁2～3滴を入れ、熱い番茶3/4カップを注ぐ。

P53へつづく→

海岸の砂地に自生している野草で、海草のヒジキに似ているため、オカヒジキの名がつきました。春から夏にかけて若い茎葉や新芽を摘みとって食べますが、クセはなく、シャキッとした食感。ビタミンとミネラルが豊富で、抵抗力を高めてくれるカロチンやカリウム、カルシウムもたっぷり。とくにカルシウムはホウレンソウの3倍も含まれている健康食材です。

オカヒジキをゆでる

シャキシャキ感を生かして味わいつくす

オカヒジキのゆで方

1 根元をさわって、かたい部分があったら折って取り除く。

♪ 生で100gのオカヒジキを、下処理してゆでると90gくらいになります。

2 沸騰している熱湯に、オカヒジキを放って、1分ゆでる。

3 ザルにあげて冷まし、食べやすい大きさに切る。

オカヒジキは一見、海草のように見えますが、れっきとした夏が旬の葉野菜です。ゆでても目に鮮やかなグリーンの美しさはそのまま変わらず、シャキシャキとした食感と歯ざわりも個性的です。その色や食感を生かすにはサラダやあえ物がオススメ。暑い夏にさっとできて、目にも涼しいオカヒジキの料理を楽しんでください。

ゆでたオカヒジキを使って

目にも舌にも
おいしい
シャッキリ
サラダ

ダブルヒジキサラダ

陸と海のヒジキが奏でる絶妙のハーモニー

■材料（2人分）
ゆでて切ったオカヒジキ（→P50）60g、ヒジキ20g、長ネギ15g、梅酢ドレッシング（油2：赤梅酢1、醤油少々）

■つくり方
❶ ヒジキは水で戻さず、そのまま熱湯で5〜6分やわらかくなるまでゆでてザルにあげ、梅酢ドレッシングに漬ける。
❷ ❶の中に、オカヒジキと千切りにした長ネギを入れてあえる。

1 ヒジキは戻さずに、熱湯でゆでる。

ゆでてすぐドレッシングに漬ける。

カボチャの甘味が
やさしい
砂糖を使わない
白あえ

オカヒジキの黄金あえ

ふんわり生地にシャキシャキの食感が不思議なおいしさ

1 豆腐に、まな板などで重石をする。

重石をして約30分。これくらいの厚さになるまで待つ。

4 やわらかく蒸したカボチャを加えてすり混ぜる。

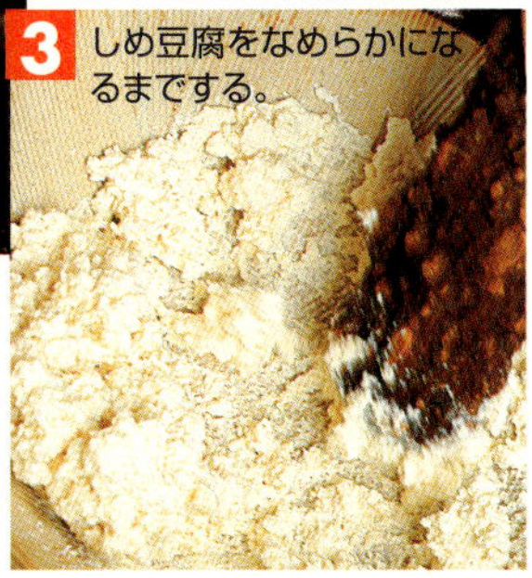
3 しめ豆腐をなめらかになるまでする。

■材料（5〜6人分）
ゆでて切ったオカヒジキ（→P50）60g、糸コンニャク250g、油小さじ1、塩小さじ1、酒大さじ2、あえ衣（豆腐150g、カボチャ230g、塩小さじ2/3）
☺ 糸コンニャクはキクラゲでもOK。歯ごたえの違うものを2種類合わせるとおいしい。

■つくり方
❶ 豆腐は塩1％の熱湯（湯は豆腐にかぶるくらい。水1.5リットルに対して塩大さじ1）で崩れないよう芯まで温めてから重石をし、しめ豆腐をつくる。
❷ 糸コンニャクを塩（分量外）でもんで、熱湯でゆでてザクザク切り、熱した油で炒めて、塩と酒を加えてさっと炒める。
❸ できたしめ豆腐をすり鉢に入れ、なめらかになるまでする。
❹ ❸に蒸したカボチャを少しずつ加えてすり混ぜ、塩で味をととのえ、❷とオカヒジキをあえる。

ゆでたオカヒジキをあえ物に

オカヒジキとキュウリのショウガあえ
シャキシャキ&パリパリの食感と夏の香りを楽しんで

■材料（3人分）
　ゆでて切ったオカヒジキ（→P50）60g、キュウリ1本（100g）、青ジソ3枚、ドレッシング（ゴマ油大さじ1、酒小さじ1、塩小さじ3/4、おろしショウガ5g）

■つくり方
　❶ キュウリを斜め薄切りにして、縦に3等分し、青ジソは細切りにする。
　❷ ドレッシングの材料をすべて混ぜ合わせて、❶とオカヒジキをあえる。

青ジソとショウガの香りがうれしい夏の一皿

1 キュウリは斜め薄切りにして縦に3等分。
青ジソは細切りに。

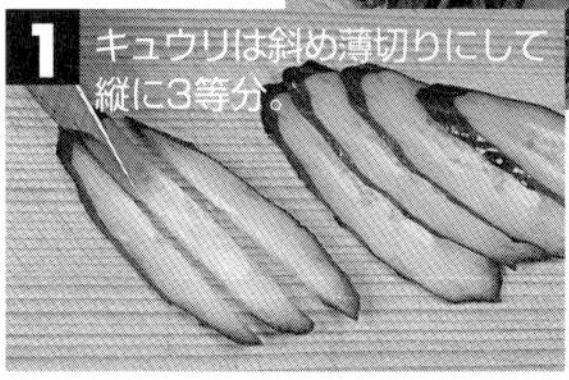

クルミ味噌あえ
クルミ風味の味噌だれが、こっくりおいしい

■材料（2人分）
　ゆでて切ったオカヒジキ（→P50）60g、クルミ20g、水大さじ9、味噌大さじ3（45g）、ニンジン150g

■つくり方
　❶ クルミを煎り、半量をすり鉢で水を少しずつ加えながらよくすって、味噌を混ぜる。
　❷ ニンジンは斜め輪切りを千切りにしてゆでる。
　❸ ❷とオカヒジキを❶であえ、残りのクルミを粗みじん切りにして加える。

ミルキーなクルミのコクがたまらない

1 クルミに水を加えながらすると、クリーミーに。
2 ニンジンは千切りにすると、オカヒジキによくからむ。

ほかにも応用できるアイデア

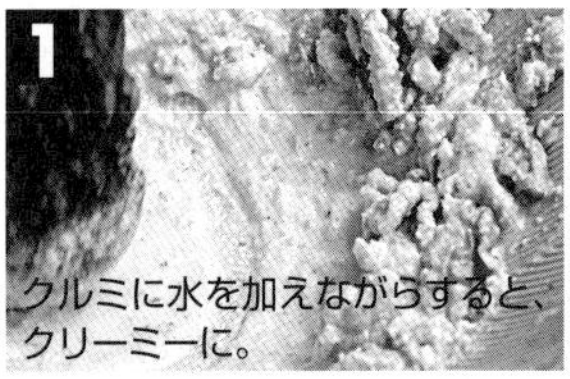

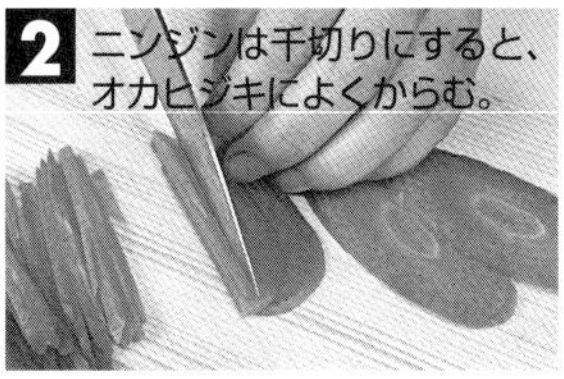

あえ物の春巻き
シャッキリ感がうれしいサラダ感覚の春巻き

■材料
　上記のあえ物2種、春巻きの皮・小麦粉・水・揚げ油各適量

■つくり方
　あえ物を春巻きの皮で包み、180℃の油で揚げるだけ。春巻きの皮は1枚を三角形に2等分して包むと、小ぶりで食べやすい春巻きに。

春巻きの皮は2等分するとミニ春巻きに。
あえ物を包んでキュッと巻く。
端を水溶き小麦粉でとめる。

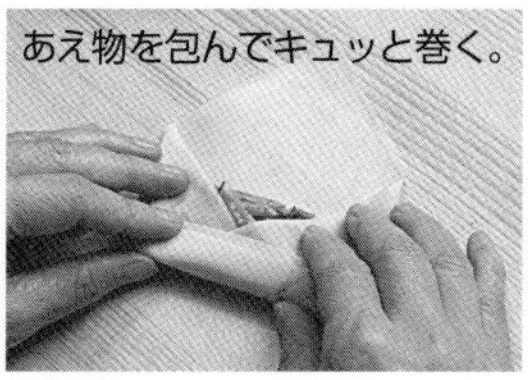

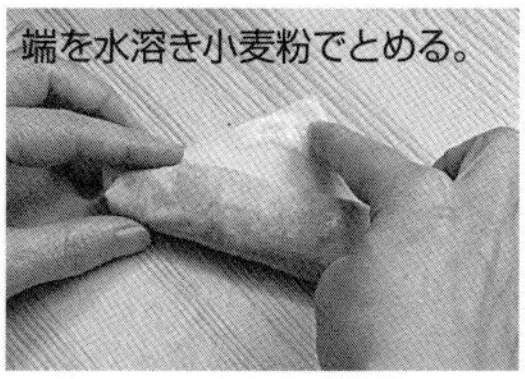

→P49「梅干し」のつづき

梅味噌切りあえ　手巻きずしの具にも便利

＜材料＞

梅干し20g、長ネギ40g、味噌5g

＜つくり方＞

梅干しは種を取り、ネギと梅肉をみじん切りする。包丁できざみながら、味噌を混ぜ込む。

♪ ミツバやパセリをきざんでもおいしい。ごはんにのせてお湯を注げば、お茶漬けに！（ほかの切りあえ→P16、P187）

カブの梅ネギあえ　梅味噌切りあえを使って

＜材料＞

カブ適量、上記の梅味噌切りあえ全量、コンブだし汁大さじ2、醤油大さじ3、酒適量

＜つくり方＞

梅味噌切りあえを、コンブだし汁、醤油、酒で好みの濃さにのばし、蒸したカブにあえる。

♪ 味は好みで調整。ダイコンやレンコン、ブロッコリーなどでもおいしくできます。

ニンジンの梅煮　梅の酸味とニンジンの旨味が溶け合う

＜材料＞

ニンジン1本、梅干し2個、コンブだし汁1カップ、醤油小さじ1

＜つくり方＞

①5mmの厚さに切ったニンジンを鍋に入れ、コンブだし汁をひたひたになるまで入れて梅干しも加え、火にかける。

②沸騰したら弱火にし、ニンジンがやわらかくなったら醤油を加えて火を止める。

砂糖なしでつくる梅酒

本物のみりんは、もち米でつくる甘口の酒の仲間。砂糖を使わずに梅とみりんだけでつくる梅酒は、時とともに、みりんと梅の成分が混ざり合って影響しあい、おいしいリキュールになります。漬かった梅も、お茶うけやお菓子の材料に大活躍します。

＜つくり方＞

青梅1kgをさっと洗い、ザルにあけて水気を切ってからヘタを取る。串で何ヵ所か刺して穴を開け、容器に青梅と本みりん1.8リットルを入れる。

♪ 1ヵ月後くらいから飲めます。何年かおいたものも、甘くておいしくいただけます。

MEMO

疲れ知らずのクエン酸

梅はカルシウムやカリウムなどのミネラルや、クエン酸が豊富な食材。クエン酸は、炭水化物をスムーズに分解して、エネルギー変換を促進する作用があります。また、疲労の原因となる乳酸の過剰生産を抑え、疲れにくい体をつくってくれる頼もしい成分です。

梅干しの主な効能

○新陳代謝促進
○疲労回復
○消化促進
○整腸作用
○食欲を高める
○つわりを軽くする
○殺菌作用・解毒作用
○心臓の働きの活発化
○アルカリ性の造血作用
○精神を安定させる

酸味を利用

梅干しの酸っぱい成分は、唾液の分泌を促し胃液を分泌させます。梅干しを見るだけで唾液が出てくるのは、このためです。食欲不振やつわりのときに、梅干しを一つ食べたり、料理に梅肉を利用したりすると、食欲を増進させ、つわりも軽くなり、とても効果的。梅干しの酸っぱさを上手に利用してください。

暮らしの万能薬

昔の人は、梅干しを常備薬として、疲労時に食べ、疲れをとっていたと言われます。食べ物が腐りやすい季節は、お弁当には梅干しを入れ、強力な殺菌作用で腐敗を防止していました。昔から梅干しは暮らしの万能薬、知恵の結晶なのです。

寒さに強い長ネギは冬の野菜です。体を温める効果があり、昔から民間療法で風邪のときの薬代わりに利用されてきました。特有の匂いは魚や肉の臭み消しとして重宝し、薬味として利用すれば食欲増進を助けます。カロチン、ビタミンC、カルシウムなどが豊富ですが、カロチンは緑色の部分にしか含まれていないので、捨ててしまわずに丸ごと使い切りましょう。

長ネギを千切りにする

白髪ネギより簡単！ 本格中華がグッと身近に

長ネギの千切り

1 葉の元に土がついていれば洗う。

2 白い部分と青い部分に切り分け、二つの素材として扱う。

3 長さ5cmに切った長ネギを縦に2等分して、千切りに。

4 切ったらすぐに冷水にくぐらせ、ザルにあげ水気を切る。

■包丁の入れ方

図の赤線のように放射状に包丁を入れると、形が揃ったきれいな千切りができます。

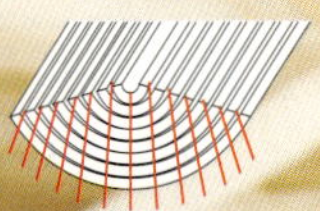

♪ 白い部分2本分で約150gの千切りができます。

♪ 冷水に5分つけてザルにとり密閉容器に入れておくと3日はシャキッと保存できます。

寒くなるほどにみずみずしさが増してくる長ネギを、白髪ネギより簡単な千切りにしてみませんか？　シャッキリして美しい仕上がりは、めん類や蒸し料理などさまざまな料理に気軽にトッピングできます。

長ネギの千切りを使って

千切りネギサラダ

長ネギのさわやかな辛さに、トウガラシの辛味をきかせて

■材料（2人分）

長ネギの千切り（→P54）100g、ドレッシング（ゴマ油小さじ1と1/2、塩小さじ1/3、一味トウガラシ適量）

■つくり方

ドレッシングの材料を混ぜて、長ネギの千切りの上からかける。

千切りネギの白湯スープ

見た目も味もまるで豚骨スープ。でも「野菜だけ」です

■材料（1人分）

白湯スープ：長ネギの千切り（→P54）150g、干しシメジ4g（または干しシイタケ1枚）、水3カップ、ゴマ油小さじ2、コンブ5cm、塩小さじ1と1/3

すいとん生地：小麦粉大さじ3、塩一つまみ、水大さじ2と1/2

■つくり方

❶ 干しシメジを水3カップで戻しておく。
❷ 鍋にゴマ油を熱して、強火で長ネギを炒める。
❸ 長ネギがしんなりしてきたらコンブと❶の干しシメジと戻し汁を入れて中強火で煮て、煮立ったら塩を入れて中火にし、さっと煮る。
❹ すいとん生地を天ぷらの溶き衣のように混ぜてつくり、スプーンですくって、中強火で煮立ったスープの上に薄くずらしながら入れて煮る。
❺ すいとんに火が通ったらできあがり。
♪ ふわふわのすいとんは、汁物なら何でも合います。

3 長ネギをたっぷり使って。炒めたらコンブと干しシメジの戻し汁を入れる。

4 生地は、粉の真ん中を箸で混ぜながら水を一気に注いで溶くとダマにならない。

スープの上に薄くのせるようにすいとんを入れる。

まろやかで
後味すっきり
ふわふわ
すいとん入り

白湯スープをアレンジ

ベジ塩ラーメン

インスタントラーメンなんて、もういらない！

■材料（1人分）
ソーメン50g、千切りネギの白湯スープ（→P55の塩を小さじ2に。あとはすべて同じ）1人分

■つくり方
ソーメンをゆでて丼に入れ、アツアツの白湯スープを注ぐ。ノリや好みの薬味をのせてどうぞ。
♪ 下記の千切りネギソースをのせると、本格的な味わいに。

スープを注げばソーメンがラーメンに変身。

材料もつくり方もシンプルな万能ソース

千切りネギソース

■材料
長ネギの千切り（→P54）適量、ゴマ油：薄口醤油（または白醤油）：酒＝1：1：1

■つくり方
調味料を混ぜ合わせて、千切りにしたネギを漬け込み、30分くらいおけばできあがり。
♪ 長期保存がきくので、ビン詰めで常備しておくと便利です。
♪ めんなどの薬味のほか、炒め油の代わりにも。

本格中華のかくし味に！

・・長ネギを小口切りにして

長ネギの串カツ

カリッと揚げたてをハフハフ言いながら食べたい

■材料（串4本分）
太めの長ネギの白い部分2本分、溶き衣（小麦粉1カップ、塩小さじ1、水3/4カップ）、パン粉・揚げ油各適量

■つくり方
❶ 長ネギを1.5cm幅の小口切りにして串を刺す。
❷ 溶き衣の材料を混ぜたもの（溶き方→P28）とパン粉をつけて180℃の油で揚げる。
❸ 塩をふっていただく。
♪ コロコロの一口サイズに切るのが、おいしさのポイント。

1 串カツの正体は長ネギ。

青い葉でつくるネギ味噌

青い部分もムダなく。長く保存できます

■材料
長ネギの青い部分200g（約4本分）、ゴマ油大さじ1、麦味噌25g、豆味噌25g、水1/4カップ、煎りゴマ（白）大さじ1、ユズの絞り汁少々

■つくり方
❶ 長ネギを5mm幅の小口切りにする。
❷ 鍋にゴマ油を熱して❶を強火でしんなりするまで炒め、麦味噌と豆味噌をネギの上にのせて、水を加える。このとき、かき混ぜないこと。
❸ ❷にふたをして煮て、煮立ったら弱火にし、水分がなくなって鍋の端に少し焦げ目がつくくらいまでじっくり煮る。
❹ 木べラで大きくかき混ぜたら、そのまま水気がなくなるまで火を通し、最後に煎りゴマとユズの絞り汁を混ぜて完成。

1 長ネギは5mm幅の小口切りに。

2 ネギをしんなりするまで炒めたら、味噌をのせ、水を入れる。

3 鍋の端がちょっと焦げるまでかき混ぜない。

長ネギが新鮮なうちに、まとめてつくっておきたい

長ネギを斜め切りにする

秋冬の肉厚な長ネギのおいしさを堪能するなら、長ネギの白い部分を、切り口4〜5cm、厚さ1cmくらいの厚めに切るのがオススメ。加熱することで、甘さとトロリとした口あたりが生まれ、あとをひくおいしさです。

長ネギ特有の歯ごたえと、中心のトロリとした食感の両方が楽しめる

長ネギと油あげの塩炒め

ごはんにのせると、軽めの食事にぴったり

■材料（3人分）

長ネギの斜め切り140g、油あげ2枚、油大さじ1、塩小さじ1、酒大さじ2、七味トウガラシ適量、ごはん適量

■つくり方

❶ 油あげをザク切りにする。

❷ フライパンに油を熱し、長ネギをさっと炒めて塩をふる。油あげも加えて、酒で味をつける。

❸ 丼にごはんを盛り、❷をのせて、好みで七味トウガラシをふる。

油あげが入ってボリュームもしっかり

1 油あげはザク切りに。

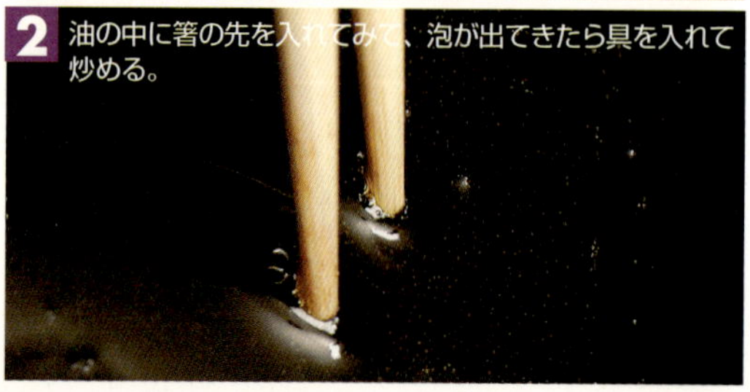

2 油の中に箸の先を入れてみて、泡が出てきたら具を入れて炒める。

塩をふると、甘さが引き出されると同時に、キレのいい味になる。

素焼きする

意外とやらない
簡単料理法

温めたフライパンに長ネギの斜め切りをのせ、油を使わずじっくり焼くだけ。長ネギってこんなにおいしかったっけ？と目からウロコの料理です。

これぞ
究極の食べ方

長ネギのおひたし

さっとできるつまみの定番

■材料

斜め切りネギの素焼き、醤油各適量

■つくり方

斜め切りネギの素焼きに醤油を適量かけるだけ。

塩だれも
いける！

長ネギの塩油焼き

シンプルな味つけに長ネギの甘味を実感

■材料

斜め切りネギの素焼き（白い部分1本分）、塩油（塩小さじ1/2弱、油大さじ2／→P156）

■つくり方

斜め切りネギの素焼きに塩油をふりかける。

ネギと車麩の
味わい深さが絶妙

ネギの素焼きと車麩の串アレンジ

トロッとしたネギと、クニッとした車麩の歯ごたえが楽しい

■材料（串6本分）

斜め切りネギの素焼き（白い部分1本分）、車麩3枚、水1カップ、コンブ5cm、醤油大さじ1と1/2、揚げ油適量

■つくり方

❶ 車麩を180℃の油でさっと素揚げし、水、コンブ、醤油を入れた鍋で汁気がなくなるまで煮含める。

❷ 4等分した❶と斜め切りネギの素焼きを交互に串に刺してできあがり。

1
車麩は180℃の油でさっと素揚げし、コクを出す。

素揚げしたら、汁気がなくなるまで煮含める。

干しシメジ

だしにも具にも
活用できる
山のコンソメ

日本の伝統料理法には、省エネルギーで、栄養も増えるミラクルテクニックがいっぱい。
なかでも、キノコや海草などさまざまな素材を天日に干してつくる乾物は、太陽の力で旨味も栄養もパワーアップした、伝統の保存食品です。
キノコでは干しシイタケが一般的ですが、意外に知られていない絶品！の食材が、干しシメジ。本格コンソメスープも顔負けのおいしいだしが魅力です。
干しシメジは、「香りマツタケ、味シメジ」の言葉通り、バツグンの味わいをつくりだすことができる魔法の食材です。

干しシメジ　簡単につくれる自家製干しキノコ

<つくり方>

生のシメジを、ほぐして風通しのいい場所で天日に干す。カラッと乾燥するまで3〜5日おいて、できあがり。

♪ 夜は外に出しておくと湿っぽくなってしまうので、部屋の中へ取り込んでください。

♪ 湿気の多い時期には最後の仕上げに、干したシメジをザルにのせて、オーブンの余熱で乾燥させるなど、工夫してください。

♪ キノコなら何でも応用可能です。

ヤマイモととろろコンブのコンソメスープ

干しシメジのだしの上品なおいしさが新鮮！

<材料>

コンブだし汁（または水）3カップ、干しシメジ6g、塩小さじ1と1/5、ヤマイモ・とろろコンブ各適量

<つくり方>

①鍋に、コンブだし汁と干しシメジ、塩を入れて火にかけ、煮立ったら火を止める。
②短冊切りのヤマイモととろろコンブを椀に入れ、①のスープを注ぐ。
♪ 干しシメジは火にかけるとすぐやわらかくなるので、かたまりを裂いて、だしをしっかりとります。

♪ 干しシメジでだしをとってスープにする場合、そのまま具にしても、取り出してほかの料理に使ってもOK。

□ぬるま湯で戻すのが基本□

戻して使うときは、ぬるま湯につけるのがポイント。風味よく、手早く戻り、生のキノコを使うより風味がアップして、おいしい料理がつくれます。もちろん戻し汁も利用しましょう。

カリカリ干しシメジ　コクがおいしいベーコン風素材

＜材料＞

干しシメジ20ｇ、油大さじ2、塩小さじ1/2

＜つくり方＞

油を熱して、干しシメジを戻さずにそのまま入れ、大きなかたまりがあれば木ベラで縦にほぐしながら、よく炒める。塩をふり、さらによく炒める。

♪ 干しシメジに油がしっかりしみて、少し油がしみ出すくらいまで炒めます。

♪ そのままでも、簡単おつまみ。ベーコンがわりに野菜炒めやピザ、ピラフなどに利用すれば、風味とコクがプラスされて、おいしく仕上がります。

シメジ味噌ふりかけ　戻さず簡単につくれるごはんの友

＜材料＞

干しシメジ7ｇ、白ゴマ大さじ3、味噌大さじ3、ゴマ油少々

＜つくり方＞

①白ゴマを煎ってすり鉢で半ずりにし、味噌を加えてさらにする。

②干しシメジは戻さず細かくきざむ。

③フライパンに油をひき、①を入れて弱火で炒り、干しシメジを加えてポロポロになるまで炒る。

干しシメジソース　洋風だしのトロ～リ万能ソース

＜材料＞

干しシメジ20ｇ、ぬるま湯1/2カップ、ゴマ油・醤油・酒各大さじ2、クズ（好みで／同量の水で溶く）適量

＜つくり方＞

分量のぬるま湯で戻した干しシメジをゴマ油で炒め、酒と醤油をからめ、干しシメジの戻し汁でのばして好みの味にととのえる。クズでトロミをつける。

♪ ごはんやめんにかけるだけで、満足の一品に。

キノコ豆腐　キノコのだしで豆腐が倍おいしい

＜材料＞

干しシメジ・干しシイタケ各10ｇ、豆腐1/2丁、水2カップ、コンブ5cm、醤油大さじ3、酒大さじ1、千切りネギ（→P54）適量、ユズの皮少々

＜つくり方＞

①2カップの水で干しシメジと干しシイタケを戻し、戻したシメジは適当な大きさに裂き、シイタケは大きめの千切りにする。豆腐はゆでて水切りしておく。

②鍋にコンブ、①のシメジとシイタケと戻し汁、醤油、酒を入れて5分煮て、皿に盛った豆腐の上からかけ、千切りネギとユズの皮を散らす。

MEMO

洋風＆中華の使い分け

干しシメジのだしはソフトな旨味を活かして洋風コンソメ味に。干しシイタケは濃厚な香りと旨味で中華だしにと、味の特徴を上手に使い分けましょう。スープやシチューだけじゃなく、煮物や炒め物にも活用すれば、多様な味を自由自在につくりだせます。

キノコの食べ方

生のキノコは陰性が強く、食べ過ぎると体に負担がかかりますが、天日干しにすると、太陽エネルギーで旨味も栄養も増加する陽性食品に変わります。1年中食べられるので、生で食べるのは旬を楽しむものにして、ふだんは干したものを食べましょう。

余ったら干してストック

干したキノコは半永久的な保存が可能。ビタミンDもたっぷり、骨を丈夫にしてくれます。シメジ、シイタケをはじめ、キクラゲやマイタケ、エリンギなども天日に干して常備しておけば、いつでも戻して使うことができて便利です。キノコが余ったら、手づくり干しキノコをつくってストックしておきましょう。

体の中から日光浴

天日干しの乾物は太陽エネルギーの貯蔵庫です。代表的なものに、板麩や車麩などの麩や切り干しダイコンがありますが、アンズやレーズンなどのドライフルーツ、クルミや松の実、ゴマなども、干した栄養満点の乾物の仲間です。

ニンニクの歴史は古く、紀元前から栽培され、ピラミッド建設の労働者も食べていたとか。ご存知のように、スタミナ増強や疲労回復に有効です。強烈な匂いはきざんだり、すりおろすとできるアリシンという成分で、食欲を増進させるだけではなく、強い殺菌効果や抗酸化作用で病気への抵抗力をつけてくれます。

ペペロンチーノソースをつくる

ニンニクの熱し方に、アロマティックな香りのコツが

ペペロンチーノソース

■つくり方

1. ニンニクを繊維と垂直に薄切りにする。赤トウガラシは種を取って小口切りにする。
2. フライパンにオリーブ油、ニンニク、赤トウガラシを入れてから弱火にかける。
3. 2分くらいたって何枚かキツネ色になりはじめたら、火から下ろして余熱で全体をキツネ色にする。
4. 再び火にかけ、パスタのゆで汁か熱湯を加えて一気に混ぜる。

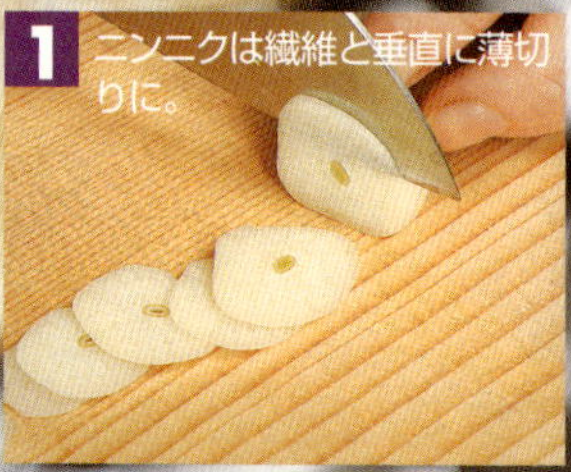

1 ニンニクは繊維と垂直に薄切りに。

2 ニンニクと赤トウガラシを油に入れてから火にかける。

ニンニクをオリーブ油に入れてから火にかけるのが、まろやかな旨味の秘密。弱火でゆっくり熱すると、アロマティックなやさしい香りになります。火をじっくり通すことで、ニンニク特有の刺激的な匂いが消え、抗酸化作用や抗菌作用もアップ。好みのゆで野菜や焼き野菜、マカロニなど、何でもあえて楽しみましょう。

ペペロンチーノソースを使って

絶対マスターしたい
ベーシックレシピ

スパゲティペペロンチーノ

シンプルなのにゴージャスなコクと風味の秘密を教えます

■材料（2人分）

ペペロンチーノソース（ニンニク4カケ、赤トウガラシ2本、オリーブ油1/4カップ）、スパゲティ160g、スパゲティの（アツアツの）ゆで汁1/4カップ、塩小さじ1、バジル適量

■つくり方

❶ スパゲティをゆでる。ゆで汁は残しておく。
❷ ペペロンチーノソース（→P62）の❹に、スパゲティのゆで汁と塩を加えてよく混ぜ、ゆでたてのスパゲティを入れてからませる。
❸ 器に盛り、バジルなど好みのハーブをのせる。

2 ゆで汁を加えるとトロリとしたソースに。

スパゲティのゆでたてをさっとからませる。

ポテトペペロンチーノ

ペペロンチーノソースをポテトにからませて

■材料（4〜5人分）

ジャガイモ600g、塩小さじ1と1/5（ジャガイモの重量の1%）、ペペロンチーノソース（ニンニク4カケ、赤トウガラシ2本、オリーブ油1/4カップ）、ジャガイモの（アツアツの）蒸し汁1/4カップ、塩小さじ1、シメジ100g

■つくり方

❶ ジャガイモは皮ごと6〜8等分し、塩をまぶして、やわらかく蒸す。蒸し汁は残しておく。
❷ ペペロンチーノソース（→P62）の❹に、ジャガイモの蒸し汁と塩を加えてよく混ぜ、さらにシメジを加え、さっと煮て火から下ろす。
❸ ❶と❷をあえて器に盛る。
♪ 冷たくてもおいしい。2日目以降はオーブンで焼くとずっと楽しめます。
♪ 辛さが苦手な人は、赤トウガラシを1本に。

1 ジャガイモは皮ごと6〜8等分に。

必ず塩をまぶしてから蒸すのを忘れずに。

2 ゆで汁の代わりに蒸し汁を加えて。

カリカリドレッシングをつくる

みじん切りのニンニクを、油と一緒にじっくり熱し、軽くなって浮いてきたらすくってカリカリのニンニクフレークをつくります。ビンなどに入れて保存しておけば、サラダや料理のトッピングに大活躍。ここでは、ネギなど好みの薬味を合わせて、なんでもごちそうに変身させるカリカリドレッシングをつくりましょう。

カリカリドレッシング

■材料（1単位分）

ニンニク40g、赤トウガラシ（みじん切り）小さじ1/4～1/2、長ネギ30g、塩小さじ1、油1/2カップ

■つくり方

❶ ニンニクをみじん切りにし、赤トウガラシも種を取ってみじん切り、長ネギは3mmくらいのみじん切りにする（切り方→P11）。

❷ 油とニンニクのみじん切りをフライパンに入れてから、5分くらい中火にかける。150℃くらいの低温でゆっくり揚げる。

❸ ニンニクが白くふわっと上がってきて、そのあとさっと色がついたら、引き上げて油を切る。

❹ ❸と赤トウガラシ、長ネギ、塩を混ぜ合わせる。

♪ ニンニクを揚げた油はビンに移し、ニンニクオイルとして炒め物などにどんどん活用しましょう。

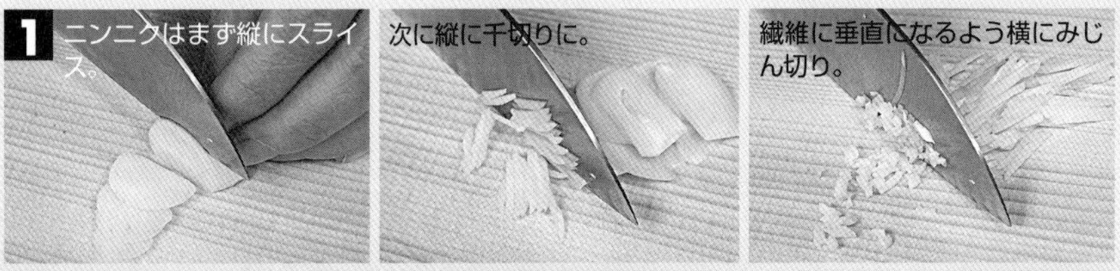

1
ニンニクはまず縦にスライス。
次に縦に千切りに。
繊維に垂直になるよう横にみじん切り。

2
油にニンニクを入れ、火にかけ低温でゆっくり揚げる。

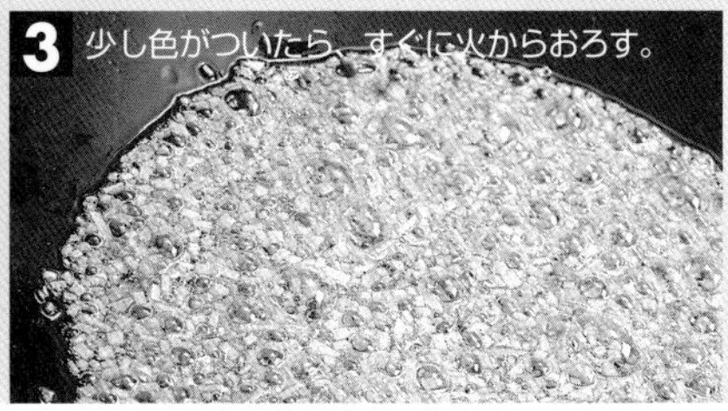

3
少し色がついたら、すぐに火からおろす。

香りの移った揚げ油も大活躍。

インゲンのピリ辛衣

ゆでた野菜にカリカリドレッシングをトッピングするだけ

■材料（2～3人分）

インゲン70g、塩一つまみ、カリカリドレッシング大さじ山盛り1

■つくり方

インゲンをさっと塩ゆでし、カリカリドレッシングとあえるだけ。

いろんな野菜で応用しちゃおう

揚げ野菜のピリ辛あえ
塩のきいた旨味と辛味が4つの素材の食感をひきたてる

■材料（4人分）
カリカリドレッシング（→P64）1単位、パプリカ1/2個、ダイコン200g、ゴボウ50g、エリンギ100g、溶き衣（クズ粉大さじ6、小麦粉大さじ6、塩小さじ1/2、酒3/5カップ）、揚げ油適量

■つくり方
1. パプリカは1cm幅の縦切り、ダイコンは1cm角で5cmの長さの棒切り、ゴボウは5cmの長さで4等分に切る。エリンギは1/4に裂く。
2. 溶き衣の材料を混ぜ合わせる。
3. 揚げ油を熱し、❶に❷の溶き衣をつけて、軽く色がつくまで揚げる。
4. ❸とカリカリドレッシングをあえ、器に盛る。

ニンニク好きにはたまらない

2 溶き衣にはクズを入れてトロッとした食感に。酒で風味もつける。
溶き衣はこのくらいのトロミ。揚げるとクズ効果で透明に。

1 繊維と平行に縦長に切る。エリンギも野菜に合わせて縦に裂く。

ピーマンステーキ
ピーマンの新しいおいしさ発見

切り方一つでピーマンがごちそうに

■材料（2人分）
カリカリドレッシング（→P64）大さじ山盛り2、ピーマン（またはパプリカ）2個、油適量、薄口醤油小さじ2、塩適量

■つくり方
1. ピーマンは1個につき塩一つまみをすり込んで、5分蒸す。
2. ❶のヘタを取る。
3. 縦に1ヵ所切り込みを入れて開き、種を取る。
4. ❸を平らになるように、ところどころに切り目を入れながら開く。
5. ❹の内側に塩一つまみをふり、フライパンに油を熱して両面を焼く。
6. ❺が焼きあがったら皿にのせて薄口醤油をかけ、カリカリドレッシングをのせる。

1 ピーマンに塩をまぶして蒸す。
2 包丁の先でくり抜くようにしてヘタを取る。
3 種を取るときは、縦に1ヵ所だけ切り目を入れて。
4 ピーマンが平らになるように切り目を入れる。
5 塩をふってからフライパンで焼く。

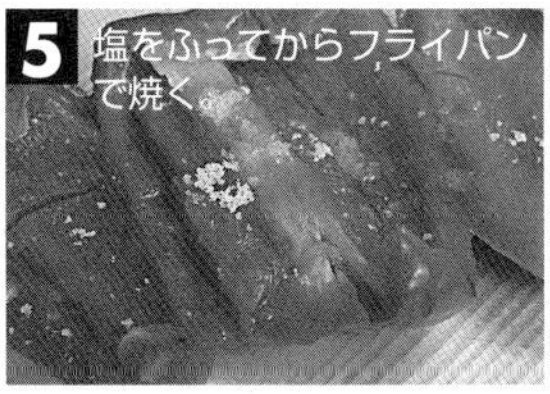

ニンニク油味噌をつくる

炒めて混ぜる万能調味料。そのままごはんのおかずとして食べてもおいしいし、調味料として炒め物の味つけや、味噌汁の風味づけなどにも使えます。日持ちするので、まとめてつくって冷蔵庫で保存を。

ニンニク油味噌

■材料（1単位分）
ニンニク100g、油大さじ1、味噌100g、

■つくり方
❶ ニンニクは繊維に垂直に薄切りにする（切り方→P62）。
❷ フライパンに油と❶を入れ、中火にかける。
❸ ニンニクがしんなりしてきたら味噌を加えて、炒め合わせる。よく混ざって、いい香りがしてきたら火を止める。

いつも冷蔵庫に
スタンバイしたい

3 ニンニクがしんなりしたら、味噌を加える。

よく混ぜて香りが出たらOK。

ニンニク油味噌を使って

パスタジャポネーゼ

想像を超えたまろやかさと風味

ニューパスタと
呼びたくなる
無国籍うどん

■材料（2人分）
うどん160g、シイタケ100g、オクラ60g、油大さじ3、塩小さじ1/4、ニンニク油味噌90g（酒大さじ4、うどんのゆで汁または水大さじ4でのばす）、きざみノリ適量

■つくり方
❶ うどんはゆでて水気を切る（ゆで汁を捨てずにとっておく）。シイタケはいしづきを取って薄く切る。オクラは斜め切りにする。
❷ フライパンに油を熱し、中強火でシイタケ、オクラを炒め、塩をふり、うどんを加えて混ぜ合わせる。
❸ ニンニク油味噌を酒とうどんのゆで汁でのばして、❷にまわし入れる。
❹ 器に盛り、ノリをかける。

1 シイタケは内側を上に向けるときれいに切れる。洗わないこと。

オクラは斜め切りに。

3 ニンニク油味噌は酒とゆで汁でのばしてから、味つけに使う。

毎日お役立ちの定番ニンニクレシピ

ニンニクはおろしたてを混ぜること。

ニンニク練り味噌

ニンニク油味噌とは一味違う、おろして混ぜるだけの万能調味料。

■材料
ニンニク20g、味噌50g

■つくり方
ニンニクをすりおろし、味噌と混ぜ合わせる。

おにぎりや
生野菜にぴったり

ガーリックトースト&ガーリックノリ

ニンニク風味をプラスして、こんがりジューシーに

■材料
フランスパン・焼きノリ各適量、ニンニク1カケ、塩オリーブ（オリーブ油大さじ2、塩小さじ1/3を混ぜたもの）

■つくり方
❶ ニンニクは繊維と垂直に切り、切り口をパンやノリにすり込む。
❷ 塩オリーブをぬって、オーブントースターでこんがり焼く。
♪ ニンニクは繊維と平行に切ると、エキスが出にくいので注意。

バターを使わないから
あっさりカリカリ

海草スープ

海と太陽のエネルギー
天日干しの海草で
体のおそうじ

四方を海に囲まれている日本は、たくさんの種類の海草に恵まれています。
海草は、カルシウムをはじめとする天然ミネラルの宝庫であり、サラサラの元気な血液をつくって体の隅々までを浄化してくれる、陽性のアルカリ性食品です。
天日に干したものなら、太陽のエネルギーも加わって、ミネラルも旨味もアップした保存食品になります。
風味も豊かで、毎日食べたい健康食材だけに、忙しいときでも簡単につくれる、海草スープをご紹介しましょう。

□超簡単インスタントスープ□

海草は、塩や醤油、味噌などの調味料と一緒に器に入れて熱湯を注ぐだけで、おいしいインスタントスープがとても簡単につくれます。とくに天日干しした海草や塩には、海のミネラルがたっぷりで、だしをとらなくても味わい深いスープになります。

岩ノリとミツバのスープ

海草と塩と野菜の調和した旨味

＜材料＞ 1人分

焼き岩ノリ一つまみ（1g）、ミツバ1〜2本、塩小さじ1/3、熱湯180cc

＜つくり方＞

椀に、ほぐした岩ノリ、ザク切りにしたミツバ、塩を入れ、熱湯を注ぐだけ。

♪ 岩ノリの香りがやさしく広がったところで、いただきましょう。岩ノリだけでも十分においしいスープです。

とろろコンブとカブのスープ

食感がおいしさを演出

＜材料＞ 1人分

とろろコンブ1〜2g、カブの薄いイチョウ切り3枚、醤油小さじ2、熱湯180cc

＜つくり方＞

椀に、とろろコンブ、皮ごと薄く切ったカブ、醤油を入れ、熱湯を注ぐ。

♪ トロ〜リふわふわのコンブと、シャキシャキのカブの食感が絶妙。とろろコンブから出るだしがソフトな旨味のスープです。

焼きノリとショウガのスープ

ノリの香りをショウガがひきたてる

<材料> 3人分

焼きノリ1/4枚、ショウガの薄切り2～3枚、水（コンブだし汁）2と1/2カップ、酒大さじ1、塩小さじ1

<つくり方>

①皮ごと薄切りにしたショウガは、極細の千切りにする。
②鍋に水、塩、酒を入れて煮立て、ショウガを入れて、煮立ったら火を止める。
③椀に移し、焼きノリをちぎって上から散らす。
♪ 極細の千切りショウガは、よく切れる（研いだ）包丁で切るとうまくつくれます。

ワカメとゴマのスープ 炒め煮のコクを楽しむ

<材料> 3人分

干しワカメ3～4g、ネギ10cm、ショウガの薄切り2枚、ゴマ油小さじ1、白ゴマ小さじ2、水（コンブだし汁）3カップ、塩小さじ1と1/5

<つくり方>

①干しワカメは水で洗ってザルにあけ、やわらかくなったら、一口大に切る。ネギは縦に千切りにし（→P54）、皮ごと薄切りにしたショウガは極細の千切りにする。
②鍋にゴマ油を熱し、ショウガ、ネギの順に入れてさっと炒めて香りを出し、白ゴマを加え、水と塩を入れる。
③煮立ったらワカメを入れて、さっと煮る。
♪ ②で炒めずに、だし汁を煮立てたところにショウガ、ネギ、塩を入れ、仕上げにワカメとゴマ、ゴマ油を入れてもおいしくできます。

モズクとシュンギクのスープ

味の個性がきわだつスープ

<材料> 3人分

モズク50g、シュンギク葉先10枚、水（だし汁）2と1/2カップ、塩小さじ1

<つくり方>

①モズクは水につけて塩抜きする。
②鍋に水と塩を入れて煮立て、シュンギクとモズクを入れてさっと煮る。

MEMO

海草は現代の救命食品

海草に含まれる海のミネラルと葉緑素は、血液を浄化、増血して、体を元気にしてくれます。また、アルギン酸やヨードなど、体に有害な重金属や放射能を排出してくれる成分も豊富に含まれていて、海草は環境汚染時代を生き抜く救命食品と言えるのです。

色も鮮やかな海草たち

海草には、アオサなどの緑藻類、コンブやヒジキの褐藻類、ノリなどの紅藻類の3種類があります。名前の通り基本的に色で分けられ、透明感のある赤や緑、茶褐色が特徴。とくにフノリは、紫がかった紅色が彩りとしても料理に映える海草です。

美しい肌をつくる海草

海草に含まれる食物繊維は、野菜とはまったく違うものです。海草の食物繊維は水溶性で、ハリのある丈夫な細胞をつくるのに欠かせない栄養がたっぷり。体内の不要物を排出し、便秘の解消にもいいので、体調をととのえるとともに肌もきれいにしてくれる、優れた食品なのです。

食材バランスを考えて

命を救うキーフード海草も食べ過ぎてはよくありません。食事のバランスは穀物が70％、野菜20％、その他お茶やお酒などの嗜好品10％が理想ですが、海草は野菜20％のなかの1/4程度の量（全体の5％）がベスト。野菜3：海草1のおかずがよいバランスです。

食欲の秋においしいサツマイモは食物繊維や糖分がたっぷり。ビタミンCもレモンに匹敵する多さで、便秘解消や美容効果も満点です。サツマイモのビタミンCは加熱しても壊れにくく、皮の近くには活性酸素を除去するクロロゲン酸など栄養が豊富なので、皮つきで調理して栄養を逃さず食べましょう。また、石焼きイモのようにじっくり加熱すると甘味が増します。

サツマイモとミカンで

旬の味同士のドキドキする組み合わせ

サツマイモのミカン煮

■材料

サツマイモ500g、ミカンの絞り汁（またはミカンジュース）1と1/2カップ、塩小さじ1/2、レモン汁大さじ1

■つくり方

❶ サツマイモを1cmの厚さの輪切りにして、浅くて底の広い鍋に並べる。

❷ ❶にミカンの絞り汁と塩を加え、ふたをして火にかけ、煮立ったら中弱火にして煮崩れないよう、コトコト煮込む。

❸ 火が通ったら、火から下ろしてレモン汁を加えて冷やす。

♪ 冷蔵庫で日持ちします。

♪ コロコロに切って、和風に楊枝で食べても。

1 サツマイモは1cmの厚さの輪切り。

2 ミカン汁と塩だけで煮る。

3 火が通ったか竹串で確認。

レモン汁を加えて冷やす。

ミカンの甘酸っぱさと溶け合い、味に深みを増すサツマイモ料理とその応用です。ミカン煮はただ煮るだけ。見た目も味も透き通った仕上がりで、そのままデザートに、料理のつけ合わせやサラダにも活躍します。繊細な食感が心地よい重ね煮は、やさしい甘さを生かしてデザートに。どちらもたっぷりつくってくださいね。

重ねて蒸し焼きにする

サツマイモとレーズンとミカンの重ね蒸し

サツマイモと果物の風味が溶け合った繊細なお菓子

■材料（4人分）

サツマイモ300g、ミカン300g（皮をむいて200g）、リンゴ1/2個（皮をむいて120g）、濃度3.5%の塩水（水1/4カップ、塩小さじ1/3）、ワイン漬けレーズン40g、塩小さじ3/4

☺ ワインに漬けたレーズンは、漬けてすぐに使えて便利。長期保存も可能です。

■つくり方

❶ サツマイモを2mmの薄切りにする。

❷ リンゴは半分に切って、塩水にさっとくぐらせ、さらに縦に2等分して2mmの薄切りにする（→P78）。

❸ ミカンは小房から出してざっとほぐす。

❹ 材料を3等分して図のように3段にする。

❺ アルミホイルでしっかりカバーして、180℃のオーブンで50分蒸し焼きにし、よく冷ます。

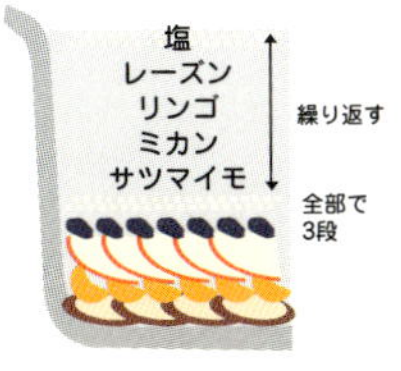

1 この薄さから独特の食感が生まれる。

2 リンゴは塩水にくぐらせてから薄切りに。

3 ミカンは小房の一辺を切り落とす。

残りの周囲も切り落とし薄皮をきれいにはがす。

5 アルミホイルをかぶせてからオーブンへ。

ミルフィーユ

重ね蒸しをアレンジ。時間がたつと皮がしっとりなじんでGood！

■材料

上記の重ね蒸し・ギョウザの皮各適量

■つくり方

❶ ギョウザの皮にフォークで数ヵ所穴をあけて、熱くしておいたトースターや高温のオーブンで焼き色がつくまで約2分焼く（揚げてもいい）。

❷ ❶が焼きあがったら半分に割って、重ね蒸しと交互に重ねていく。

♪ 皮をこんがり焼くのがポイント。

1 皮がふくらまないように、空気穴をあける。

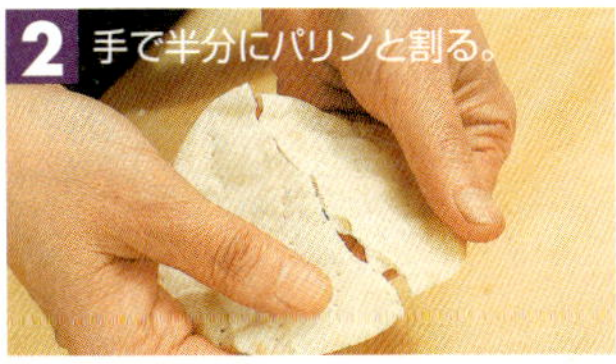
2 手で半分にパリンと割る。

サツマイモのミカン煮を使って

ミカン煮サラダ

柑橘の風味が香るサラダに変身

やさしい甘味が
ほっとする

■材料（4人分）

タマネギ160g、ニンジン35g、ヒジキ（乾燥）8g、サツマイモのミカン煮（→P70）8枚、ドレッシング（レモン汁大さじ1、塩小さじ1/2、油大さじ2）、レタス適量

■つくり方

❶ タマネギを、横に1/2に切ってから、倒して縦6等分に放射状に切る。ニンジンは斜め輪切りを千切りにする。

❷ ❶のタマネギとニンジンをさっと塩ゆで（分量外）しておく。

❸ ヒジキは熱湯で5分ゆで、水気を切っておく。

❹ ミカン煮を食べやすく4等分して、❷❸に加え、ドレッシングの材料を混ぜてあえ、レタスを敷いた皿に盛る。

1 タマネギはまず横に1/2に。

横半分に切ったら、倒して、縦6等分に放射状に切る。

ニンジンは斜め輪切りを千切り。

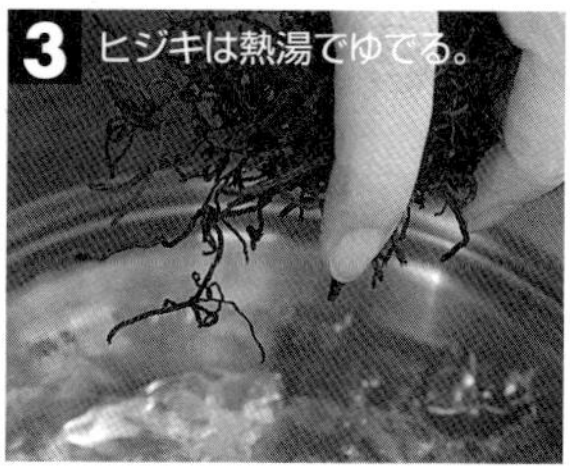
3 ヒジキは熱湯でゆでる。

調味料は
塩だけなのに
コールスローの味

ミカン煮コールスロー

細かく切ったら、透明感のあるトッピングに！

■材料（2人分）

キャベツ100g、塩小さじ1/4弱、サツマイモのミカン煮（→P70）適量

■つくり方

❶ キャベツを千切りにして、塩をふって軽くもみ、水気をキュッと絞る。

❷ ❶を器に盛り、ミカン煮を細かく切ってのせる。

1 キャベツは塩をふり、軽くもむ。

水気を絞る。

ホコホコサツマイモチップス

素焼きでキレのいい甘さを楽しむ。塩と油が決め手！

■材料

サツマイモ適量、塩油（ナタネ油小さじ2、塩小さじ1/6／→P156）、干しアンズジャム（下記参照）適量

■つくり方

❶ サツマイモを5mmの厚さに切って、フライパンで素焼きにする。

❷ 塩油やアンズジャムをぬって、できあがり。

♪ フライパンに油をひかず、カリッと素焼きするのがポイント。

ホコホコでカリッ

1 サツマイモは薄くスライス。

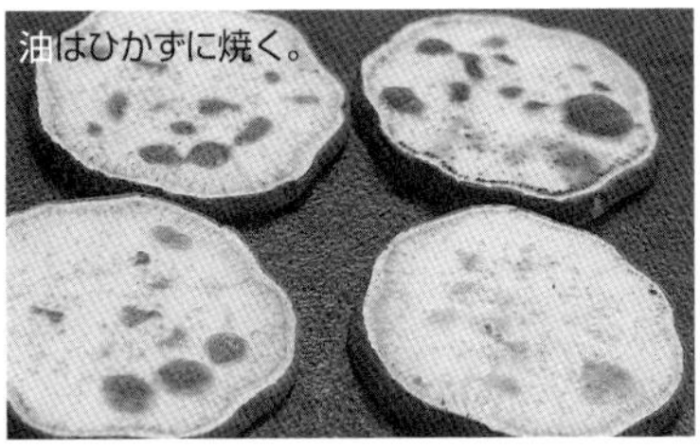

油はひかずに焼く。

「砂糖なし！？」パンチがきいた自然の甘味が大満足のジャム

干しアンズジャム

■材料

干しアンズ80g、水1.5カップ、塩一つまみ

☺ 甘味を強くしたい場合は、干しリンゴと半々の量にしてつくります。

■つくり方

❶ 鍋に干しアンズ、水、塩を入れて火にかけ、沸騰したら弱火にして、やわらかくなって煮汁がなくなるくらいまでコトコト煮る。

❷ ❶をつぶす。

1 煮汁がほとんどなくなったらOK。

2 つぶしてジャムに。つぶさずに食べてもGood。

いきなり蒸しまんじゅう2種

コロコロ蒸しまんじゅう

あんこを用意しなくても
「いきなり」できちゃうおまんじゅう

■材料（8個分）

生地（小麦粉1カップ、塩小さじ1/3、熱湯大さじ5）、サツマイモ180g、塩小さじ1/3（サツマイモの重量の1%）、レーズン30g、クルミ30g

■つくり方

❶ ボウルに小麦粉と塩をふるい入れて、熱湯を一気に入れながら生地をこねる。
❷ サツマイモは1.5cm角に切り、塩をまぶす。レーズンは粗みじん切りに、クルミは煎って4つ割りにしておく。
❸ ❶に、❷のサツマイモ、レーズン、クルミを混ぜ合わせ、こねる。
❹ ❸を8等分し、しっかり丸く握って蒸し器に入れ、強火で20〜30分蒸す。

ゴロゴロッと大きな具がたっぷり！

1 粉に熱湯を一気に入れながらこねる。

♪ 生地の量に対して本当にこんなにたくさんの具が入るの？　というぐらいの割合でまとめるのがおいしさのコツ。レシピを信じて入れ込んで。

2 サツマイモは1.5cm角で大きめに。生のまま使う。

3 具を驚くほどたっぷり入れる。

1 生地を6等分するとこれくらい。

2 サツマイモは厚さ2mmくらいに切る。

ポテトサンド蒸しまんじゅう

薄切りサツマイモにおいしさをサンドした素朴なお菓子

■材料（6個分）

生地（→P74コロコロ蒸しまんじゅうと同量）、サツマイモ（あまり太くないもの）200g、味噌・干しアンズジャム（→P73）・塩各適量

■つくり方

❶ コロコロ蒸しまんじゅう（→P74）を参考に、生地をこねて6等分する。

❷ サツマイモを18枚に切る。

❸ ❷のサツマイモ3枚を1組に、図のように味噌または干しアンズジャムと塩をぬって重ね、❶の生地で包む。生地は蒸すとふくらむので1mmくらいの厚さに。

❹ 蒸し器に入れ、強火で20〜30分蒸す。全体的に小麦粉の透明感が出てきたら完成。

●**味噌バージョン**：サツマイモに味噌をのせてのばし、その上にサツマイモをのせる。そこにもう一度味噌をのばしてサツマイモではさみ、生地で包む。

●**アンズジャムバージョン**：サツマイモの間にそれぞれ塩一つまみをぬり、味噌同様に干しアンズジャムをのせてサツマイモではさみ、生地で包む。

3 丸くのばした生地の上にサンドしたサツマイモをのせる。

生地全体を指で1mmの厚さになるようのばしながら包み、閉じる。

クズ・寒天

65℃でかたまる
省エネつるりん食材

クズは、葛（くず）の根からとれるでんぷんです。
料理にお菓子にと大活躍するうえ、消化がよくて腸にやさしく、昔から葛根湯（かっこんとう）として漢方の風邪薬にも利用されていた、健康維持のためにも積極的に活用したい食材です。
寒天はトコロテンを凍らせて乾燥させたもので、棒寒天と糸寒天があります。どちらも水につけて戻すと涼しげな透明色になり、ぷるんぷるんの食感。おいしさも食感もどんどん活用しましょう。

ニンジンゼリー　形も遊べる楽しいお菓子

＜材料＞ 8×14×4.7cmの流し缶1個分

ニンジンマッシュ250g、リンゴジュース1と1/2カップ、寒天5g（1/2本強）、塩少々

＜つくり方＞

①寒天はたっぷりの水に3時間以上つけておき（急ぐときはぬるま湯につける）、しっかり水を含んだら、よく洗ってしっかり絞る。
②リンゴジュース、塩、寒天を鍋に入れ強火にかけ、沸騰したら、かき混ぜずに中火で寒天が溶けるまで煮る（かき混ぜると溶けないので注意）。
③寒天が70℃くらいまで冷めたら、マッシュしたニンジンを混ぜ、水で濡らした缶に流し入れて、冷蔵庫で冷やす。

寒天のそのまんま利用術

水につけて戻した寒天は、きれいな透明色。そのまま酢の物やサラダに利用できます。

寒天入り海草サラダ

たっぷりの水で戻した糸寒天を5cmに切り（棒寒天は一口大にちぎる）、ワカメやフノリと一緒に混ぜ合わせてドレッシングをかける。

♪ 寒天の戻し加減は5分くらいの半戻しから完全に戻した状態まで好みで楽しんでみて！ドレッシングも好みで。

糸寒天パンチ

たっぷりの水に一晩ひたした糸寒天を5cmに切り、リンゴジュースとワインを同量混ぜて塩少々を加えたものに浮かべる。

♪ 透明感のある大人の飲み物！ フルーツを加えればデザートになります。

クズ湯　体の中から温まる

<材料>

クズ粉大さじ1、水1カップ、ショウガの絞り汁少々、醤油大さじ1

<つくり方>

①クズ粉と水を鍋に入れてよく溶き、かき混ぜながら強火にかける。
②乳褐色が透明になって、トロミがつくまでかき混ぜて、ショウガの絞り汁と醤油を入れる。
♪ お腹やのどにやさしい飲み物です。

ふるふるクズゼリー　涼しげなデザートがとっても簡単！

<材料>

ジュース1カップ、塩小さじ1/4、クズ粉大さじ2（水大さじ2で溶く）

<つくり方>

①鍋にジュースを沸かして塩を入れ、クズ粉を水で溶いたものをまわし入れてよくかき混ぜる。
②乳褐色が透明になって、トロミがつくまでかき混ぜ、カップなどに分けて冷ます。
♪ リンゴジュースなど好みの味で。切った果物などを入れると豪華なデザートになります。
♪ クズをまわし入れたとき、ダマにならないよう、よくかき混ぜます（菜箸を3～4本束ねて混ぜるとうまくいきます）。

ホットクズネクター　アイスにしてもおいしい！

<材料>

クズ粉小さじ2、塩小さじ1/5、リンゴジュース1カップ

<つくり方>

クズ粉と塩、リンゴジュースを鍋に入れ、よく溶いて、かき混ぜながら強火にかける。乳褐色から、透明になってトロミがつくまでかき混ぜる。
♪ 同量のジュースを飲むより倍の満足感。子どもの体調不良にもオススメです。

MEMO

風邪をひいたらクズ

秋の七草で有名な葛は、散歩道などでも目にする、つる性の植物です。根を乾燥させてつくるクズ粉は、体を冷やすことなく、体内にこもった微熱をとる解熱作用や、腸を丈夫にする働きがあります。風邪をひいたとき、下痢のときには、クズ湯などが効果的です。

クズ粉活用術

クズ粉は、片栗粉の代わりに利用して、あんかけ料理や炒め物のトロミづけ、揚げ衣などにも活用できます。ゴマペーストと練り混ぜて冷やせばゴマ豆腐、水を混ぜてかためればクズ餅、果物やジュースを混ぜれば、プルンプルンのババロア感覚のお菓子もつくることができます。

ゼラチンより寒天

テングサなどの「紅藻類」の成分をかためてつくるのがトコロテン。これを凍らせて乾燥させた海草が寒天で、常温で2年以上保存が可能な日本の伝統保存食です。牛の骨髄からつくるゼラチンよりも、さっぱりソフトな口あたりで、日本人に合う味覚です。

冷蔵庫いらずの省エネ食材

寒天は、ペーストや汁なら何でもかためることができるので、テリーヌやデザートにピッタリ。65℃くらいからかたまるので冷蔵庫なしでもOK。繊維が豊富なので、寒天を活用すれば、食卓のヘルシー度がぐっとアップします。

リンゴは甘味や香りだけでなく栄養も優れた、果物の代表格です。すりおろしたリンゴを風邪のときによく食べますが、これはリンゴ酸の消炎効果と食物繊維のペクチンの粘膜保護作用が体にやさしいから。活性酸素の抑制効果で注目されるポリフェノールも豊富で、生活習慣病予防に有効。お菓子にもリンゴを利用すれば、体においしい効果をもたらしてくれます。

リンゴを塩で煮る

塩がリンゴの甘さをたっぷり引き出す

リンゴの塩煮

■材料（できあがり約600～700g）

リンゴ4個（約1kg）、濃度3.5%の塩水（水50cc、塩小さじ1/3）

☺ ナシ、カキなどでもOK。リンゴは紅玉を使うと、鮮やかな赤色が残ります。

■つくり方

❶ リンゴを皮ごと1/4に切って、塩水にくぐらせる。

❷ ❶を好みの大きさに切ったら、厚手の鍋に重ならないように置き、ふたをしてから中火にかける。

❸ ❷が煮立ったら弱火にして、煮汁の残りが大さじ2くらいになるまで蒸し煮にする。

❹ 甘さが足りないようなら塩小さじ1/3（分量外）やジュースを少量加えて完成。

♪ ❶の切り方を変えれば、それぞれ別の料理に使えます。

♪ ナシとリンゴなら同じ鍋で煮てもOK。

♪ 果物の水分が少ない場合や、加熱しても水分が出ない場合は少量の呼び水を。

3 このくらいまで煮込む。

1 リンゴを塩水にくぐらせるときは、1/4サイズが基本。

塩水は少量でOK。全体にしっかりくぐらせる。

2 切り方の厚みや大きさは用途に合わせていろいろに。

厚手の鍋に重ならないように置く。

ゼリーや寒天よりも
簡単に
できちゃう

煮汁が沸騰したら、水溶きのクズ粉を加える。

生でもおいしいリンゴですが、煮込むと満足度が数倍アップするデザートに変身します。砂糖なしでもおいしい、砂糖のない楽しさを教えてくれる一品です。

リンゴの塩煮を使って

クズ煮リンゴ　トロ〜リなめらかな味わい

■材料（8人分）

リンゴの塩煮（→P78）全量、塩小さじ1/2、クズ粉（なければ片栗粉）大さじ1（同量の水で溶く）

■つくり方

❶ リンゴの塩煮（→P78）の❸まで同じようにつくり、塩を加える。

❷ 煮ている鍋の煮汁に、クズ粉を水で溶いて少しずつ加え、クズに火を通しリンゴにからめる。

クズ煮リンゴ on ソバ粉クレープ

ソバ粉の素朴な香りが秋にぴったり

■材料

ソバ粉3/4カップ、小麦粉1/4カップ、塩小さじ1、水1と1/2カップ、リンゴの塩煮（→P78）または上記のクズ煮リンゴ適量

■つくり方

❶ ふるった小麦粉に、ソバ粉と塩を混ぜる。

❷ ❶の中央に箸でくぼみをつくって水を少しずつ加えながら溶き、なめらかになるまで混ぜる。

❸ 直径18cmくらいのフライパンを中火で熱し、油を薄くひき、❷をお玉の8分目ほど流し入れ、素早くフライパンをまわして薄く均一に広げる。

❹ 表面まで色が変わったら裏返してさっと焼く。

❺ ❹を皿にのせ、クズ煮リンゴをのせて包む。

♪ ソバ粉は重くてすぐにボウルの底に沈むので、よくかき混ぜてからフライパンへ流しましょう。

ノーバター、
ノーエッグ
クレープ

1 小麦粉はふるう。

2 くぼみに水を少しずつ加えながら溶くと、ダマにならない。

生地はこのくらいゆるく。

3 中央に生地を流し入れる。お玉で生地をのばしたりしない。

生地を流し入れたらすぐフライパンをまわして薄く均一にのばす。

4 表面に細かい気泡がたくさんできるのが、上手な焼きあがり。

リンゴの塩煮は、そのほかこんな料理にも…

- **そのままパイやタルトの中身に**
- **つぶしてジャムに**
- **凍らせればシャーベットに**
- **ナッツやポンせんべいを砕いたものをまぶして、おしゃれなデザートに（右の写真）**

リンゴの塩煮でアップルポテトをつくる

サツマイモのマッシュと合わせた、天然の甘味だけの甘酸っぱいフルーツあんは、サツマイモのモコモコ感がありません。この味わいは目からウロコの新鮮さ！

アップルポテト

■材料（1単位分）

サツマイモ300g、塩小さじ3/5（サツマイモの重量の1%）、リンゴの塩煮（→P78／薄切りにして煮たもの）150g、塩小さじ1/4

■つくり方

❶ サツマイモを適当に切り、塩をしっかりまぶして蒸す。

❷ ❶が蒸しあがったら、皮をむいて、つぶす。

❸ ❷にリンゴの塩煮を合わせ、塩で味をととのえる。

♪ リンゴの代わりにナシを使うと、和菓子のあんにぴったりです。

1 塩をしっかりまぶして蒸す。

やわらかくなるまで蒸す。

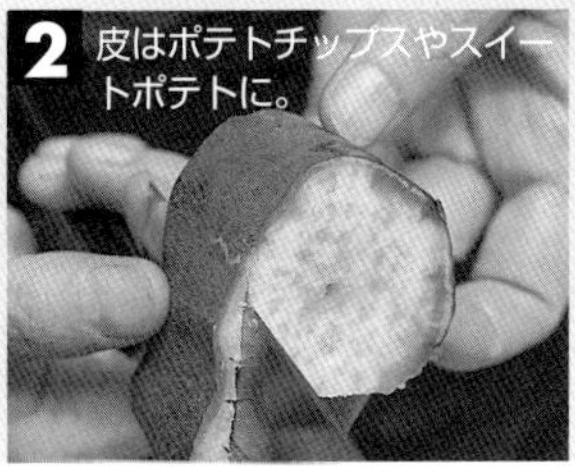

2 皮はポテトチップスやスイートポテトに。

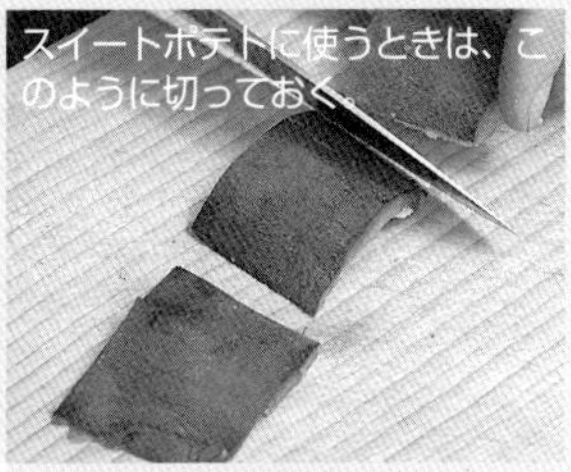

スイートポテトに使うときは、このように切っておく。

皮をむいてつぶす。

アップルポテトを使って

アップルポテトサラダ

ほんのり甘くてデザート感覚

■材料（6人分）

タマネギ約1個（200g）、塩小さじ2/5（タマネギの重量の1%）、インゲン6本（塩一つまみをまぶす）、レンコン100g（梅酢少々をまぶす）、アップルポテト1単位

■つくり方

❶ タマネギは一口大に切って塩をまぶし、インゲンも一口大に切って塩をまぶす。レンコンはイチョウ切りにして梅酢をまぶして、すべて一緒に蒸す（約5分）。

❷ アップルポテトと蒸しあがった❶を混ぜる。

♪ 皮ごとつぶしてもきれい。皮の分、分量は少なく。

酸味と甘味のバランスが絶妙！

1 野菜はすべて一緒に蒸す。

スイートポテト
一口サイズにかわいくつくって

■材料（10個分）
アップルポテト（→P80）1/2単位、中力粉15g、塩一つまみ、ゴマペースト（白練りゴマ：醤油：水＝2：1：3の割合で混ぜたもの）適量、黒ゴマ適量、サツマイモの皮（アップルポテトの残り）

■つくり方
❶ アップルポテトに中力粉と塩を加えて、20gずつまとめる。
❷ サツマイモの皮で❶を包み、ゴマペーストを薄くぬりゴマをふって、180℃のオーブンで、8～10分ほど焼く。

1 中力粉と塩を混ぜる。

2 アップルポテトをつくったときの皮で中身を包む。

ゴマペーストとゴマが決め手。

とろける おいしさ

涼やかな
オリジナル
芋ようかん

アップルポテトようかん
ふんわりあっさり軽い口溶け

■材料（15×13cmの型1個分）
糸寒天5g、水1と1/2カップ、塩小さじ1/8、アップルポテト（→P80）1単位

■つくり方
❶ 糸寒天をちぎって、たっぷりの水（分量外）に3時間以上つけておく。
❷ ❶の水気を切って、分量の水・塩と一緒に鍋に入れて強火にかけ、沸騰したら中火にし、寒天が溶けるまで混ぜずに煮る。
❸ ❷の粗熱がとれたらアップルポテトに混ぜ合わせる。
❹ 水でぬらした型に入れてかため、食べやすく切る。
♪ 寒天は水から入れて火にかけ、溶けるまでかき混ぜないよう注意。

1 寒天は3時間以上水につけておく。

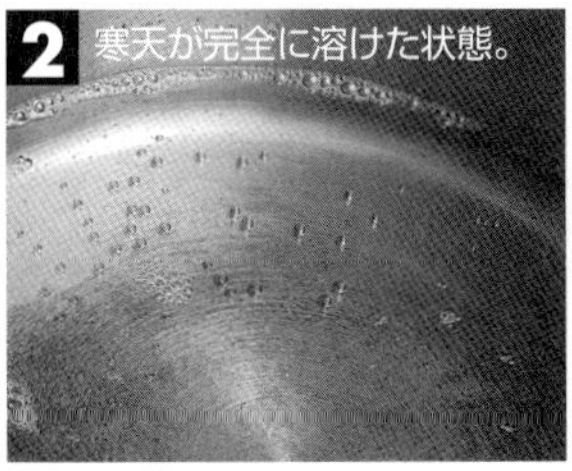
2 寒天が完全に溶けた状態。

3 寒天とアップルポテトは、ムラのあるくらいに混ぜる。

4 水で濡らした型に入れてかためる。

アップルポテトとクズ煮リンゴを使って

アップルポテトパイ

1個で甘さもボリュームも大満足

■材料（2個分）

パイ生地（下記参照）1単位、アップルポテト（→P80）120g、揚げ油適量

■つくり方

❶ パイ生地を2等分して、厚さ5mmくらいの長方形に伸ばす。

❷ ❶の生地にアップルポテトをのせ、二つ折りにして包み、生地の端をフォークで押さえてしっかりくっつける。

❸ ❷の表面にフォークで数ヵ所空気穴をあけて、180℃の油でカラッとするまで揚げる。

こんなパイなら難しくない

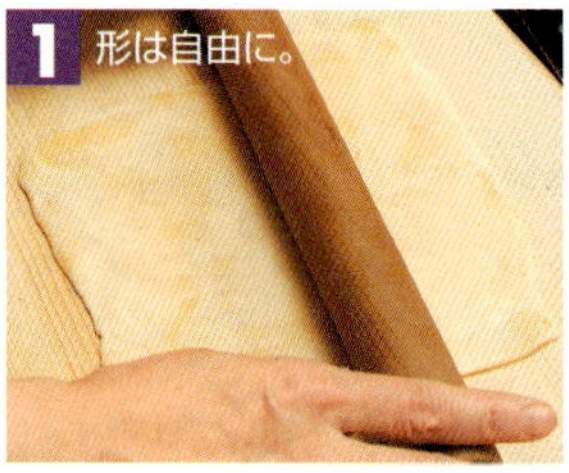

1 形は自由に。

2 アップルポテトを包む。

生地の端をフォークで押さえてくっつける。

3 フォークで表面に空気穴をあける。

こねる力も寝かす時間も必要ない、簡単パイ生地

パイ生地

■材料（1単位分）

中力粉1カップ、塩小さじ1/4、ゴマ油大さじ1〜2、水30〜40cc

☺ 焼きパイは油大さじ2、水30cc、揚げパイは油大さじ1、水40ccでつくります。サクサクのリッチな感じにするなら、油を多めに入れて。

できあがり生地は、ムラがいっぱいあってOK。その方が焼いたときサクサクになります。

■つくり方

❶ 粉と塩を合わせてふるい、真ん中にくぼみをつくってゴマ油を入れ、箸で手早くかき混ぜる。

❷ 箸で大きくかき混ぜながら水を8割くらい一気に加えてまとめる。

❸ 粉っぽいようでも、かたまりを手でちぎって、断面を残った粉につけるようにしていくと、うまくまとまる。水気が足りないようなら、手に残りの水をつけてまとめていく。全体が一かたまりになったら、できあがり。

♪ 普通のパイ生地同様、オーブンで焼いてパイやタルトに。型で抜いて焼けばクッキー、切って揚げればかりんとうにもなる便利な生地です。

1 粉のくぼみにゴマ油を入れる。

2 箸で混ぜて粉をまとめる。

3 手で生地をちぎりながら粉をつけてまとめていく。

アップルポテトのミルフィーユ

パティシエ気分で仕上げたい

■材料

パイ生地（→P82）・アップルポテト（→P80）・クズ煮リンゴ（→P79）各適量

■つくり方

❶ パイ生地を、厚さ3mmで5cm角くらいに切る。
❷ ❶を1枚ずつさらに薄くのばす。
❸ ❷を180℃のオーブンで、4分焼く。
❹ パイ、クズ煮リンゴ、アップルポテトの順に重ねる。

サクサクの
パイ生地がうれしい

1 パイ生地は、のばして切る。

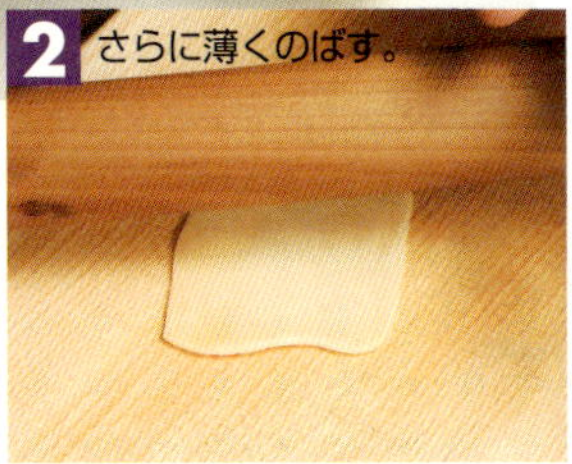

2 さらに薄くのばす。

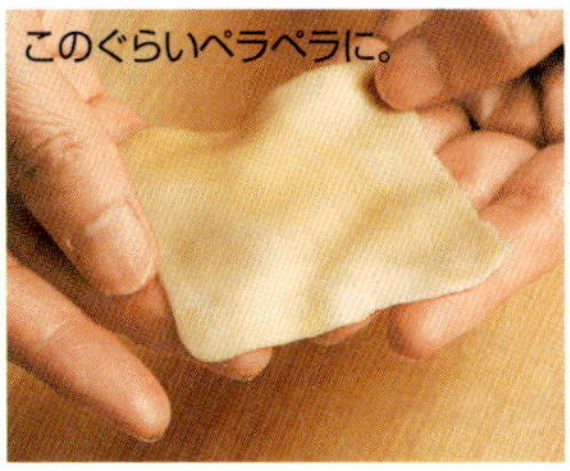

このぐらいペラペラに。

3 180℃のオーブンで、こんがり焼く。

春巻きスティック

つまんで楽しい、いくらでも食べられるおいしさ

■材料（8本分）

クルミ20g、アップルポテト（→P80）200g、春巻きの皮2枚、小麦粉・水・揚げ油各適量

■つくり方

❶ クルミを煎ってきざみ、アップルポテトと混ぜる。
❷ 春巻きの皮1枚を4等分し、❶を8等分したものを包む。
❸ 小麦粉を水で溶いたもので端をとめて、180℃の油でさっと揚げる。

パイより手軽な
アツアツスナック

1 煎ったクルミを混ぜて香ばしく。

2 春巻きの皮は4等分してミニ春巻きに。

中身は8等分して包む。

3 小麦粉を水で溶き、のり代わりに。

自然塩

自然塩は
海のミネラルの宝庫

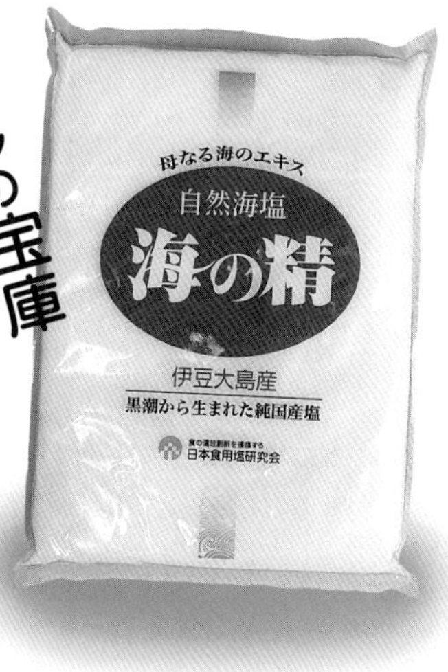

海水からつくられる塩は、海のミネラルの結晶。食べ物の旨味を引き出す力と、体の生命力を引き出す力が秘められています。
海水には、主成分である塩化ナトリウムのほかに、60数種類もの微量ミネラルが含まれており、人間の体の15%を占める体液と血液の成分は、限りなく海の成分に近いものです。
塩は、私たちの体内の海を守る生命機能調節の要であり、おいしい！と感じる塩味は、健康に生きていくためのエネルギーの源なのです。

もむだけのシャキシャキ浅漬け

野菜を塩でもむと、塩が繊維をやわらかくして歯切れをよくし、旨味を引き出してくれます。生野菜より消化もいいので、少量の余り野菜も塩もみして食べるのが簡単でオススメ。塩加減は2%強がめやすです。

ハクサイとショウガの塩もみ

＜材料＞

ハクサイ1枚（100g）、ショウガ薄切り1枚（2g）、塩小さじ2/5、七味トウガラシ小さじ1/2

＜つくり方＞

ハクサイは細い短冊切り、ショウガは極細の千切りにして混ぜ合わせ、塩をまぶし、しんなりしてきたらギュッと絞り、七味をふる。

ピーマンの塩もみピーナッツ風味

＜材料＞

ピーマン3個（正味100g）、塩小さじ2/5～1/2、ピーナッツ20g

＜つくり方＞

ピーマンを縦半分に切って種とヘタを取り、千切りにして塩をまぶし、しんなりしたらギュッと絞る。ピーナッツを煎って粗みじんにし、ピーマンとあえる。

カブの塩もみアーモンド風味

＜材料＞

カブ1個（100g）、塩小さじ2/5～1/2、アーモンド20g

＜つくり方＞

カブを厚さ3～5mmの半月に切り、塩をまぶし、しんなりしたらギュッと絞る。アーモンドを煎って粗みじんにし、カブとあえる。

♪ カブに葉がついていたら一緒に塩もみして入れると、緑の彩りがきれい。

キュウリとリンゴの塩もみ

＜材料＞

キュウリ1本（100g）、リンゴ1/2個、塩小さじ1/2

＜つくり方＞

①キュウリは蛇腹に切る（切り方→P133）。リンゴは1/2個を4つに切って、濃度3.5%の塩水（分量外）にくぐらせて（→P78）皮ごとすりおろす。
②キュウリに分量の塩をまぶし、しんなりしたらギュッと絞り、おろしたリンゴ（果汁も一緒に）であえる。

ラッキョウの塩漬け　塩で旨味を引き出す定番漬け物

＜材料＞

ラッキョウ2kg、塩140g

♪ 漬けて2～3ヵ月ごろから食べられますが、長くおいた方がおいしくなります。

＜つくり方＞

①ラッキョウはざっと水洗いして水と一緒にすり鉢に入れ、手でゴロゴロ何回か水を替えながらこすり洗いして薄皮を取る。ヒゲ根はぎりぎりの所で切り、軸は長めに残す。

②熱湯消毒した保存ビンに①のラッキョウを入れ、塩を加えて全体になじむようにビンを振る。

③ときどきビンを振って、気長に漬け込むとアメ色の塩漬けができる。

押し麦ごはん　大地と海の調和した旨味

＜材料＞

白米2.5合、押し麦0.5合、塩小さじ1

＜つくり方＞

白米と押し麦は一緒に洗って炊飯器に入れ、3合分の目盛りまで水を入れ、塩を入れて炊く。

♪ 穀物と塩の組み合わせは、陸の生命力の結晶と海の生命力の結晶が合体した完全食です。おいしさも数倍アップします。

ゴマ塩と青ノリゴマ塩　大好き！定番ごはんの友

＜つくり方＞

①すり鉢に、焼き塩大さじ1と、白ゴマ大さじ4（ふわっと盛った状態で）を入れる。

●焼き塩のつくり方

厚手の小鍋に塩を入れて、木べらでつぶすようにかきまぜながら、から煎りする。すり鉢に移して強くすりつぶしてサラサラにする。

♪ ツンとした匂いが飛ぶまでから煎りする。あまり火を通さない料理やふりかけに合います。

②すりこぎで、力を入れずにリズミカルにする。時間をかけて、サラサラになるまですったら、ゴマ塩のできあがり。

③ゴマ塩3：青ノリ1の割合で混ぜ合わせれば、青ノリゴマ塩のできあがり。
ほかほかごはんにふりかけてどうぞ。

MEMO

体の働きを高める塩

神経機能、内臓機能、血液や栄養の循環、筋肉の収縮、腸内微生物の育成、免疫力など、人間の体の機能の多くは、塩を食べることで調整されます。調味料の原点は塩であり、料理は、塩で食べ物のおいしさと生命力を引き出して調身する技術なのです。

伝統製法の自然塩を

化学製法でつくられた塩には、塩化ナトリウム以外のミネラルがほとんど含まれていません。ミネラルはすべてが相互に関連して働くもので、ナトリウムばかりの塩は体の機能を乱し、味も塩辛いばかりで旨味を感じることができません。海水を昔からの製法で結晶させた、自然の海の塩を選びましょう。

減塩ではなく適塩を

味覚は体が必要とするミネラル濃度を感じるセンサーです。自分がおいしいと感じる料理を食べていれば、塩の摂り過ぎにはなりません。世の中では減塩が叫ばれていますが、それでは味覚も体も満足しません。減塩でなく、適塩が健康の基本です。

原点は1%の古代海水

32億年前、古代の海で生まれた生命細胞の子孫である人間の体液は、古代海水と同じ約1%の塩の濃さをもっています。私たちがおいしいと感じるのは1%前後の塩分濃度の食べ物であり、1%の塩加減とは、母なる海の味なのです。

クリを醤油で炒り煮にする

クリの甘さが醤油でキュッと引き締まる

日本の栗は、甘さがほどよく風味があり、お菓子や料理に大活躍する素材です。ビタミンC、カルシウム、カリウム、鉄分などをバランスよく含み、筋肉や骨を丈夫にして血行を促進する働きがあり、渋皮には、最近注目されている抗ガン物質タンニンが含まれています。クリは古くなると水分が蒸発して軽くなり、味も栄養も落ちるので、重くてつやのある新鮮なものを選びましょう。

クリを炒める…意外なようですが、これがおいしいのです。そして醤油で炒り煮にすると、甘露煮では感じられないクリ独特の甘さが引き出されます。醤油だけの味つけなので和食や中華にとアレンジ自在。お菓子とは一味違う、あとをひく斬新なおいしさをぜひ試してみてください。クリのない季節はサトイモやカボチャで。

クリの醤油炒り煮

■材料

生グリ約20個、油大さじ2、水3/4カップ、醤油大さじ1と1/2

■つくり方

❶ クリの皮をむく。
❷ 油を熱しクリを中強火でさっと炒め、水を入れふたをして約5分煮る。
❸ 水が半分ほどになったら醤油を加え、さらに中弱火で10分煮る。
♪ 約1週間保存可能です。

1 丸くかたい部分を大きめに切り、鬼皮をむいてから渋皮をむくとむきやすい。

3 醤油を入れたら、あと10分くらい煮る。

少々煮汁が残るくらいで火を止める。

クリリンゴのプリザーブをつくる

クリやサトイモ、カボチャのモコッとした食感が、ふっくらやわらかリンゴと組み合わさると、新食感のデザートに早変わり。そのままアツアツで、また冷やしてもおいしく食べられますが、お菓子にいろいろアレンジしてみると味の世界を広げてくれます。たっぷりつくって自由な発想で楽しみましょう。

クリリンゴのプリザーブ

■材料（1単位分）

リンゴ2個（正味400g）、濃度3.5%の塩水（水1/4カップ、塩小さじ1/3）、皮をむいた生グリ約20個（200g）、水1/4カップ、塩小さじ1/2

■つくり方

❶ リンゴを皮ごと1/4に切って芯を取り、塩水にさっとくぐらせる。さらに縦半分に切ってから、一口大に切る。
❷ 鍋に❶のリンゴと、クリ・水・塩を入れてふたをし、中火にかける。沸騰したら弱火でコトコト蒸し煮にし、煮汁がほとんどなくなるまで煮る。

ノーシュガーのお菓子が次々できる

1 1/4に切って芯を取る。

3.5%濃度の塩水にくぐらせる。

縦半分に切って、一口大に。

クリの醤油炒り煮を使って

あっという間のクリごはん

クリの醤油炒り煮があればクリごはんもスピーディに

■材料

クリの醤油炒り煮（煮汁も／→P87）適量、ごはん適量

■つくり方

クリの醤油炒り煮のクリと煮汁を、ごはんと混ぜるだけ。クリの量はお好みで。

混ぜるだけで
できちゃうクリごはん

クリ入り根菜の醤油炒り煮

根菜の香りがクリとからみあう

■材料（2人分）

ゴボウ60g、レンコン60g、ニンジン60g、油大さじ1、コンブ5cm、水1カップ、醤油大さじ2、クリの醤油炒り煮（→P87）適量

■つくり方

❶ 野菜をすべて一口大に切る。鍋に油を熱し、最初にゴボウを入れ、甘くてよい香りがしてくるまで中強火でじっくり炒める。

❷ ❶にレンコン、ニンジンを加え、全体に油がまわったらコンブと水を加えてふたをして、沸騰したら中弱火にして5分煮る。

❸ ❷の水が半分になったら醤油を加え、コトコトと煮汁がからまるよう煮含めて火を止め、クリの醤油炒り煮を加えて混ぜ合わせる。

1 ゴボウのいい香りがしてくるまで炒めると、おいしい。

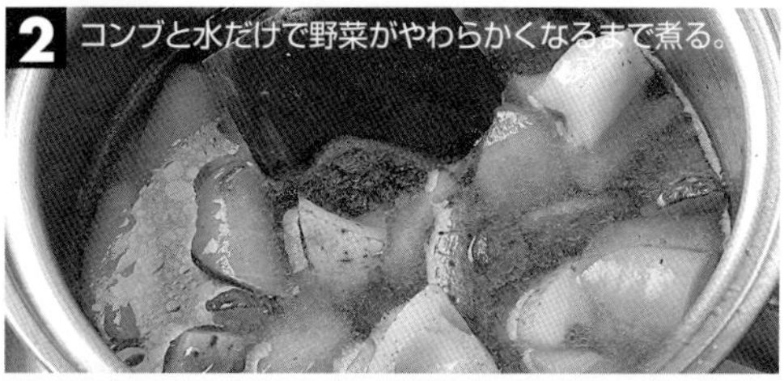

2 コンブと水だけで野菜がやわらかくなるまで煮る。

3 これくらいまで煮含める。

ごはんがすすむ
和のおかず

クリでつくる中華はいかが？

クリ入りちまき

根菜の醤油炒り煮を、翌日はきざんで混ぜて楽しもう！

■材料

クリ入り根菜の醤油炒り煮（→P88）・ごはん（玄米または白米）・好みのナッツ各適量、竹皮個数分

■つくり方

❶ クリ入り根菜の醤油炒り煮をきざみ、好みのナッツと一緒に、炊いたごはんに混ぜる。

❷ ❶を竹皮で包み、10分くらい蒸す。

竹皮の包み方をマスターしたい

2 竹皮の幅広の方を丸めてごはんを詰める。
短い方の皮を上にかぶせる。
残った竹皮を全体に巻く。
竹皮の端を細く切った紐で結ぶ。結び方は自由。
できあがり。

クリの中華風醤油煮

簡単にできてゴージャスな中華の一品

野菜の風味でクリが中華のごちそうに

■材料（4人分）

皮をむいた生グリ約20個（200g）、ショウガ1カケ、干しシイタケ4枚（水1カップで戻す）、長ネギ1/3本、ゴマ油・ナタネ油各大さじ1、コンブ5cm、塩小さじ1/3、醤油大さじ1と1/2～2、酒大さじ2

☺ サトイモをクリの大きさに切って、代用してもOK。

■つくり方

❶ クリを1/2に切る。ショウガと戻したシイタケは千切り、長ネギを斜め薄切りにする。

❷ ゴマ油とナタネ油を熱し、ショウガ・長ネギ・干しシイタケ・クリを順に炒め、干しシイタケの戻し汁とコンブと塩を加えて強火で煮る。

❸ 煮立ったら中火にしてふたをし、だし汁が半分になるまで5～6分煮る。

❹ 醤油と酒を加え、さらに中弱火で10分煮る。

❺ 煮汁がほとんどなくなるまで煮込む。

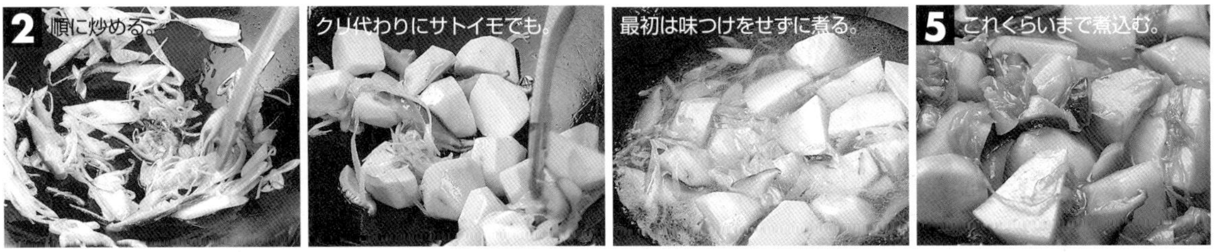

クリリンゴのプリザーブを使って

クリリンゴのクランブル

練りゴマとクルミを混ぜたキナコをたっぷりかけるだけ

■材料（15cmの皿1個分）

クリリンゴのプリザーブ（→P87）110g、クランブル生地（キナコ大さじ2、練りゴマ（白）小さじ2、クルミ10g）、リンゴジュース1/4カップ

■つくり方

❶ クリリンゴのプリザーブをグラタン皿に入れる。
❷ クルミを煎ってみじん切りにする。
❸ ボウルにクランブル生地の材料を全部入れて混ぜ合わせ、そぼろ状にする。
❹ ❶にリンゴジュースをかけて、❸をふりかけ、200℃のオーブンで10分焼く。

2 クルミのみじん切りはこれくらい細かく。

3 クランブル生地をボロボロのそぼろ状に。とっても簡単。

4 まんべんなくクランブル生地をかけたらオーブンへ。

クリリンゴモンブラン　パンでつくるかわいいデザート

■材料

クリリンゴのプリザーブ（→P87）・パン各適量

☺ パンはお好みのものでどうぞ

■つくり方

❶ クリリンゴのプリザーブをフードプロセッサーなどでマッシュし（クリは1粒残しておく）、ビニール袋に入れる。
❷ 袋の底の一角を切り落として、好みのパンにモンブラン風に絞り出し、残しておいたクリを飾ってできあがり。

1 ビニール袋は薄くない方が絞りやすい。

2 ビニール袋の先をわずかに切り落として絞り口をつくる。

絞り出すのが楽しい。

おいしくて手軽につくれる
モンブラン

ギョウザ皮の焼きプーリー

子どもたちが大喜び！ギョウザ皮の新しい使い方

■材料

クリリンゴのプリザーブ（→P87）・ギョウザ皮各適量

■つくり方

❶ 焼いたときふくらみやすくするために、ギョウザ皮の表面をめん棒でコロコロ転がしておく。

❷ 温めておいたオーブンに❶のギョウザ皮を入れて230℃で2分くらい焼く（ふくらんで軽く焼き色がつき、カリッとするまで）。

❸ プクッとふくらんだ皮を包丁の先で軽く割って、プリザーブを詰める。

♪ オーブントースターでもできますが、オーブンの方が確実です。

3 プクッとふくらむのも楽しいし、ふくらんだ皮を割るのがまた楽しい。

クリリンゴのサンドパイ

ギョウザの皮ではさんで焼くだけ

■材料

クリリンゴのプリザーブ（→P87）・ギョウザ皮各適量

■つくり方

❶ ギョウザ皮にクリリンゴのプリザーブをのせて、皮のまわりに水をつけ、半分に折って、まわりをフォークで押さえる。

❷ 温めておいたオーブントースターで、2〜3分焼く。

1 ギョウザ皮のまわりに水をつける。

このように半分に折ってもいいし、もう1枚のギョウザ皮を上からのせてはさんでもOK。

まわりをフォークで押さえて、しっかりくっつける。

油を使わないから、子どもでもつくれる

漬け物

風味と栄養
たっぷりの
料理素材として
活用して
みませんか

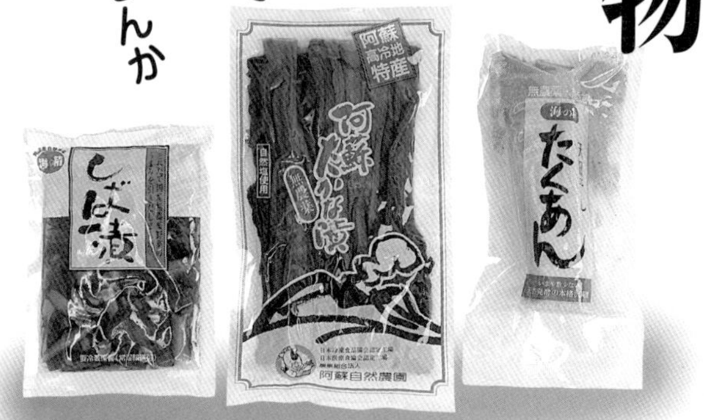

漬け物は、旬の野菜の生命力を塩で封じ込め、いつでもとれたて新鮮なときと同じように、おいしく食べるための技術です。
漬け込んでいる間に、私たちの体に必要なさまざまな栄養成分が増えて、深い旨味と風味が生まれ、長期保存も可能になります。
漬け物を食事に一品加えるだけで、おいしさも健康もアップ。
料理素材として活用すれば、熟成された旨味と風味の体にしみるおいしさが生まれます。

漬け菜煮　漬け物が絶品おかずに変身！

＜材料＞

高菜漬け200g、高野豆腐8枚、ニンジン1本（150g）、ゴマ油大さじ1、水2と1/2カップ、コンブ5cm

＜つくり方＞

①高菜漬けは3cmくらいに切る。高野豆腐は戻してそぎ切り、ニンジンは短冊に切る。
②ゴマ油で高菜漬けを炒め、高野豆腐とニンジンを加える。
③水とコンブを②に入れて火にかけ、沸騰したら中弱火で20分煮る。味が薄ければ、醤油小さじ2（分量外）を加える。
♪ 水を倍量、濃いめの味つけで、煮込みうどんにしてもおいしい！

□切り方を工夫して□

タクアンやしば漬けなどの漬け物は、お料理に活用がきく便利な素材です。切る大きさや切り方を工夫すれば、多様な食感と旨味が料理に加わり、おいしさがグンとアップします。
大きめに切ってチャーハンやちらしずしの具に、形に変化をつけてあえ物の具に。きざんでサラダのトッピング、ふりかけに…と、頭を柔軟にして、楽しみながら使ってみましょう。

香味野菜の梅酢漬け　落ちやすい風味を梅酢で保存

<つくり方>

ショウガ、ミョウガなどの香味野菜を、丸ごと、または薄切りにして密閉容器に入れ、材料がすべて漬かるくらいまで梅酢を注ぎ、しっかりふたをしておく。

♪ 薄切りなら半日くらいでできあがり。長期保存も可能です。

♪ 水が入るとカビが出やすいので、材料は洗ったあと、よくふいてから漬け込みます。梅酢はつぎ足さずに、そのつど使い切りましょう。

すぐできる味噌漬けバリエーション

ゆでゴボウの味噌漬け

<材料>

ゴボウ200g
味噌200g

<つくり方>

ゴボウを拍子木切りにして5分ゆで、ザルにあげて水切りをしてから味噌に漬ける。2〜3日でできあがり。

♪ レンコン、ニンジンなど、ほかの野菜でも同様につくれます。

豆腐の味噌漬け

<材料>

豆腐1丁
味噌500g
ガーゼ1枚

<つくり方>

①豆腐を熱湯で5分くらい、火力を調節して静かに崩れないようにゆでる。引き上げて、ふきんにくるみ、まな板の間にはさんで軽い重石をして、しっかり水を切る。

②味噌を容器の底に平らに入れ、ガーゼに包んだ豆腐を入れ、味噌でおおう。

♪ 2日ほどでほんのり味噌風味のおかず豆腐に、10日くらい漬けるとチーズのような味わいになります。

コンニャクの味噌漬け　食べ方のレパートリーが広がる

<材料>

コンニャク1/2丁、豆味噌大さじ1と1/2、水大さじ1、ニンニク1/2個、塩適量

<つくり方>

①コンニャクは塩でよくもんでから強火で3分くらいゆで、ザルにあげて水気を抜く。

②水でのばした味噌とおろしたニンニクを合わせ、スプーンで一口大にくりぬいたコンニャクにからめて、表面が乾かないようにサラシなどをかけて漬け込んでおく。

♪ 炒め物や唐揚げにピッタリ！　漬け込むときに2cm幅に切り、食べるときに薄くスライスすれば、ごはんがすすむ一品に。

♪ 漬け床の味噌は、風味味噌として味噌汁や炒め物などに利用しましょう！

MEMO

漬け物樽は栄養の宝箱

漬け物は、ミネラル、酵素、ビタミン、繊維がたっぷり。野菜を塩で漬け込むと、ミネラルの働きで乳酸菌や酵母が増えて発酵し、タンパク質が分解されて、酵素やビタミン、旨味成分が増加します。漬け物樽は、栄養や旨味を生む魔法の宝箱なのです。

毎日の漬け物で健康に

塩分が少ない漬け物は雑菌が繁殖して腐りやすくなりますが、人間も塩分が足りなくなると体内に細菌や有害微生物が繁殖しやすくなり、抵抗力が落ちてしまいます。防腐殺菌力のある漬け物を毎日食べれば、免疫力の高い丈夫な体がつくれます。

おいしい漬け物のコツ

漬け物づくりのポイントは、食べごろに熟した旬の新鮮野菜を漬け込むこと。未熟なものや熟しすぎ、鮮度の落ちた野菜は漬かりが悪くなります。また、野菜を漬け込む前に太陽に干すと、栄養や風味が野菜の中にとどまり、保存性もよくなります。

塩漬けの塩加減

下記は材料の重さに対しての塩の割合です。塩漬けするときのめやすにして、おいしい漬け物をつくってください。

・即席漬け：2〜3%
・浅漬け：3〜4%
・タクアン：6〜10%
・ラッキョウ：7%
・ぬか漬け：ぬかの10〜20%
・長期塩蔵：20%

ダイコンは1本丸ごと栄養の宝庫。葉の部分は、ほんのりとした苦みがおいしく、カルシウムや鉄分、カロチンが豊富で、骨粗鬆症や貧血に効果的な緑黄色野菜です。根は消化を助ける酵素が豊富ですが、熱に弱いので、酵素の働きを期待したいときは、すりおろすなど生が一番。皮には中心部の2倍もビタミンCが含まれているので、皮はむかないのが基本です。

ダイコンを皮ごと蒸す

生命力あふれるダイコンの旨味が全開

皮ごと蒸しダイコン

1 皮ごと使うのが基本。厚い斜め切りは豪快な料理に。

一口大に切って、サイコロステーキ風にも。

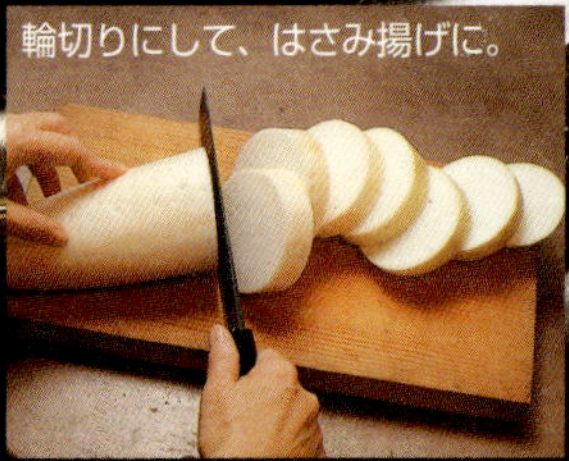

輪切りにして、はさみ揚げに。

2 重量の1%の塩をまぶす。

3 強火で20分蒸す。切り方が違っても一緒に蒸してOK。

冬のダイコンは寒さに抵抗するために糖度を増し、みずみずしく、きめも細かくて最高です。皮ごと好みの厚さ・形に切って塩をまぶして蒸すと、ダイコンの旨味全開！ ステーキに、揚げ物にと、ボリューム満点のおかずに変身します。

ソースも絶品！
2枚ペロリ！

1 皿などに醤油を薄く敷き、両面につける。

皮ごと蒸しを使って

蒸しダイコンのステーキ　2枚食べたくなる！

■材料（2人分）
皮ごと蒸しダイコン（斜め切り2cm厚／→P94）4枚、ゴマ油・醤油各適量、ソース：キノコ100g、油小さじ2、醤油大さじ1、水3/4カップ、クズ粉大さじ1（同量の水で溶く）

■つくり方
❶ 皮ごと蒸しダイコンの両面に醤油をつけ、フライパンに油を熱してこんがり焼く。
❷ ソースは、フライパンに油を熱してキノコを炒め、醤油と水を入れて、同量の水で溶いたクズ粉でトロミをつけ、❶にかける。

蒸しダイコンのサイコロステーキ　ニンニクとよく合う

■材料（3〜4人分）
皮ごと蒸しダイコン（サイの目切り一口大／→P94）300g、ゆでてきざんだダイコン葉（→P99）1本分、ニンニク1/2カケ、油大さじ1と1/2、醤油大さじ3

1 油が冷たいうちにニンニクを入れる。

■つくり方
❶ ニンニクを繊維と直角にスライスし、フライパンに油とニンニクを入れ、弱火にかけて熱する（炒め方→P62）。
❷ ❶からいい香りがしてきたら強火でダイコンを炒める。焼き色がついてきたらダイコンの葉も加えて炒め、醤油で味をととのえる。

酒のつまみにも

蒸しダイコンのはさみ揚げ　食感の違いがおいしい

■材料（4人分）
皮ごと蒸しダイコン（高野豆腐より厚めの輪切り／→P94）8枚、高野豆腐4枚、コンブ3cm、水1カップ、塩小さじ1/3、溶き衣（小麦粉1/2カップ、塩小さじ1/4、水1/3カップ強）、パン粉・揚げ油各適量、ソース：味噌・酒各大さじ1、水大さじ3、クズ粉小さじ1/2（同量の水で溶く）
☺ ダイコンを高野豆腐より少し厚めに切っておくと、仕上がりが高野豆腐の厚みと揃って、食感がよくなります。

■つくり方
❶ 高野豆腐は戻さずコンブ・水・塩を入れた鍋で煮切る（煮方→P180）。
❷ ❶をダイコンではさみ、溶き衣とパン粉をつけて揚げる。
❸ ソースは味噌を酒と水でよく溶いて弱火にかけ、酒がとんだら強火にして、同量の水で溶いたクズをまわし入れてトロミをつけ、❷にかける。
♪ はさむ一手間で楽しい食感になります。

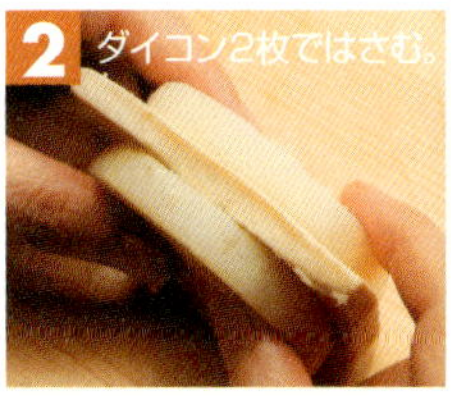
2 ダイコン2枚ではさむ。

ジューシーなカツレツ

おろしクズソースをつくる・・・

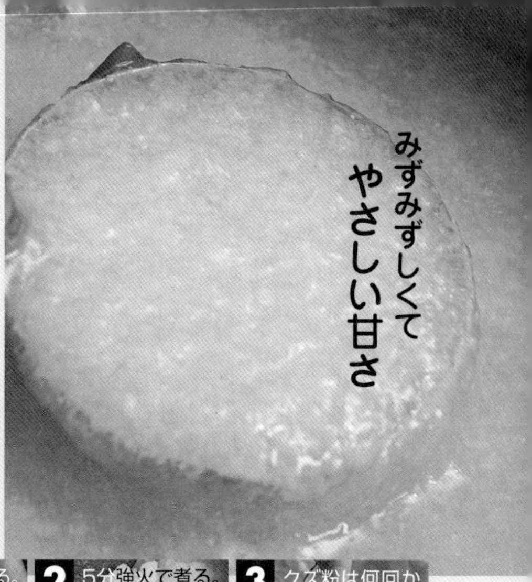
みずみずしくて
やさしい甘さ

皮ごとおろしたダイコンを煮てクズあんにすると、透明ホワイトソースになります。アツアツでも冷たくてもおいしく、日持ちします。

おろしクズソース

■材料（1単位分）

ダイコン600g、水4と1/2カップ、コンブ10cm、酒大さじ3、塩大さじ1と1/2、クズ粉45g（2/3カップの水で溶く）

■つくり方

❶ ダイコンをおろしてザルに入れ、軽く水気を切る（絞らない）。

❷ 鍋に水とコンブを入れて煮立て、酒と塩を加え、さらにダイコンを入れ、5分くらい強火で煮る。

❸ クズ粉を水で溶いて、沸騰している鍋に少しずつ何回かに分けて、かき混ぜながら入れる。全体が透明になるまで煮る。

♪ ダイコンおろしは5分くらい煮ると甘くなります。おろし汁はそばつゆに入れたり、捨てずに活用します。

1 軽く水気を切る。

2 5分強火で煮る。

3 クズ粉は何回かに分けて入れる。

体がポカポカ温まる
あっさり鍋

*やさしい気持ちに
なれる味

おろしクズソースを使って

揚げ餅の雪鍋　揚げたて餅がジュッとおいしい！

1 こんなふうに餅がふくらむまで揚げる。

■材料（6～8人分）

餅4個、揚げ油適量、干しワカメ5g、豆腐1丁、上記のおろしクズソース1単位

■つくり方

❶ 餅を6等分し160℃の油でふくらむまで揚げる。

❷ ワカメを水で戻して食べやすい大きさに切り、豆腐を一口大に切る。

❸ おろしクズソースに❶と❷を入れてアツアツのうちに食べる。

かぶら蒸し　美しい銀あんが決め手

■材料

上記のおろしクズソース・ワカメ・キノコ・銀あん（下記参照）各適量

■つくり方

おろしクズソースを器に少し入れ、一口大に切ったワカメとキノコを重ねて入れ、さらにおろしクズソースを重ねて7分蒸す。銀あんをかけてアツアツを食べる。

クズのおいしさが凝縮したシンプルソース

銀あん

■材料

コンブだし汁（または水）1カップ、塩小さじ1/4、酒大さじ1、醤油小さじ2、クズ粉大さじ2/3～1（同量の水で溶く）

■つくり方

だし汁・塩・酒・醤油を強火にかけ、煮立ったところに水で溶いたクズを2～3回に分けて入れ、かき混ぜながら煮る。好みの濃さになったら、さらにかき混ぜて煮込む。

♪ ショウガ汁など加えるとぐっと味わい深く。

ちょっぴり残ったダイコンで

・・味噌ダイコンおろしをつくる

味噌や薬味で味つけしたダイコンおろしは、和風ソースにもオススメ。ソースとして使うときは味噌を多めに入れましょう。

味噌ダイコンおろし

■材料（1単位分）

ダイコンおろし60g、麦味噌小さじ1〜2、長ネギのみじん切り適量、ゴマ適量

☺ 長ネギはミツバ、クレソン、アサツキなどの香味野菜でもOK。

■つくり方

❶ ダイコンおろしをザルに入れ、軽く水気を切る。

❷ 麦味噌小さじ1〜2を加えて、好みで長ネギのみじん切りやゴマを入れる。

味噌ダイコンおろしを使って

炒め野菜の味噌ダイコンおろし

ありあわせの野菜でさっとつくれる

■材料（2人分）

ブロッコリー30g、厚あげ1/2丁、油大さじ1、ニンニク1カケ、上記の味噌ダイコンおろし2単位

☺ 野菜はそのときあるものでOK。

■つくり方

ニンニクをスライスし、フライパンに油と一緒に入れてから弱火にかける（炒め方→P62）。いい香りがしてきたら、強火でブロッコリー、厚あげの順に炒め、味噌ダイコンおろしを混ぜてさっと炒めて、火を止める。

さっぱりとした炒め物をつくりたいときに

焼き油あげの味噌ダイコンおろしのせ

カリッと焼いた油あげにのせて

■材料

油あげ・上記の味噌ダイコンおろし各適量

■つくり方

油あげをオーブントースターやフライパンでさっと焼き、味噌ダイコンおろしをのせる。油あげ1枚につき、味噌ダイコンおろし1/2単位がめやす。

炊きたてのごはんと一緒に食べたい

左ページのおろしクズソースは、そのほかこんな料理にも…

●アツアツのうどんにかけて雪見うどん

●冷たくして、パスタにのせてもおいしい！

下準備なしでも旨味たっぷり

ダイコンの薄茶クズ煮

舌にとろけるまったりしたおいしさ。温まります

■材料（6人分）

ダイコン500g、エノキ100g、油大さじ2強、コンブ3cm、水2カップ、醤油大さじ1、塩小さじ2、クズ粉小さじ1（同量の水で溶く）

■つくり方

❶ ダイコンを皮ごと2cmの輪切りにして6等分する。エノキはいしづきを取ってほぐし、半分の長さに切っておく。

❷ 鍋に油を熱してダイコンとエノキを炒め、コンブと水を入れてふたをして煮る。煮立ったら弱火にし、さらに10分ほど煮てから、醤油・塩を入れて弱火でダイコンがやわらかくなるまで20分くらい煮る。

❸ 味をみて、水で溶いたクズ粉を加え、一度沸騰させて薄くトロミをつける。

ダイコンを
見直す
おいしさ

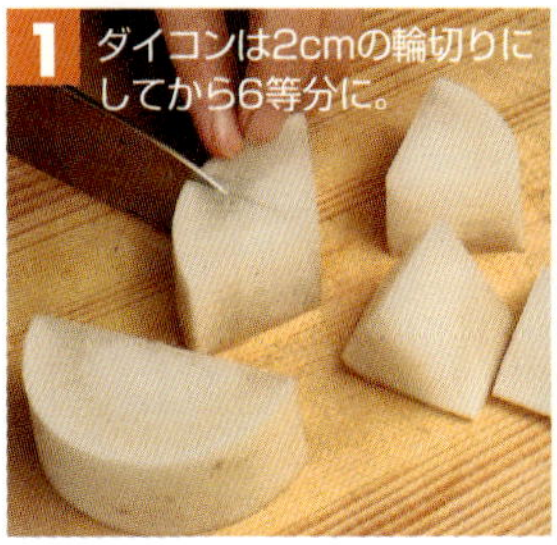

1 ダイコンは2cmの輪切りにしてから6等分に。

3 クズは必ず沸騰したところに入れ、混ぜながら煮る。

ダイコンの醤油炒り煮

迫力のあるおいしさです

■材料

ダイコン1本、干しシイタケ5〜6枚（水1カップで戻す）、ゴマ油大さじ3、塩小さじ1/2、醤油大さじ3〜5

■つくり方

❶ ダイコンを皮ごと1.5〜2cmの輪切りまたは半月切りに、干しシイタケは分量の水で戻して千切りにする。

❷ 鍋に油を熱してダイコンと干しシイタケを強火でよく炒め、干しシイタケの戻し汁を入れて中火で10分くらい煮る。

❸ ❷に塩と醤油を入れ、煮汁がほとんどなくなるまで煮て、鍋を返して照り煮にする。

♪ ダイコンはしっかり炒めて、おいしさを引き出しましょう。

1 ダイコンは皮ごと輪切りか半月切りに。

3 煮汁がなくなるまで煮て、照り煮に。鍋は底が広いものを使うとうまくいく。

サンドイッチの具や
フライにしても
おいしい

1 ダイコンを皮ごとザクザク切る。

2 ときどきひっくり返す。密閉容器に入れて冷蔵庫で保存可能。

ダイコンのユズ醤油漬け

驚きのシンプルクッキング

■材料

ダイコン1本、醤油1/2カップ、ユズ1個

■つくり方

❶ ダイコンを皮ごと大きめの乱切りにして、醤油に漬け込む。ユズの絞り汁と絞ったユズも丸ごと加えて漬ける。

❷ まんべんなく漬かるように、ときどき上下をひっくり返す。

♪ 漬けて30分で食べられますが、古漬けになってもおいしい。

♪ 漬けた醤油はそのままドレッシング、湯豆腐、めんつゆに。薄めておすましにも活用できます。

拍子抜けするほど簡単で、
びっくりするほど
おいしい

葉まで残さず使い切るダイコン丸ごと利用術

1 ゆでてから、きざむ。

2 ダイコン葉を5mm以下の小口切りにする。

3 20%の塩をまぶす。

4 重石をして冷蔵庫で保存。

ダイコン葉活用法

ダイコン葉は、ゆでたり塩漬けにしておけば、サラダ、納豆や味噌汁のトッピング、炒め物、煮物などに活用できてとても便利です。捨てずに丸ごと使いましょう。

●ゆでてきざむ → ❶

熱湯に塩を入れて、丸ごとやわらかくゆでてきざんでおく（きざんでからゆでてはおいしくありません）。ゆでたままより、きざんだ方が味も数日落ちません。

●きざんで塩漬けにする → ❷❸❹

生のまま、きざんで塩漬けに。塩分が濃いので、「葉緑素入りの塩」だと思って調味料感覚で活用します。

♪ 5mmの小口切りがポイント。

ダイコンを薄～くスライスする

透き通って美しく、繊細な歯ざわりがうれしいダイコンスライスのおいしさを楽しみましょう。縦に入っているダイコンの繊維に対し、垂直や平行にスライスするだけ。垂直と平行では違った食感が楽しめます。

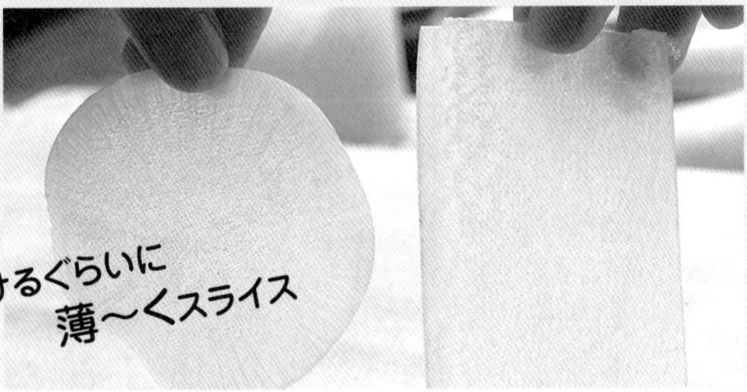

丸のまま繊維と垂直にスライス。太めのものなら半分に切って。

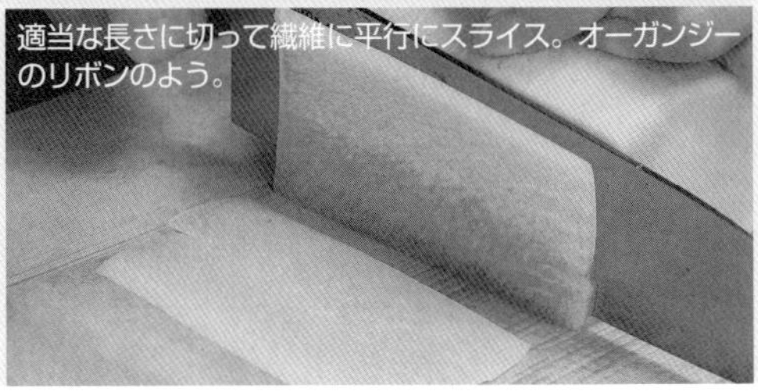
適当な長さに切って繊維に平行にスライス。オーガンジーのリボンのよう。

ダイコンスライスを使って

ダイコンの薄切りサラダ　好きなドレッシングでどうぞ

■材料

上記のダイコンスライス・好みのドレッシング各適量

■つくり方

ダイコンスライスを皿に盛りつけるだけ。盛りつけを工夫して。

盛りつけもアイデア次第！

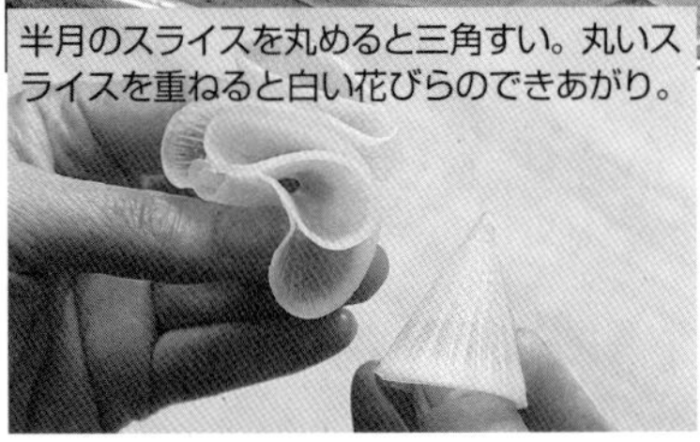
半月のスライスを丸めると三角すい。丸いスライスを重ねると白い花びらのできあがり。

ダイコンの千枚漬け　コンブとユズの香りに包まれて

■材料

上記のダイコンスライス200g、塩小さじ4/5（ダイコンスライスの重量の2%）、コンブ3cm、ユズの絞り汁小さじ2

■つくり方

❶ コンブを水につけてさっと戻し、繊維に垂直になるように千切りにする。

❷ ダイコンに塩をまぶして❶を混ぜ、水が出るまでおいておく。

❸ ❷で出た水にユズの絞り汁を加え、そのまま漬け込む。

♪ 漬けて2～3日目からが本当においしくなります。

1 コンブを千切りにして一緒に漬ける。

3 水が出てきても捨てない。ユズの絞り汁を加えて漬け汁に。

あっという間になくなっちゃう
おいしさ

ツンととがったイチョウ切りにする

コリコリとして、とがった角が新鮮な口あたりのイチョウ切り。薄めのスライスとは、口にしたときの印象がガラリと変わる驚きの体験をしてみませんか？

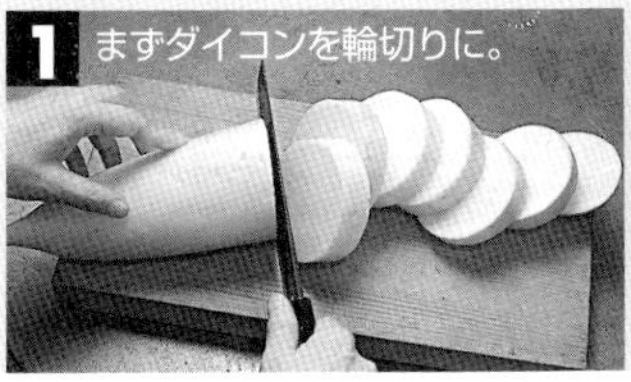
1 まずダイコンを輪切りに。

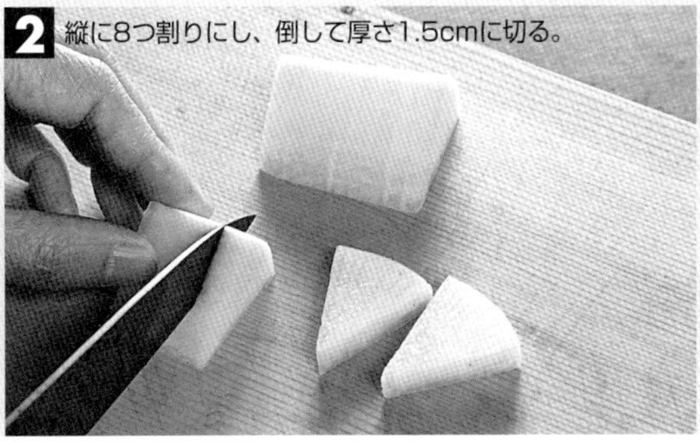
2 縦に8つ割りにし、倒して厚さ1.5cmに切る。

キュウリの乱切りでつくってもおいしい

イチョウ切りを使って

ダイコンのべったら漬け

甘酒で手軽にべったら風の漬け物が。お茶うけにもGoodです

■材料

上記のダイコンのイチョウ切り200g、塩小さじ1と1/2（下漬け用）、甘酒1/4カップ、塩小さじ2

■つくり方

❶ ダイコンのイチョウ切りに、下漬け用の塩をまぶしてしばらくおき、皿などをかぶせて軽く重石をする。

❷ ❶の水分が出てきたらザルにあげて水気を切り、甘酒と塩を加えて漬け込む。30分くらいしたらできあがり。

1 皿をかぶせて重石をする。

2 ザルにあげて水気を切る。

ダイコンのニンニク風味漬け

イチョウ切りのコリコリした歯ごたえがぴったり

■材料

上記のダイコンのイチョウ切り200g、塩小さじ1と1/2、ニンニク1カケ

■つくり方

❶ 水気を切るところまで、上のべったら漬けと同様に。

❷ ❶とニンニクの千切りをあえる。しばらくおいて香りがなじんだらできあがり。

♪ べったら漬けとともに、キュウリの乱切りでつくってもおいしい。

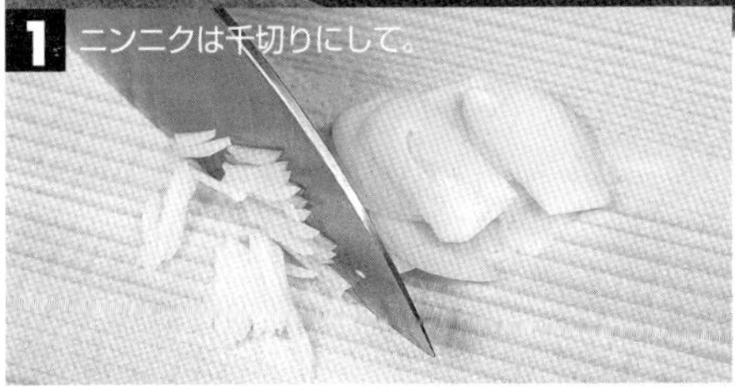
1 ニンニクは千切りにして。

サトイモのおいしさと栄養のポイントは、ぬめり。このぬめり気はガラクタンという糖質とタンパク質が結合したもので、コレステロールや体内の毒素を取り除く効果があります。消化を助ける働きもあり、独特の旨味を逃がさないためにも、ぬめりは取りすぎないよう注意。低カロリーで、糖分を代謝するビタミンB1や食物繊維も多い、注目の健康野菜です。

サトイモを薄切りにする

多彩な食感を活かして新しい食材に！

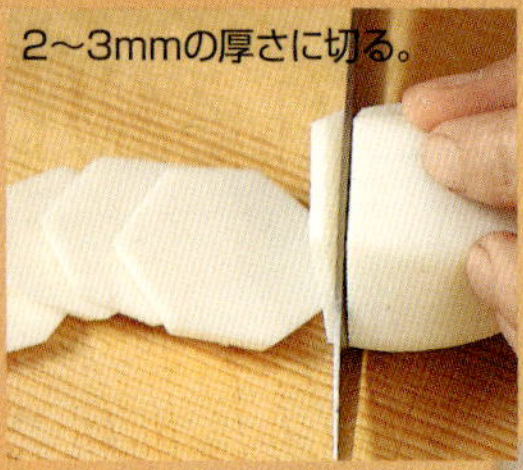

2～3mmの厚さに切る。

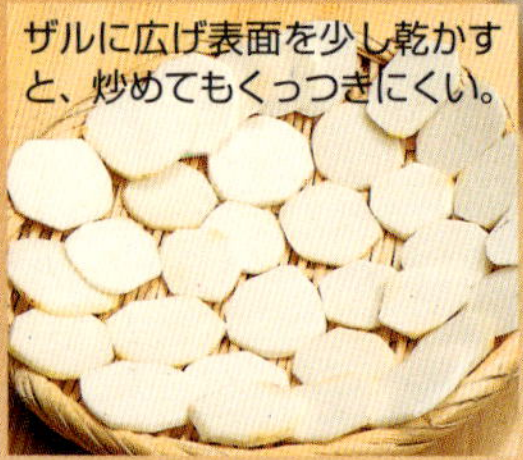

ザルに広げ表面を少し乾かすと、炒めてもくっつきにくい。

♪ サトイモは切る前に洗う。切ったら洗わない。

1 炒めているうちに、ぬめりとつやが出てくる。

2 全体が透明になったら味付ける。

サトイモの薄切りを使って

薄切りサトイモのソテー サクッとホコッの中間の食感

■材料（1単位分）

上記のサトイモの薄切り100g、油小さじ2、塩小さじ1/3、水1/3～1/2カップ、あればカレー粉小さじ1/3（またはコショウ少々やバジルペースト小さじ1）

■つくり方

1. フライパンに油を熱し、強火でサトイモをさっと炒めて塩をふる。
2. 水を加えてふたをして蒸し煮にし、水分がなくなってサトイモに火が通り全体が透明になったら、カレー粉などを加えて仕上げる。

サトイモを3mmに切る……いつもよりほんの少し薄く切るだけで、味がガラリと変わることにきっと驚くはずです。ソテーやピッツァ、ナッツ揚げなど、どれも薄切りだからこそ出せる味。すぐに火が通るのもうれしい。今まで体験したことのない、サトイモの斬新な食感と出会ってください。

ピッツァにサトイモ!? これが合う!

フライパンピッツァ 薄切りサトイモのソテーをアレンジ

■材料（1枚分）

薄切りサトイモのソテー（→P102）1単位、小麦粉1/2カップ、塩小さじ1/4、水約1/2カップ（80～100cc）、油小さじ2

■つくり方

小麦粉・塩・水を混ぜ合わせてフライパンに流し、上に薄切りサトイモのソテーをのせて中火～弱火でゆっくり焼く。

♪ 写真は、下記のバジルペーストを混ぜた薄切りソテーでつくったピッツァです。

フライパンで生地を焼く。

薄切りソテーをのせてゆっくり焼く。

薄切りサトイモのナッツ揚げ

想像を超えた食感とおいしさ。ユズも忘れずに添えて

■材料

サトイモの薄切り（→P102）100g、塩小さじ1/5（サトイモの薄切りの重量の1%）、衣（小麦粉1/2カップ、塩小さじ1/4、水1/3カップ、アーモンドスライス60～70g）、揚げ油・ユズ各適量

☺ アーモンドの代わりに、粗みじんのピーナッツやクルミでもOK。

■つくり方

❶ サトイモの薄切りに塩をまぶす。

❷ 衣の材料を混ぜ、サトイモにからめて揚げる。

❸ ユズの絞り汁をかけて食べる。

♪ 同じ衣でニンジンやレンコンの薄切りを揚げても。

1 サトイモの薄切りに塩をまぶして下味をつけておく。

2 アーモンドスライスをサトイモにからめるようにして。

これってなに？ 秘密のおいしさ

サトイモ料理に大活躍のハーブソース

バジルペースト

■材料

バジル100g、ニンニク（おろし）1/4カケ、松の実30g、オリーブ油大さじ4、塩小さじ1

■つくり方

すり鉢におろしたニンニクと、松の実、オリーブ油、塩を合わせ、ちぎったバジルを加えてよくする。ビンに詰め、空気にふれないよう保管する。

サトイモを味噌煮にする

基本の味噌煮は、あっという間にできるクイック煮物。サトイモのぬめりと味噌が溶け合ったあんがからんでおいし〜い！

サトイモの味噌煮

発想豊かに、いろいろアレンジしてみて！

■材料 （1単位分）

サトイモ（皮をむいて）500g、油大さじ1、水1カップ、塩小さじ1/2、コンブ5cm、味噌大さじ2と1/2

■つくり方

❶ サトイモを一口大に切り、油で炒める。
❷ 水と塩、コンブを入れて味噌をのせ、強火にかける。
❸ 煮立ったらふたをして、中弱火で12分煮る。水分がなくなって照りが出たら完成。

1 最初に油で炒めておく。

2 味噌をのせて煮る。味噌は混ぜないこと。

サトイモの味噌煮アレンジレシピ2点

■ダイコンのおろしあえ
好みの量のダイコンおろしを加えて混ぜる。

■ともあえ
味噌煮の半量をつぶし、残りのサトイモとあえる。長ネギのみじん切りときざんだ木の実をトッピングする。

サトイモの味噌煮をマッシュする

ナッツを入れてつぶすとエスニック感覚のサトイモマッシュに。銀あんをかけて蒸したり、コロッケにしたりと、いろいろ応用できる新しいおいしさです。

味噌煮サトイモのマッシュ

サトイモあん感覚で

■材料（1単位分）

上記のサトイモの味噌煮1/4単位、好みのナッツ（ピーナッツ、カシューナッツなど）10g

■つくり方

サトイモの味噌煮をすりこぎでつぶして、煎ったナッツを包丁で粗くきざみ、サトイモに混ぜる。

味噌煮はペースト状までつぶす。

粗くきざんだナッツが味のアクセントに。

サトイモの味噌煮が余ったら

サトイモマッシュを使って

パリッとした皮と
ねっとりした具の
ミスマッチがおいしい

サトイモマッシュの揚げギョウザ

もてなしやおつまみにオススメ

■材料（12個分）

味噌煮サトイモのマッシュ（→P104）1単位、青み野菜（長ネギ、ミツバなど）10g、ギョウザの皮12枚、揚げ油適量

■つくり方

❶ サトイモマッシュに青み野菜のみじん切りを混ぜる。

❷ ❶を12等分してギョウザの皮に包み、カリッと揚げる。

♪ ギョウザの包み方はいろいろありますが、この方法だと簡単で失敗もありません。

2 中身を12等分しておく。

具をのせて皮の端に水をつけ、半分に折る。

そのままくっつける。

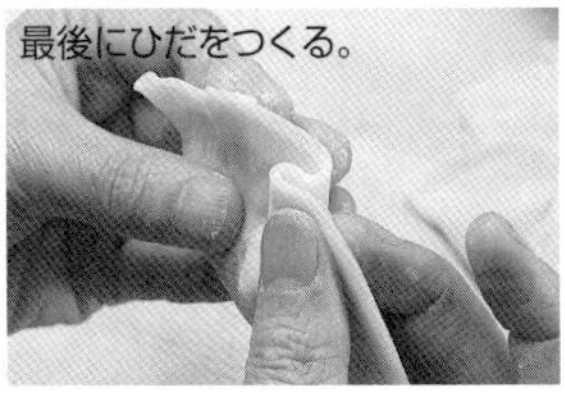

最後にひだをつくる。

難しそうに見えて
とっても簡単

サトイモマッシュのハルサメ揚げ

いろいろな皮で遊んで

■材料（12個分）

味噌煮サトイモのマッシュ（→P104）1単位、ハルサメ・揚げ油各適量

☺ ハルサメがない場合はビーフンや、ギョウザの皮の千切りを使う。

■つくり方

❶ ハルサメは乾燥した状態のまま、ハサミで1cmに切っておく。

❷ サトイモマッシュは12等分して丸め、ハルサメをまぶして180℃の油で揚げる。ハルサメがふわっと広がったらOK。

♪ 揚げるとき油の温度が低いとふくらまず、ハルサメが針金のようにかたくなってしまうので注意しましょう。

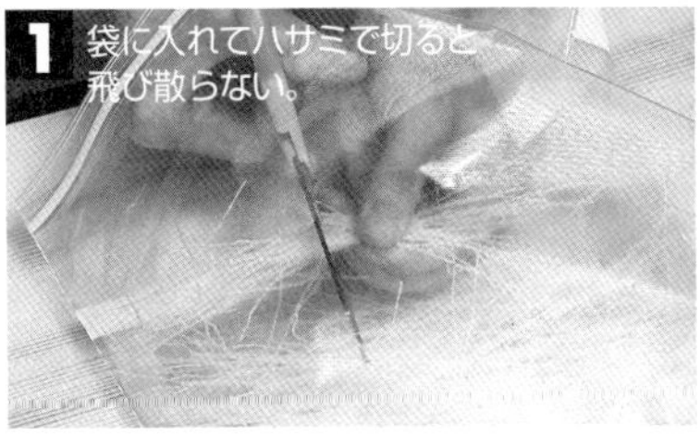

1 袋に入れてハサミで切ると飛び散らない。

2 ハルサメをまんべんなくまぶす。

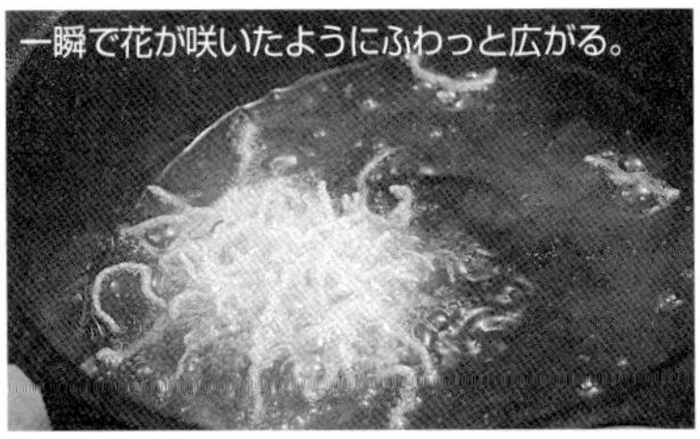

一瞬で花が咲いたようにふわっと広がる。

和の定番料理も一ひねりして

サトイモキノコごはん　簡単にゴージャスな食感

■材料（6人分）

干しシメジ10g＋好みのキノコ100g（または好みのキノコ200g）、サトイモ（皮をむいて）400g、白米4合、もちキビ（なければ白米で代用）1/2合、醤油大さじ3、酒大さじ2、塩小さじ1/3

☺ 干しシメジの代わりに、干しシイタケでもおいしくできます。

■つくり方

❶ 干しシメジをぬるま湯で戻し、ほかのキノコとともに食べやすくほぐす。サトイモは皮をむいて一口大に切る。

❷ 米とキビを研いでザルにあげ、炊飯器に入れる。

❸ シメジの戻し汁に水を加えて4.5合分の水分量にして炊飯器に入れ、サトイモ・キノコ・醤油・酒・塩を入れて炊く。

1 ぬるま湯で戻してほぐし、戻し汁はとっておく。

3 最初に戻し汁を入れ、水を足して分量を加減する。

具と調味料を全部入れて炊く。

大きめに切った
サトイモの
ホックリ感を
楽しんで

定番だけど
やっぱりおいしい

2 塩を入れるのがポイント。

サトイモの醤油煮

塩を少し入れるだけで、サトイモの甘さがひきたつ

■材料

サトイモ（皮をむいて）300g、水2/3カップ、コンブ5cm、醤油大さじ2、塩小さじ1/3

■つくり方

❶ サトイモの皮をむき、一口大に切る。

❷ 鍋に❶と水・コンブ・醤油・塩を入れ、ふたをして強火にかける。

❸ 沸騰してきたら中弱火で15分くらい煮含めてできあがり。

♪ 残ったら、天ぷらや一口フライにしても新鮮なおいしさ！

ゴボウのだしが
サトイモを
一層おいしく

のっぺ汁　これぞ野菜の醍醐味

■材料（4～5人分）

サトイモ（皮をむいて）150g、長ネギ1本、ゴボウ30g、ニンジン30g、コンニャク60g、シメジ100g、油小さじ1、水5カップ、塩小さじ1/4～1/2、酒大さじ3、醤油大さじ3～4、クズ粉大さじ2（同量の水で溶く）、ユズ皮適量

■つくり方

❶ サトイモは皮をむいて8mmの輪切りにする。長ネギは1cmの斜め切り、ゴボウは斜め薄切り、ニンジンは斜め薄切りを半月切りする。コンニャクは2cm角・3mmの厚さの色紙切り。シメジは小房に分ける。
❷ 鍋に油を熱してゴボウをしっかり炒める。甘い香りがしてきたら、水とサトイモ、ニンジン、コンニャクを入れて煮立て、塩と酒を加えて火を弱める。
❸ ❷のサトイモがやわらかくなるまでコトコト煮込み、シメジ・長ネギ・醤油を加える。
❹ クズ粉を水で溶き、煮立った❸に入れてかき混ぜてトロミをつける。
❺ 器に盛りつけ、ユズの皮を千切りにしてのせる。
♪ ゴボウを炒める油は旨味を引き出すため。あまり多く入れないように。

1 具はこのように切る。

2 ゴボウを2～3分炒めてアクを旨味に変える。

4 仕上げにクズ粉でトロミをつける。

揚げびたし　揚げてひたすだけでコク深さはピカイチ

■材料

サトイモ3個、ナス1個、カブ2個、タマネギ適量、揚げ油適量、水大さじ2と2/3、醤油大さじ1
☺ タマネギの代わりに千切りネギでもOK。

■つくり方

❶ サトイモ、ナス、カブは厚さ1cmに切る。
❷ ❶を160℃の油で素揚げする。
❸ 醤油と水を混ぜた漬け汁に、❷をひたす。
❹ タマネギを繊維に垂直にスライスし、水にさらしてシャキッとさせて水切りし、器に盛った❸に散らす。
♪ 漬け汁は器に醤油を入れ、そこへ水を加えてつくります。ひたした野菜は時間をおくと味がなじみます。

2 サトイモは竹串で火の通りを確認。

3 揚げたてをそのまま（油を切らず）漬け汁にひたす。

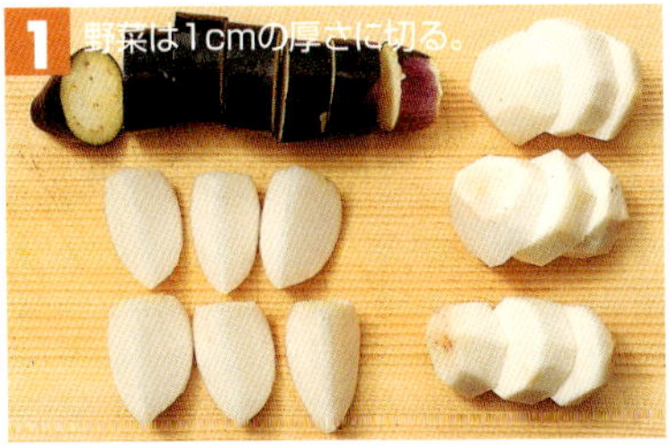
1 野菜は1cmの厚さに切る。

アツアツもいいし
日をおいても どんどんおいしくなる

純米料理酒

味と体のバランスをととのえる

引き締まった味わいが魅力

本物の酒は、酵素と酵母とミネラルの宝庫で、栄養も豊富。
日本人の体を丈夫にしてくれる、健康に欠かせない飲み物であり、調味料です。
米と麹（こうじ）と水だけで仕込んだ純米酒には、健康への効果だけでなく、調味料としての優れた働きがあり、塩・味噌・醤油などの調味の主役を盛り上げておいしさを倍増させます。
和洋中どんな料理もこなし、おいしさと健康を与えてくれる純米酒は、味噌や醤油と並ぶ日本が誇る醸造食品です。

エリンギの酒塩蒸し　酒・塩・キノコの旨味が一つに

<つくり方>

①鍋に好みの大きさ（写真参照）に裂いたエリンギ100gを入れ、酒大さじ１と塩小さじ1/4を合わせた調味液をふりかけ、ふたをして強火にかける。鍋が温まり、キリキリ音がして煮えてきたら中弱火にする。
②様子をみて、水分が足りなければ、水（大さじ１まで）を加える。
♪ エリンギはアワビにも劣らない旨味や食感から、別名・白アワビ茸と呼ばれます。酒と塩で蒸し煮するとコリコリした食感がとくにひきたちます。
♪ 切り方や塩加減、火の通し方の違いで貝柱や鶏ササミの食感も楽しめます。

エリンギのお刺身　弾力のある食感がおいしい

<つくり方>

上記のようにエリンギを丸ごと酒塩蒸しし、薄切りにして皿に盛りつける。
♪ きれいに、お刺身風に盛りつけましょう。

エリンギのイカ焼き風　おつまみに最高！

<つくり方>

エリンギ100gを細く裂いてから、酒大さじ2、塩小さじ1/2の分量で、上記のように酒塩蒸しにし、最後に強火にかけて焼き色をつける。
♪ 上記のエリンギの酒塩蒸しの酒と塩を倍量にして蒸すのがポイント。

エリンギ酒塩蒸しのフライ ホタテ貝柱に見たてて

<つくり方>

エリンギを丸ごと酒塩蒸し（→P108）してから、筒切りにしてフライにする。

♪ まるでホタテフライ！ ホタテ以上のおいしさです。

♪ 筒切りを裂くと、ほぐし貝柱、鶏ササミ感覚で利用できます。

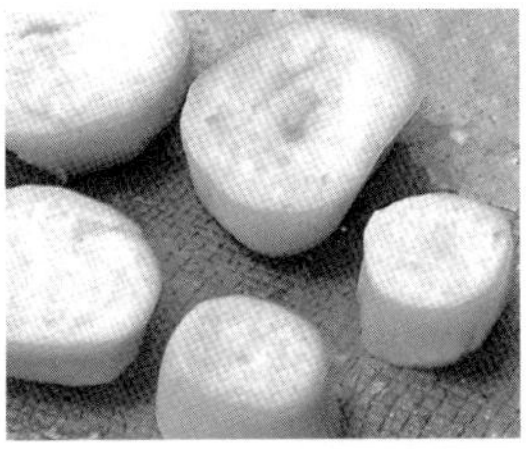

エリンギ酒塩蒸しバンバンジー風

さっぱり鶏ササミ感覚

<つくり方>

①エリンギ200gは1/3～1/2に裂いて、酒塩蒸しにする（→P108）。

②キュウリ3本は斜め薄切りを千切りにして、皿に敷き、その上にエリンギの酒塩蒸しをのせる。

③練りゴマ大さじ2、味噌大さじ1、醤油小さじ1、酒大さじ1、梅酢とショウガの絞り汁各小さじ2、水大さじ3の順番に材料を混ぜ合わせてバンバンジーソースをつくり、②にかける。

エリンギと海草とウドのサラダ さわやかなサラダ

<材料>

エリンギ100g、ウド100g、水1/2カップ、梅酢小さじ1、水菜30g、海草ミックス15g、ドレッシング（醤油大さじ1、酒小さじ1、酢大さじ2、水小さじ2）

<つくり方>

①エリンギは大きめに裂いて酒塩蒸し（→P108）にしてから、さらに細く裂く。

②ウドを長さ4cmに切って皮をむき、薄切りにして、梅酢を入れた水の中に漬けて水気を切っておく。水菜も4cmに切る。

③ドレッシングの材料を順に混ぜ合わせて、①と②と戻した海草ミックスをあえる。

MEMO

純米酒を選ぼう

日本酒は、昔はすべて米と麹（こうじ）と水だけでつくる純米酒でしたが、最近は米以外の原料や添加物を加えたものがあります。醸造過程で生まれる薬効はまさに百薬の長であり、適度な酒は健康や美容にも効果的です。純粋にいい酒、純米酒を選びましょう。

酒のおいしい効果

酒は天然のグルタミン酸をはじめ、旨味・酸味・苦味・甘味をそれぞれの配分であわせもつ、多種類のアミノ酸の宝庫。料理に酒を入れると、素材のたんぱく質や脂肪と溶け合い、旨味や香り成分が引き出されて、風味やほのかな甘味が加わり、おいしさが高まるのです。

陽性の塩と陰性の酒

塩には体温を高め体を緊張させる働き、酒には体を冷やす働きと緊張をほぐして血行を促進する働きがあります。正反対の性質をもつ酒と塩がコンビを組むと、栄養と味のバランスがとれます。酒を飲むとき塩のきいたつまみがおいしいのは、そのためなのです。

みりんより酒を

米と麹と水で仕込んだ純米酒は、料理に穀物の自然な甘味やまろやかさをプラスしてくれます。砂糖やみりんを使うよりもキレのいい味つけができて、全体の味のバランスもととのえてくれるので、酒を活用する方がオススメです。

ハクサイが全国に普及したのは昭和になってからのことで、今では鍋物や漬け物の定番ですが、意外に歴史の新しい野菜です。煮ると体内にこもった熱を冷ます作用があり、やわらかくて消化もいいため、風邪のときなどに効果的。また、ビタミンCやミネラルが多く、とくに芯の部分にはカリウムが豊富で、利尿作用があり、高血圧予防や二日酔いにも効きます。

ハクサイの軸と葉先を分ける

分けて使えば2種類の食材に

1 軸と葉先を切り離す。

2 それぞれの部分をこのように切り分ける。

3 軸は肉厚感のある食材として。棒切りはサラダにも。

4 レースのような葉先は、そのままでもおいしい。

♪ ハクサイを写真のように切り分ければ、それぞれ別の食材として使えます。軸、葉先の部位を入れ替えて料理すると、同じハクサイでも別の料理に早変わり。淡泊なだけと思われがちなハクサイも実はとても表情豊かな野菜です。

ハクサイをザク切りにする

寒さとともに甘味がのってくるハクサイ。シンプルなザク切りで手軽においしさを楽しみましょう。煮込めば4人で一株はペロリと食べられます。写真のようにすれば切りくずも出ず、下ごしらえもシンプルそのものです。

ザク切りはラクラク

1 外側のゴワゴワした葉をとる。

2 下から1/3くらいまで包丁で切り込みを入れる。

3 手で裂く。こうすると細かいくずが出ないので、ムダなくおいしく使える。

4 1/4にするときも同様に下1/3くらいまで切り込みを入れる。

5 切り込みを入れた下を持って手で裂く。

6 バラバラにならないよう左手で束ねて、芯を切り落とす。

7 葉はばらさず、好みの大きさにザクザク切る。

8 ザルに入れ、ボウルに水をはって一気に洗って水を切る。

切り分けた軸と葉先を使って

シャキシャキ
おいしい

ハクサイの軸とヒジキのナムル

透き通ったハクサイがメインの韓国風サラダ

■材料（4人分）

ハクサイの軸の棒切り（長さ4cm・幅1cm／→P110）300g、ニンジン50g、ヒジキ15g、醤油油（醤油大さじ3、ゴマ油大さじ1と1/2）

■つくり方

❶ ニンジンは斜め輪切りを千切りにする。
❷ 鍋に湯を沸かし、❶を入れる。沸騰してきたらハクサイを入れ、再び沸騰してきたら全部取り出す。同じ湯にヒジキを加え、5分ゆでてザルにあげる。
❸ 水切りした❷を、醤油油であえて完成。

1 ニンジンは斜め輪切りにしてから千切り。

2 同じ湯で順にゆでる。

2色ハクサイの ゴマユズ味噌ドレッシング

旬の出会いから生まれたおいしさ

■材料（4人分）

ハクサイの軸の棒切り（長さ4cm・幅1cm／→P110）400g、ハクサイの葉先（→P110）100g、ドレッシング（白ゴマ大さじ1/2、味噌大さじ1、ユズの絞り汁大さじ2、コンブだし汁大さじ1）

☺ 味噌とユズをレモンと塩にしてもおいしくなります。

■つくり方

❶ 塩一つまみ（分量外）を入れた熱湯で、ハクサイの軸と葉先を別々に透き通るまでゆでてザルにあげる。
❷ すり鉢でゴマをよくすり、味噌を混ぜ合わせたら、ユズの絞り汁とコンブだし汁でのばして、トロリとしたドレッシングをつくる。
❸ ❶と❷をあえる。

1 軸は約2分、葉先は約30秒、別々にゆでる。

2 ゴマをよくするとおいしいドレッシングに。

一皿で楽しむ
透明なおいしさ2段階

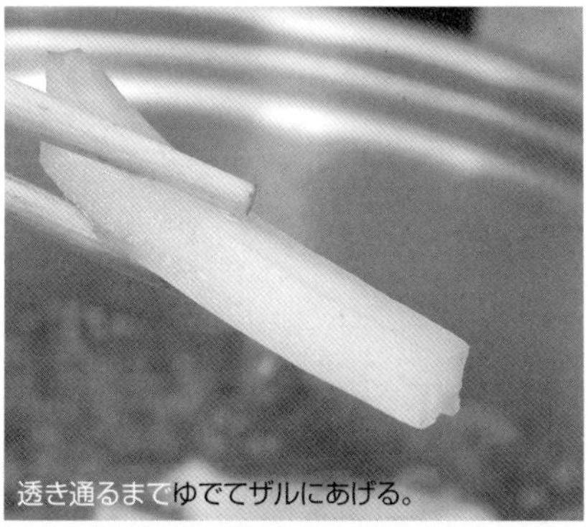
透き通るまでゆでてザルにあげる。

葉先は生のまま、つけ合わせやスープの浮き実、サラダにも使えます。

レースのようなサラダに。

葉先をさっとゆでておひたしに。

ひょっこり顔を出した野菜がかわいい

葉を1枚丸ごと使って

ハクサイとシメジのロールサラダ

おひたしがキュートなパーティ料理に

■材料（8個分）

ハクサイ4枚、ニンジン・ブロッコリー各適量、シメジ（ほぐしたもの）8本、塩適量、酒小さじ1、薄口醤油大さじ1

■つくり方

❶ ハクサイは、軸の厚くない内側のものを4枚はがしておく。

❷ ニンジンは厚さ5mmの斜め切りにしたものを、棒状に切る。

❸ ブロッコリーとニンジンに重量の1%の塩をまぶす。シメジには塩一つまみと酒をまぶす。

❹ 蒸し器にハクサイ・ブロッコリー・ニンジン・シメジを並べて一緒に強火で10分蒸す。

❺ まな板に蒸したハクサイを広げ、ブロッコリー・ニンジン・シメジをのせてくるくる巻く。

❻ ❺を二つに切り分けて、しっかり立たせてから、具の野菜が見えるように葉の部分を折り返す。

❼ 薄口醤油を敷いた皿に並べる。

3 シメジは塩と酒で下味をつける。

4 全部一緒に蒸してOK。

5 きつめに巻かないと、あとでほぐれてしまうので注意！

6 葉を折り返して、かわいらしく。

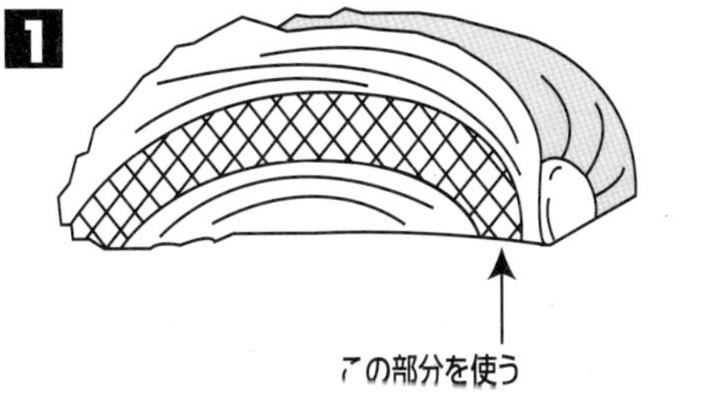
1
この部分を使う

ハクサイのザク切りを使って

ハクサイのリンゴ煮ユズ風味

材料の水分だけで煮含めます

■材料（4人分）

ハクサイ1/4株分、リンゴ300g、濃度3.5%の塩水（水1/4カップ、塩小さじ1/3）、塩小さじ1、ユズの絞り汁大さじ3

☺ ハクサイの1/4株は約500gです。

■つくり方

❶ ハクサイは1cm幅のザク切りに（切り方→P111）、リンゴは3.5%の塩水にくぐらせてから、薄いイチョウ切りにする。

❷ 鍋にリンゴ、ハクサイを順に入れて塩をふる。

❸ ❷を火にかけて鍋からチリチリと音がしてきたら、中弱火にして20分蒸し煮にし、上下を返してさらに10分蒸し煮にする。

❹ 冷めたらユズの絞り汁を加える。

♪ 水を入れないので火が強いと焦げます。鍋の音をよく聞いて、火加減しましょう。

♪ 煮込んだあとに残るスープもおいしい！

♪ できあがりの半量に、粒マスタード大さじ2を混ぜると、シャープなおいしさが楽しめます。

1 リンゴは縦4つ割りにして、3.5%の塩水にくぐらせる。

薄いイチョウ切りにする。

2 リンゴを下にハクサイを上に。ハクサイは鍋に山盛り。

塩はこんなにたくさん入れる。

4 冷めてからユズの絞り汁をかける。

ハクサイのシチューフノリ風味をつくる

コンブの旨味とフノリの香りが、シーフードスープの味わいを醸し出す絶品料理です。1/2株のハクサイが、あっという間にお腹の中におさまります。

1 フノリは水でさっと洗って戻すだけ。

2 フノリ以外の材料を全部入れて強火で煮込む。

3 干しシメジをとりだして細かく裂く。

ハクサイのシチューフノリ風味

■材料（8人分）
ハクサイ1/2株分、フノリ10g、コンブ5cm、干しシメジ20g（生シメジ200g）、水10カップ、塩大さじ2

■つくり方
1. ハクサイは3cm幅のザク切り（切り方→P111）、フノリはさっと洗って戻す。
2. 鍋にコンブ、ハクサイ、干しシメジを順に入れ、水を加えて強火にかける。
3. 煮立ったら塩を加えて中弱火にし、ハクサイがレースのように透き通るまでコトコト煮る。途中、干しシメジがやわらかくなったら取り出し、細かく裂いて戻す。
4. 食べる直前にフノリを加えてさっと煮る。

♪ 仕上げに薄口醤油小さじ1（分量外）を入れると、さらに風味が高まります。

透き通ったハクサイとスープが
目においしい! 舌に体にやさしい!

ハクサイのシチューフノリ風味を使って

スープの旨味がパスタにからむ

ハクサイ・スープパスタ　コク深さがうれしい

■材料（2人分）
上記のハクサイのシチューフノリ風味1/2量、シメジ50g、パスタ100g

1 シメジを加え、さらに煮つめてコクを出す。

■つくり方
1. シメジをほぐしてシチューに加え、コクが出るまで中火で煮込む。
2. かためにゆでたパスタを1に加え、さっと煮立てて完成。

♪ 好みで塩を加えて味を加減します。

ハクサイリゾット　ごはんがシチューの旨味にマッチ

■材料（2人分）
上記のハクサイのシチューフノリ風味1/5量、ごはん160g

■つくり方
シチューにごはんを加え、煮立ったら中火にして少し煮込む。煮込み加減は好みで。

♪ 写真は粒ソバ入りのごはんでつくったリゾット。押し麦などの雑穀を混ぜたごはんでつくれば、食感が広がってさらにおいしくなります。

煮る、焼く、揚げる
活用自在の
伝統加工食品

車麩・板麩

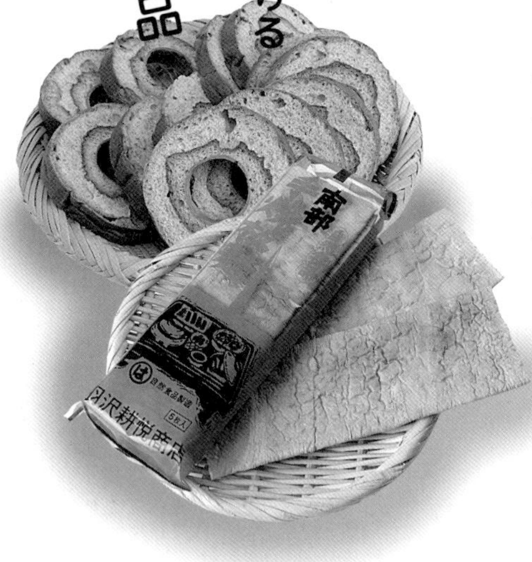

麩は小麦のタンパク質を分離させたグルテンのことで、タンパク質の多いパンともいえます。
麩には生麩と焼き麩があり、車麩・板麩は生麩を焼いてつくる焼き麩の代表的なもの。栄養があって保存がきく、日本の伝統加工食品です。
車麩は水で戻したりせず、そのまま揚げたり煮たりできて手軽。板麩は板状なので、巻いたり、細く切ったり、楽しく工夫して料理に活かすことができる素材です。
どちらも独特のコシがあっておいしく、簡単にボリュームのあるおかずがつくれます。

□お肉がわりに麩を活用□

車麩はブロック肉、板麩は薄切り肉やベーコンの感覚で料理すると、満足感のあるメニューがつくれます。板麩なら、細切りにしてピーマンと炒め合わせれば青椒牛肉絲（チンジャオロースー）、味をつけてカリカリになるまで焼けばベーコンそのもの。見た目だけでなく、コクと風味がプラスされてお肉以上に料理の味をひきたててくれます。

板麩の基本・戻し方＆下味つけ

板麩の上手な戻し方

板麩をバットに並べて、かぶるくらいの熱湯を注ぐ。2〜3分してから手でさわって、少し芯が残っているくらいのやわらかさだったら、ザルにあげる。

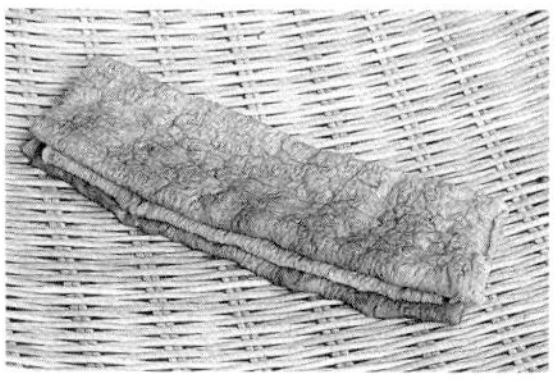

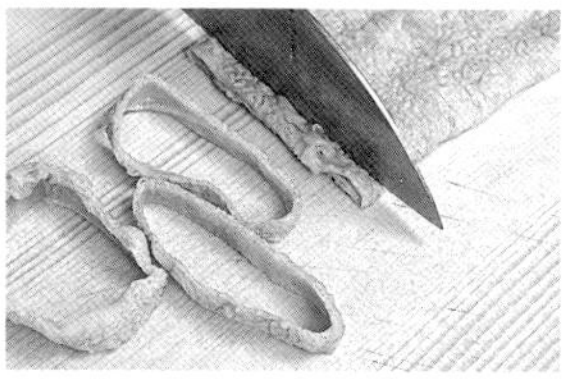

♪ 好みに切ってスープや炒め物の具に、野菜を巻いて揚げたり、そのまま網焼きして焼き肉のように食べても。

板麩の下味のつけ方

板麩1枚につき、醤油・酒・水各大さじ1、ショウガの絞り汁少々を混ぜた調味液につける。調味液につけ込んだものは、冷蔵庫で1週間、保存可能。

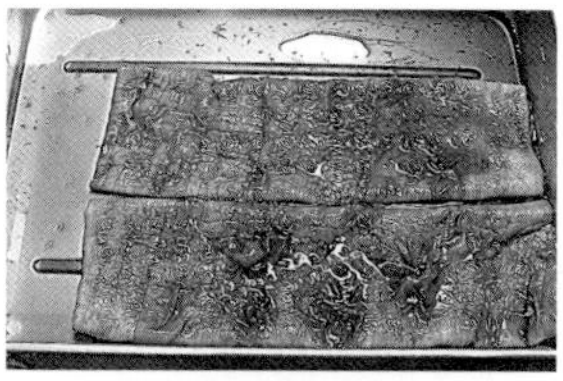

車麩の含め煮　麩利用の定番

<つくり方>

コンブ3cmと水1カップを鍋で煮立て、塩小さじ1/3（醤油なら大さじ1）と車麩3個を入れて、コトコト水気がなくなるまで煮含める。

♪ 車麩は戻さずそのままでOK。トマトなど、好みの香り野菜と一緒に煮ると、風味がアップします。

車麩のトマトピカタ　フライパン一つでできる

<材料>

上記の車麩の含め煮3個、トマトピカタの衣（→P47）、油適量

<つくり方>

車麩の含め煮に衣をつけて、油を熱した中強火のフライパンで焼く。

♪ 車麩は揚げ煮（→P59）でつくってもOK。

車麩のカツレツ　サクッとして中はジューシー

<材料>

上記の車麩の含め煮3個、溶き衣（小麦粉1/2カップ、塩小さじ1/4、水1/3カップ）パン粉・揚げ油各適量

<つくり方>

半分か1/3に切った車麩の含め煮を、小麦粉・塩・水をすべて混ぜ合わせた溶き衣（溶き方→P28）にくぐらせ、パン粉をつけて、油でカラッと揚げる。

♪ 車麩の含め煮を1/4～1/6に切り、タマネギと一緒に串に刺して揚げれば、串カツに。

車麩とゴボウの味噌煮　しみ込む味噌味が絶品！

<材料>

車麩4個、ゴボウ150g、ゴマ油大さじ2＋1、コンブ5cm、水2カップ、味噌大さじ3

<つくり方>

①ゴボウは皮はむかずに厚めのささがきにして、ゴマ油大さじ2で甘い香りがしてくるまで炒める。

②ゴマ油大さじ1を加え、戻さずに1/4に切った車麩を加え、キツネ色になるまで炒める。

③コンブと水を加えて煮立ったら中火にし、ふたをして汁気が半分くらいになるまで煮る。

④味噌をのせて水分がほとんどなくなるまで煮含め、大きくかき混ぜて、鍋に残った味噌をからめてできあがり。

♪ 味噌はゴボウの上にのせ、かき混ぜないのがコツです。

MEMO

車麩の丸い理由

麩は、小麦粉に水と塩を加え、水溶性のタンパク質を洗い流して、残ったグルテンを原料につくられます。グルテンに餅粉を混ぜて蒸したものは生麩。グルテンを厚くのばして棒に巻きつけて焼き、さらにもう一度巻いて焼いて、丸く厚みのある形になったものが車麩です。

板状で筒型の板麩

板麩は、山形県庄内地方の特産品のため庄内麩とも呼ばれます。車麩のようにグルテンを棒に巻きつけて焼き、その後蒸して棒から抜き取った筒状のものを、つぶして乾燥させます。広げるとシート状になり、包む素材としても活用できてとても便利です。

国産無添加を選ぶ

麩は、国産小麦のグルテンに少量の小麦粉を加えて、グルテンの自然な力でふくらむように焼きます。現在は膨張剤を使ってつくられているものが多くなっていますが、昔ながらの車麩・板麩でないと味が落ちるので、注意して買うようにしましょう。

麩は貴重なタンパク源

グルテンの植物性タンパク質は、脳の働きに欠かせないアミノ酸濃度が高く、麩は古くから良質のタンパク質を補う食品として、日本人の食生活に深くかかわってきました。最近では低カロリーで高栄養価、消化もいい健康食品として注目されています。

ゴボウといえば、食物繊維。イヌリン、セルロースなど、食物繊維は消化吸収されずにお腹を通過して胃腸をきれいに掃除し、腸内に悪玉菌が繁殖するのを防ぎます。皮の近くには香りと旨味が集中しているので、皮はむかず、泥を落とすだけで調理。アクも旨味の一部なので、油で炒める、揚げるなど、アクごと調理してアクを旨味に変えましょう。

ゴボウを丸煮にする

アクを旨味に変えるダイナミックなストック料理術

皮をむいたり、アク抜きをしたり……ゴボウを料理するというと、なんだか面倒なイメージがありますが、皮むきもアク抜きもしないゴボウの丸煮は、とっても簡単。しかもやわらかくておいしく、保存もきくスグレモノ。斜めにスライスして刺身に、串に刺して串カツの具に、細かく切ってチャーハンの具に。切り方を工夫してどんどん活用してみましょう。

ゴボウの丸煮

■材料（1単位分）

ゴボウ1本（150g）、ゴマ油大さじ1、コンブ10cm、水2カップ、醤油大さじ1と1/2

1 ゴボウの皮はむかない。

2 いい香りになるまで炒める。

3 コンブと水だけで、水分が半分になるくらいまで煮る。

4 味つけしたら煮汁がなくなるくらいまで煮る。

5 煮汁をからめる。

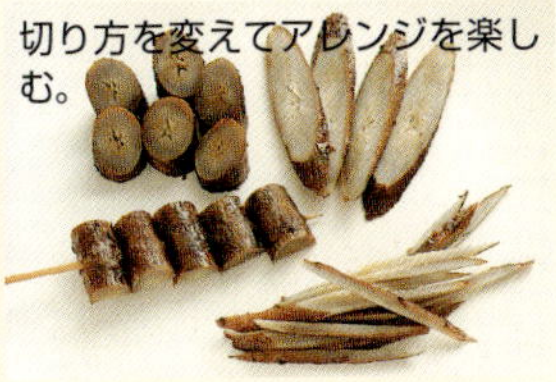

切り方を変えてアレンジを楽しむ。

■つくり方

❶ ゴボウをタワシで洗い、皮をむかずに鍋に入る長さに切る。

❷ 鍋に油を熱し、ツーンとした匂いが、いい香りに変わるまで中火で転がしながら炒める。

❸ コンブと水を入れ、ふたをして強火にかけ、煮立ったら弱火にし、水分が半分になるくらいまで煮る。

❹ ❸に醤油を入れ、再びふたをして煮汁がなくなるくらいまで煮る。

❺ 煮つめた煮汁をからめる。

♪ ゴボウの表面が洗っても黒くなるのは汚れではなくアク。アクは旨味と栄養の素なので、洗いすぎないよう注意。

♪ ゴボウは転がしすぎないように炒めます。鍋に接した面が焼けてくるまで待ち、大きく上下を返す感じで、気長に火が入るのを待って。

ゴボウの丸煮を使って

丸煮ゴボウのカツレツ

長〜く切ってフライにすると、コリッと新食感！

■材料（4人分）

上記のゴボウの丸煮1単位、溶き衣（中力粉1/2カップ、塩小さじ1/4、水1/3カップ強）、パン粉・揚げ油各適量

■つくり方

❶ ゴボウの丸煮を、縦に長くスライスする。

❷ 溶き衣の材料を混ぜて（溶き方→P28）❶につけ、パン粉をまぶし、170℃の油で揚げる。

見てびっくり
食べたらもっとびっくり！

1 丸煮を縦に長〜くスライス。

2 衣がこんがり揚がればOK。

ゴボウをたたいて裂く

ゴボウをすりこぎや、めん棒などでたたいて裂く下ごしらえです。繊維がやわらかくなって、包丁で切ったりささがきにしたときとは、食感も味もガラッと変わります。

たたきゴボウ

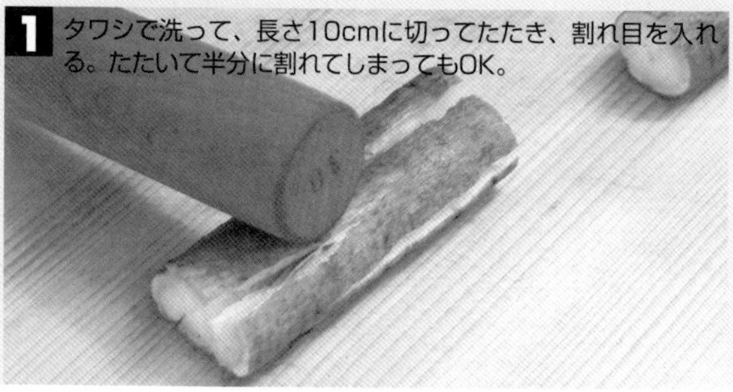

1 タワシで洗って、長さ10cmに切ってたたき、割れ目を入れる。たたいて半分に割れてしまってもOK。

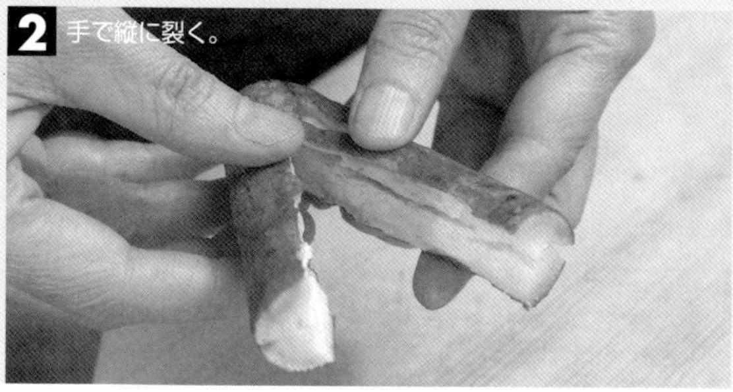

2 手で縦に裂く。

たたきゴボウを使って

たたきゴボウのスペアリブ風キンピラ

歯ごたえと味わいを楽しむ一品

■材料（8人分）

上記のたたきゴボウ300g、ニンニク1カケ、長ネギ5cm、ゴマ油大さじ3、ショウガの絞り汁少々、コンブ10cm、水1カップ、醤油大さじ3、みりん大さじ1、白ゴマ大さじ2、タマネギ1個

■つくり方

❶ ニンニクはすりおろし、長ネギはみじん切りにする。
❷ 鍋に油を熱し、たたきゴボウがいい香りに変わるまで中強火で転がしながら焼く。焦げ目がつくくらいがおいしいので、あまり転がしすぎないように。
❸ ❷に、❶のニンニクと長ネギ、ショウガの絞り汁を加えて炒め合わせ、コンブと水を入れてふたをし、強火にかける。
❹ 煮立ったら、弱火で煮汁が半分になるまでコトコト煮る。醤油とみりんを加え、汁がなくなるまで煮る。
❺ 煮つまった汁をからめ、半ずりにしたゴマをふり、水にさらしてシャキッとさせたタマネギの薄切りを添える。

♪ P119のゴボウの丸煮と、つくり方はほぼ同じ。

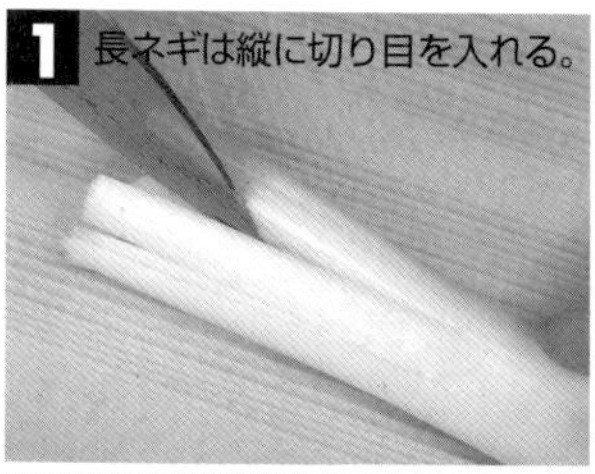

1 長ネギは縦に切り目を入れる。

繊維に直角に切ってみじん切りに。

繊維たっぷりの
歯ごたえがおいしい
ベジスペアリブ

たたきゴボウの赤ワイン煮

崩れるほど煮込んだゴボウの繊維が舌においしい

■材料（5～6人分）
たたきゴボウ（→P120）200g、ゴマ油大さじ2、車麩3個、コンブ5cm、水4カップ、塩小さじ2、タマネギ200g、ニンジン150g、ジャガイモ200g、デミグラスソース（下記参照）1単位

■つくり方
❶ 油を熱して、たたきゴボウのスペアリブ風キンピラ（→P120）同様に、ゴボウを炒める。
❷ 車麩を戻さずに半分に切って、❶の鍋に加え混ぜる。油が全体にまわったら、コンブを鍋底に入れ、水、塩を加えて、ゴボウが崩れるほどやわらかくなるまで、弱火で30分以上コトコト煮込む。
❸ タマネギを8等分のくし切りに、ニンジンを大きめの乱切りに、ジャガイモを4等分して❷に加え、野菜がやわらかくなるまでよく煮込む。
❹ デミグラスソースを加えて、さらに煮込む。
♪ ❷の状態で一晩おくと、よりおいしい。

2 車麩は戻さずに加える。

ゴボウが崩れてくるまで煮込む。

3 野菜はすべて皮をむかず、大きめに切る。

ブラウンソース、ブラウンシチューとして活用を

デミグラスソース

1 粉に火が通ったら水を一気に入れる。

2 トロミがつきクリーム状になるまで煮込む。

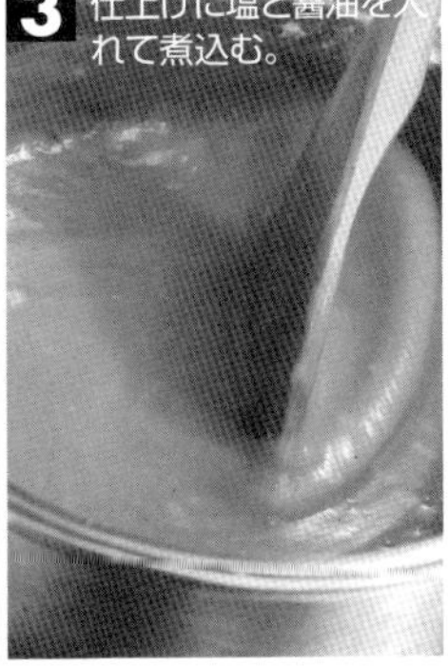
3 仕上げに塩と醤油を入れて煮込む。

■材料（1単位分）
小麦粉40g、油大さじ2、水1カップ、トマトピューレ1/2カップ、赤ワイン1/2カップ、塩小さじ1、醤油大さじ1

■つくり方
❶ 鍋に油を熱し、小麦粉をふり入れてとろ火で5～6分炒める。
❷ 粉に火が通ったら一気に水を入れ、火から下ろしてよく混ぜて粉を完全に溶かし、かき混ぜながらさらに煮込む。
❸ 全体がぽってりしてきたらトマトピューレと赤ワインを入れ、塩と醤油で味をととのえ、さらに数分煮込む。

ささがきゴボウを素揚げする

ゴボウを揚げると香ばしい風味が加わり、スナック感覚の軽やかな味に。手軽で便利な食材としてアレンジを楽しみましょう。

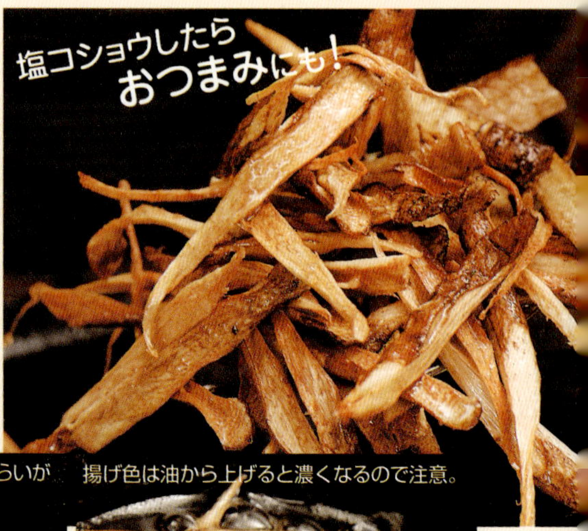
塩コショウしたら
おつまみにも!

素揚げゴボウ

■材料

ゴボウ（ゴボウ2本で素揚げ約200gができる）・揚げ油各適量

■つくり方

❶ タワシで洗ったゴボウを、皮つきのまま厚めのささがきにする。

❷ 180℃の油で2分強、しっかり揚げる。泡が少なくなって、表面がキツネ色にカラッとしてきたら揚げあがり。

1 歯ごたえが残るよう、厚めのささがきにするのがコツ。えんぴつを削る要領で。

2 揚げはじめに泡がたくさん出るくらいがちょうどよい温度。

揚げ色は油から上げると濃くなるので注意。

香ばしさで
満足度アップ!

素揚げゴボウを使って

素揚げゴボウとコマツナのおひたし

トッピングするだけで、おひたしが主菜に変身！

■材料（4人分）

上記の素揚げゴボウ50g、コマツナ1/2束、塩適量、割り醤油（醤油・水各大さじ1）

■つくり方

❶ たっぷりの湯に塩を少々加え、コマツナを根元からさっとゆで、ザルにあげて冷ます。冷めたら半量ずつ互い違いにまとめ、軽く水分を絞って、食べやすい大きさに切る（→P140）。

❷ ❶を素揚げゴボウと割り醤油であえる。

砂糖なしなのに
甘くておいしい

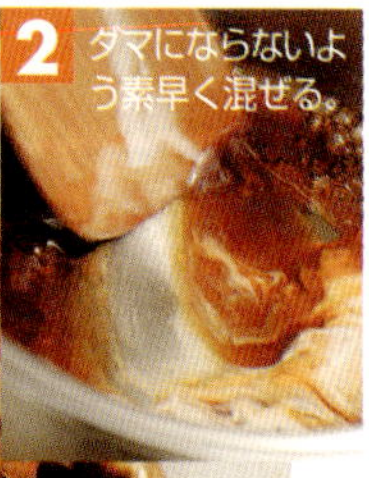
2 ダマにならないよう素早く混ぜる。

素揚げゴボウとクルミのクズがらめ

歯ごたえ満足の「精進田づくり」

■材料（4人分）

上記の素揚げゴボウ200g、クルミ10g、A（醤油・酒・水各大さじ2）、クズ粉大さじ1/2（同量の水で溶く）

■つくり方

❶ クルミを煎って粗く砕く。

❷ 鍋にAを入れ、強火で1分煮つめて、水で溶いたクズ粉を溶き入れ、素早くかき混ぜて火を止める。

❸ ❷に素揚げゴボウとクルミを入れ、からめ合わせる。

♪ より甘くしたいときは酒の半量をみりんにして。

下味をつけて揚げる

キノコを
混ぜるのがミソ

素揚げゴボウは厚めのささがきですが、こちらは普通のささがきで。マイタケと一緒に下味をつけて揚げます。さっと混ぜるだけで個性的なパスタやサラダの誕生です。

味つけ揚げゴボウ

■材料（1単位分）

ささがきゴボウ30g、マイタケ30g、ニンニク（おろし）1/2カケ、醤油小さじ1と1/2、揚げ油適量

■つくり方

❶ ささがきゴボウとほぐしたマイタケに、おろしたニンニクと醤油をからめ、20〜30分おく。

❷ 素揚げゴボウ（→P122）と同様に油で揚げる。

味つけ揚げゴボウを使って

ゴボウの旨味に
首ったけになるパスタ

味つけ揚げゴボウのパスタ

未体験のおいしさを、どうぞ！

■材料（1人分）

上記の味つけ揚げゴボウ1単位、スパゲティ100g、塩小さじ1、オリーブ油大さじ1

■つくり方

ゆでたてのスパゲティに塩とオリーブ油をからめて器に盛り、味つけ揚げゴボウをのせる。

♪ スパゲティの味つけは、塩→オリーブ油の順に混ぜること（逆だと味がなじみにくい）。

一クセある
サラダに変身

味つけ揚げゴボウのサラダ

味つけ揚げゴボウがたくさんあればサラダも手軽に

■材料（2人分）

上記の味つけ揚げゴボウ1/2単位、ダイコン50g、ニンジン10g、花びらニンジン（薄い輪切りニンジンを素揚げ）適量、フレンチドレッシング（レモン汁大さじ2、塩小さじ1、油大さじ4）

■つくり方

❶ ダイコンとニンジンを千切りにして混ぜ、器に盛る。

❷ 味つけ揚げゴボウと、花びらニンジンを散らす。

❸ フレンチドレッシングの材料をすべて順に混ぜ、上からかける。

ゴボウでシンプルクッキング

炊き込まなくて
いいから簡単

シメジゴボウごはん

キノコの醤油煮とゴボウの丸煮をごはんに混ぜるだけ

■材料（2人分）
ごはん300g、ゴボウの丸煮（→P119）50g、キノコの醤油煮（下記参照）1単位

■つくり方
❶ ゴボウの丸煮を斜め薄切りにしてから、千切りにする。
❷ ❶のゴボウと、キノコの醤油煮をごはんに混ぜる。

1 ゴボウの丸煮を千切りに。

あっという間のごちそう小皿、料理素材としても活躍

キノコの醤油煮

■材料（1単位分）
シメジ100g、酒・醤油各大さじ1

■つくり方
鍋にシメジを入れ、酒と醤油をふりかけて中火にかける。煮立ったらときどき鍋をゆすって煮汁をからめながら、煮汁がほとんどなくなるまで煮る。
♪ 傷みやすい生のキノコも、こうしておくと日持ちします。

くるくる
巻かれたゴボウが
かわいい

ゴボウの八幡巻き 板麩とゴボウのおいしいコンビ

■材料（1単位分）
板麩2枚（下味：醤油・酒・水各大さじ2・ショウガの絞り汁適量）、ゴボウの丸煮（→P119）板麩の長さで2本、ゴマ油大さじ1

■つくり方
❶ 板麩は熱湯で戻して下味をつけておく（→P116）。
❷ ❶を切り開き、ゴボウの丸煮を置いて巻く。
❸ 油を熱したフライパンに、❷のつなぎ目を下にして入れて、開かないように転がしながら焼く。

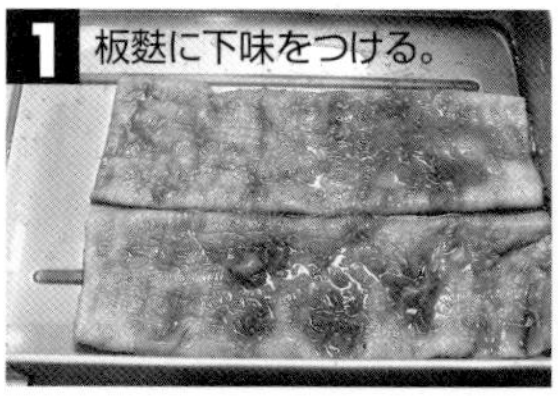
1 板麩に下味をつける。

2 ゴボウをしっかり巻く。

ゴボウだけけんちん汁

ゴボウと豆腐だけのシンプルさがおいしい

■材料（2〜3人分）

ゴボウ15cm、長ネギ10cm、豆腐1/2丁、油大さじ1/2、コンブ5cm、水2と1/2カップ、麦味噌50g

■つくり方

❶ ゴボウはたわしで洗って、皮をむかずに長めのささがきにする。

❷ 鍋に油を熱し、❶を中火で炒め、いい香りがしてきたらコンブと水を加え、ゴボウがやわらかくなるまで煮て、味噌を溶き入れる。

❸ 仕上げに長ネギの薄切りを加え、豆腐を手で崩し入れて、豆腐が温まったら火を止める。

手で崩したふわふわ豆腐にゴボウのだしがしみ込む

1 ゴボウは長めのささがきに。

2 いい香りがしてきたら、コンブと水を加える。

3 豆腐は手で崩し入れるのがポイント。

ユズゴボウ　ゆでて漬けるだけ超シンプルクッキング

■材料

ゴボウ1本（100g）、醤油大さじ2、コンブだし汁（または水）大さじ3、ユズの絞り汁小さじ1

■つくり方

❶ ゴボウはたわしで洗い、皮ごと厚さ2mmくらい、長さ3〜4cmの斜め切りにして、熱湯で5分間ゆでる。

❷ ボウルに醤油・コンブだし汁・ユズの絞り汁の順に入れて合わせ、ゆでたてのゴボウを漬ける。

♪ 調味液は、合わせる順序を間違えないように注意。

♪ 30分後から2〜3週間はおいしく楽しめます。ビンに入れて常備菜に。

ゴボウがパリパリ！いくらでも食べられる

1 皮をむかず斜め切り。

食物繊維とビタミンC、カリウムが豊富なレンコンは、血管を広げて循環をよくし、体を丈夫にします。粘りのもとはタンパク質や脂肪の消化を促すムチンという成分で、胃腸の負担を軽くし保護します。切り口の黒ずみの原因であるタンニンには、止血や消炎の効果が。風邪にレンコンの絞り汁を飲むなど、昔から民間療法に利用されてきた薬効の多い野菜です。

レンコンをいろいろな形に切る

ユニークな使い方で料理のレパートリーを増やす

レンコンの切り方いろいろ

薄い角切り：スープなど

薄いイチョウ切り：蒸してサラダなど

長い棒切り：巻き物など

短い棒切り：キンピラなど

縦切り：揚げ物など

乱切り：煮物など

厚い輪切り：フリッターなど

薄い輪切り：サラダなど

シャキっとした歯ごたえ、トロッとした粘り、もちっ、ホコッとした食感……。切り方・火の通し方で、いくつものおいしさが生まれるのがレンコンの魅力。使いこなして料理のレパートリーを広げましょう。

薄い角切りレンコンを使って

レンコンチャウダー

レンコンをアサリに見たてて

■材料（4〜5人分）

レンコンの薄切り（切り方→P126）120g、ニンジン100g、タマネギ200g、干しシメジ10g、ゴマ油大さじ1/2＋2と1/2、中力粉1カップ、水4〜5カップ、コンブ5cm、白ワイン（または酒）大さじ1、塩大さじ1

■つくり方

1. ニンジンはイチョウ切り、タマネギは厚さ3mmのまわし切りにする。干しシメジは1カップ（分量外）のぬるま湯で戻す。
2. 厚手のシチュー鍋にゴマ油大さじ1/2を熱し、レンコンを中火でさっと炒めて取り出す。
3. 同じ鍋にゴマ油2と1/2を入れてタマネギを入れ、中力粉をふり入れて7〜8分香ばしくなるまで炒める。ポロポロになっても大丈夫。
4. ❸に炒めたレンコンと戻した干しシメジ、戻し汁と分量の水、コンブとニンジンを加え、一度火を止めて、よく溶かす。再びとろ火にかけ、かき混ぜながらコトコト煮る。
5. トロミが出てきたら白ワインと塩を加えてさらに煮込み、好みで水を加えてのばす。

牛乳もシーフードも使わないのに
クラムチャウダーのよう

1 タマネギはまわし切りに。

3 レンコンを炒めて取り出し、タマネギと中力粉を炒める。

4 干しシメジは戻し汁も一緒に入れる。

具をすべて入れて煮込む。レンコンの粘りがトロミに。

レンコンのおいしさを生かす扱い方

レンコンのおいしさを生かすには、切る前によく洗い、切ってからは洗わないようにします。また、節（ふし）に栄養がいっぱいあるので、節もムダなく使い切りましょう。

切るときは節から。

節のヒゲ根は包丁で切りとる。

節は薄く切り、キンピラや煮物などに。

薄い角切りレンコンを使って

レンコン・ゴマチャーハン

レンコンのシャキシャキ、ゴマのプチプチが楽しい

■材料（4人分）

残りごはん600g、薄い角切りレンコン（→P126）120g、ショウガのみじん切り大さじ1、長ネギのみじん切り1/2カップ、ゴマ大さじ山盛り4、塩小さじ1と1/2、油・醤油各大さじ1

☺ 野菜は何でもOK。タクアンをレンコンと同じように切って入れると、きれいで一味違ったおいしさ。

■つくり方

❶ 中華鍋に油を熱し、強火でショウガ、長ネギ、ゴマの順に炒め、レンコンを加えてよく炒める。

❷ 塩小さじ1/2で味をつけ、ごはんをほぐし入れる。残りの塩小さじ1も加えてパラッと炒め、醤油を入れて全体に香りをつける。

1 レンコンは最後に炒める。

チャーハンの定番になりそう

簡単省エネ蒸し術で手軽に食べる

蒸し器がなくても蒸せる裏技

薄切りレンコンの5分ザル蒸しサラダ

レンコンのシャキシャキ感が生きたおいしさ

■材料（3人分）

薄いイチョウ切りレンコン（→P126）60g、梅酢小さじ1と1/2強（レンコンの重量の3〜5%の塩分量）、カブ小1個（80g）、塩小さじ1/5（カブの重量の1%）、ワカメ・フノリ各適量、ドレッシング（醤油大さじ1、梅酢小さじ1、水大さじ1と1/3）

☺ レンコンは梅酢の代わりに塩をまぶしてもOK。

■つくり方

❶ レンコンに梅酢をまぶす。

❷ カブは8mmのくし型に切り、塩をまぶして❶と一緒にザルに入れる。カブの葉も切って入れる。

❸ 鍋に少量の水を入れて火にかけ、沸騰したら❷のザルを入れてふたをし、5分蒸す。

❹ ドレッシングの材料を混ぜて、ワカメと戻したフノリ、❸をあえる。

♪ この蒸し方はレンコン以外の野菜でも応用可能なのでぜひお試しを！

1 梅酢をまぶす。

2 カブは8mmのくし型に切って塩をまぶす。

3 湯はザル底より少なく、材料につかないくらい。

沸騰した湯の入った鍋にザルを入れて蒸す。

レンコンでアナゴ風煮をつくる

レンコンを縦に長〜く切ったこと、ありますか？　長い棒切りにして煮ると、なんと味や食感がアナゴみたい！　巻きずしの具などにぴったりです。ぜひ挑戦してみてください。

味や食感がアナゴにそっくり
巻きずしの具として重宝します

棒煮レンコン

■材料

長い棒切りレンコン（→P126）200g、ゴマ油大さじ2、水1/2カップ、醤油大さじ3

■つくり方

❶ 鍋に油を熱し、レンコンを強火で炒め、水を入れてふたをし、蒸し煮にする。沸騰したら中火にする。

❷ ❶の水分が半分以下になったら醤油を入れ、煮汁がうっすら残るくらいまで煮たら、煮汁をからめるように混ぜて照りを出す。

1 強火で炒める。

水を入れて蒸し煮に。

2 水が半分になったら醤油を入れて煮る。

煮汁をからめるように混ぜて仕上げる。

棒切りレンコンのキンピラ

棒煮レンコンを短い棒切りでアレンジ

■つくり方

短い棒切りレンコン（→P126）を、棒煮レンコンと同じ手順でつくって、仕上げにサンショウとゴマをふる。

♪ ホコホコで旨味たっぷりのキンピラになります。

ホコホコの食感が
おイモのようなキンピラ

レンコンを梅酢で煮る

冷蔵庫でもあまり日持ちしないレンコンは、梅酢で煮ておけば安心。梅酢も少量なら酸味を感じず、シャキシャキ感はそのままなので、下ごしらえ済みの料理素材としてとても便利です。保存は煮汁ごと冷蔵庫へ。いろいろな切り方でつくっておきましょう。

鮮度とおいしさを保つ料理術

梅酢煮レンコン

■材料

レンコン200g、水（またはコンブだし汁）2カップ、梅酢大さじ1

■つくり方

❶ レンコンは皮ごと好みで切る（ここでは縦切り、厚い輪切り、薄い輪切り→P126）。

❷ 鍋にレンコンを入れ、レンコンがかぶるぐらい水と梅酢を入れてしばらくおく。

❸ 鍋にふたをせず、強火にかけて、沸騰してから中弱火で5分煮る。煮汁に漬けたまま冷ます。

♪ 煮汁はそのまま飲んでもおいしい。のどの痛みに効くなどの効用があります。

煮汁は、のどの痛みに効くレンコン梅酢ドリンク。

1 梅酢を入れた水にしばらくつけておいてから火にかける。

梅酢煮レンコンを使って

大人気のボリュームカツレツ

レンコンのカツレツ　ホコッと不思議な食感

■材料

上記の梅酢煮レンコン（縦切り）適量、溶き衣（中力粉1/2カップ、塩小さじ1/3、水1/3カップ）、パン粉・揚げ油各適量

■つくり方

溶き衣の材料を混ぜて（溶き方→P28）レンコンにつけ、パン粉をまぶして揚げる。

溶き衣をつける。

穴の溝にもしっかりつける。

レンコンをもっちり蒸す

同じ「蒸す」という調理法でも、P128の5分ザル蒸しとは歯ごたえがガラリと変わって別の素材のような感覚です。ここでは乱切りにして、もっちりとした食感を楽しみましょう。

もっちり蒸しレンコン

■材料
レンコン200g、塩小さじ4/5（レンコンの重量の2%）

■つくり方
レンコンを2cmの乱切りにして塩をまぶし、すぐに蒸気の上がった蒸し器に入れて、強火でやわらかくなるまで蒸す（20分くらい）。

レンコンに塩をまぶす。

もっちり蒸しレンコンを使って

野菜とは思えない
量感と食感は
未知の味わい

蒸しレンコンのニンニク風味ムニエル

2種類の粉にからむニンニクと醤油の風味がGood！

■材料（2人分）
上記のもっちり蒸しレンコン100g、小麦粉・クズ粉各大さじ1、ニンニク（おろし）1/2カケ、醤油大さじ1、油大さじ2

■つくり方
❶ レンコンに小麦粉・クズ粉（すり鉢ですって）を混ぜてまぶす。
❷ フライパンに油をひき、油が冷たいうちにニンニクを入れ、弱火で熱する（炒め方→P62）。
❸ 香りが出てきたら中強火にし、粉をまぶした❶のレンコンを入れて炒める。
❹ レンコンに焼き色がついたら醤油をまわし入れる。

1 ポイントは2種類の粉。

2 油が冷たいうちにニンニクを入れる。

3 香りが出たらレンコンを入れて炒める。

4 焼き色がついたら醤油をさす。

梅酢煮レンコンを使って

サクッと
不思議な満足感！

レンコンと高野豆腐のフリッター

2段の食感をノリがつなぐ

■材料（4個分）

梅酢煮レンコン（厚い輪切り→P130）4枚、高野豆腐4枚（コンブ5cm、水1カップ、塩小さじ1/3で煮る）、溶き衣（中力粉1/2カップ、塩小さじ1/3、水1/3カップ）、揚げ油適量

■つくり方

❶ 高野豆腐は戻さず、コンブと水、塩を入れた鍋に入れ、汁がなくなるまで煮る（煮方→P180）。
❷ ❶を押して、汁がジュワッと残るくらいに絞る。
❸ レンコンと❷の高野豆腐の間にノリをはさむ。
❹ 溶き衣の材料を混ぜて（溶き方→P28）、❸をつけて揚げる。
♪ アンモニアを使っていない、昔ながらの高野豆腐を使うこと（→P180）。

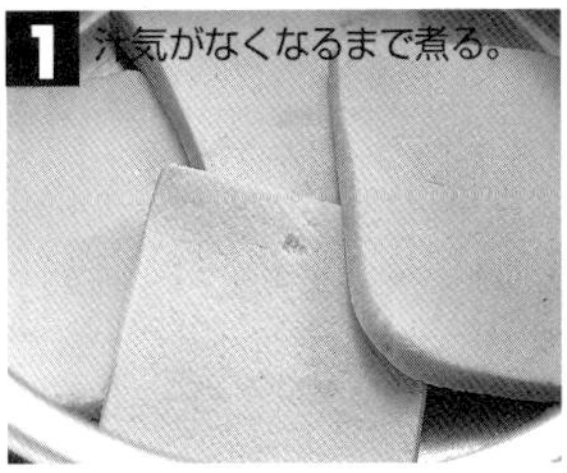
1 汁気がなくなるまで煮る。

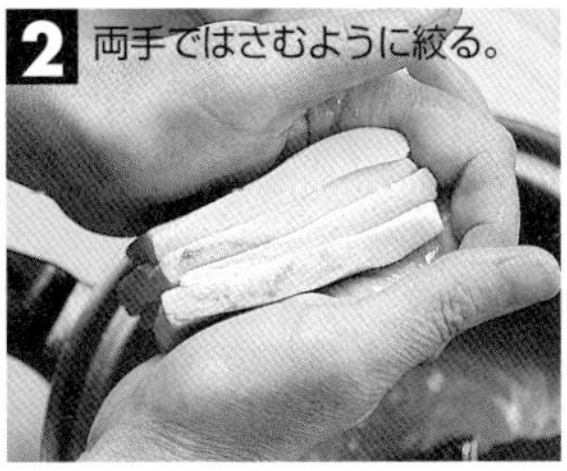
2 両手ではさむように絞る。

3 ノリをはさむ。

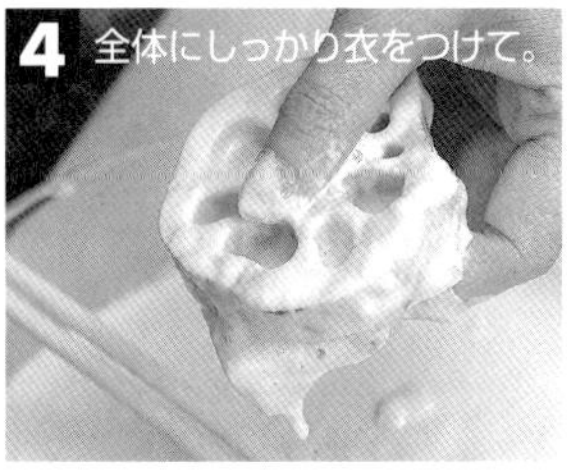
4 全体にしっかり衣をつけて。

レンコンのサラダ 好きな野菜をプラスしてどうぞ

■材料

梅酢煮レンコン（薄い輪切り→P130）、ルッコラ・タマネギ・梅酢ドレッシング（梅酢：油：醤油＝1：2：少々）各適量

■つくり方

❶ タマネギを薄切りにし、水にさらしてシャキッとさせる。
❷ 梅酢煮レンコンに、ルッコラと❶のタマネギをのせて、梅酢ドレッシングの材料を順に混ぜたものをかける。
♪ あればクコの実を散らすときれい。

1 タマネギは繊維に垂直の薄切りに。

レンコンの薄切りを
レースに見たてて

もっちり蒸しレンコンのマリネ

タコに見たてて和風イタリアンマリネ

■材料（3人分）

もっちり蒸しレンコン（→P131）200g、しば漬け10〜15g、キュウリ1本、ミニトマト（あれば）5個、ドレッシング（オリーブ油大さじ1、梅酢大さじ1、水大さじ2）、バジル・青ジソなど好みのハーブ適量

■つくり方

❶ キュウリはレンコンの半分の大きさの乱切りにして（→P34）、塩をふっておく。

❷ ミニトマトは4つに切り、しば漬けは粗くきざむ。

❸ ドレッシングの材料を混ぜ合わせて、❶、❷、レンコン、ハーブをあえる。

♪ トマトの代わりに、ゆでたシュンギクや蒸した長ネギなど旬の野菜を合わせてもおいしくできます。塩漬けオリーブもGood！

漬け物が
アクセントになった
個性的なマリネ

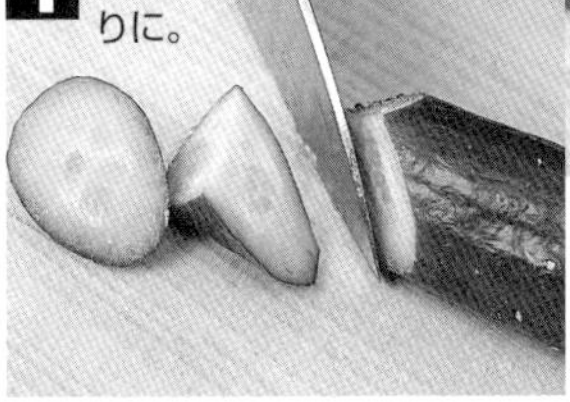
1 キュウリは転がしながら乱切りに。

キュウリ、ワカメと
組み合わせたら
タコ酢風の味わいに

もっちり蒸しレンコンの酢の物

梅酢と水だけの簡単割り梅酢で精進タコ酢

■材料

もっちり蒸しレンコン（→P131）100g、キュウリ1本、干しワカメ適量、割り梅酢（梅酢・水各大さじ1）

■つくり方

❶ キュウリを蛇腹切りにして、食べやすい長さに切る。

❷ 水で戻したワカメを食べやすく切り、❶とレンコンに加え、梅酢と水を合わせた割り梅酢であえる。

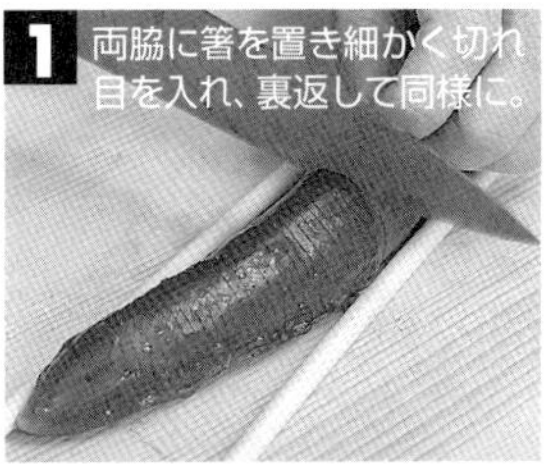
1 両脇に箸を置き細かく切れ目を入れ、裏返して同様に。

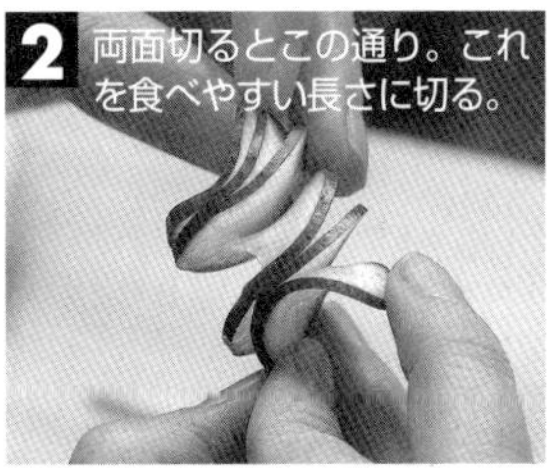
2 両面切るとこの通り。これを食べやすい長さに切る。

梅酢に水を加えてつくる簡単割り梅酢が決め手。

野菜まるごと料理術 10 の作法

自然の生命力に満ちた野菜たちの、元気とおいしさを引き出して味わいつくすのが野菜まるごと料理術。
「野菜ってこんなにおいしかったんだ！」ココロとカラダが目覚める、
野菜との上手なつきあい方、覚えませんか？

1 １日500〜600ｇの野菜を食べる。

2 細かい栄養成分は気にしない。

3 日本の風土に根づいてきた和野菜を中心に食べる。

4 温室栽培ではない季節の野菜を主に食べる。

5 皮をむいたりアクを取ったりしないで丸ごと食べる。

6 種類の違う野菜をいくつか組み合わせて食べる。

7 おいしい塩加減がカラダに良い。

8 火加減、切り方で野菜のおいしさを引き出す。

9 塩、味噌、醤油、梅酢、純米酒、油、調味料は本物を。

10 新鮮なうちに調理する。

根菜と旬の野菜を組み合わせて

野菜を「根菜」と「そのときどきの野菜」という大きな二つのくくりでとらえ、毎日、根菜と旬の野菜を1〜2種類、組み合わせて食べます。

日本の風土で長く親しまれてきた根菜は、生命力が強くて保存性もよく、それぞれ個性的な歯ごたえと旨味をもっています。根菜が入ると野菜料理にボリューム感が出て、心身ともに満足させてくれる料理ができます。

それぞれの根菜の特性を理解して、先入観を捨てて自由な発想で料理すると、思いがけないおいしさが生まれます。

適応力と抵抗力をくれる季節の野菜

日本という風土、高温多湿の温帯モンスーンという気候環境を生き抜く適応力と抵抗力を分けてくれるのが、日本の大地で育つ野菜です。季節ごとに大地に育つ野菜には、そのときどきに私たちの体が必要としている体調を整える栄養がバランスよく含まれています。

旬の野菜だけを食べるようになってから、季節ごとに大地から贈られる野菜との出会いの歓びと、別れを思って味わう名残りのおいしさに、いつもいつも感動します。9月に地這いキュウリを食べて以来、8〜9ヵ月もの間忘れていた、パリッとした歯ざわりと味覚に再会するときのおいしさは、言葉に表わせません。旬の野菜を食べると自然にバランスのとれた食卓になり、体もどんどん自然のサイクルを取り戻していきます。

春　菜の花、芽もの、山菜、野草。春の野菜は、寒い冬に縮んでいた体や内臓に春を告げて、目覚めさせます。冬の間に脂肪とともにため込まれた栄養分や老廃物質などを外に出す力があり、新陳代謝も活発になります。

夏　実もの、瓜類、ジャガイモ、果物、トマト、キュウリ、インゲン。夏は生で食べられる野菜や果物が多く、あまり火を使わずに調理できて助かります。夏野菜は体を冷やす働きがあり、暑さに負けない体をつくります。

秋　根菜、豆、カボチャ、木ノ実、キノコ、イモ、果物。秋から冬にかけておいしい野菜は、暑さでゆるんだ体を引き締め、冬の寒さに負けない体をつくります。秋は体のメカニズムも冬のために脂肪を蓄える働きをします。

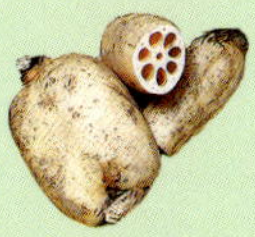

冬　葉もの、根菜、柑橘類。冬は菜っぱやダイコンが甘くおいしい季節です。寒い冬に備えて野菜にも糖分がたっぷり蓄えられています。煮込むと糖分の多い野菜が体を温め、冬の寒さに負けない体をつくってくれます。

火加減

最初は強火、沸騰したら中火が野菜を生かす火加減の原則です。ぐらぐら10分も煮立ててしまったら、野菜の旨味が抜け、筋張った料理になってしまいます。ふたをするかしないかも料理の味わいを大きく左右します。

★炒めるとき→強火（火加減は鍋を火から遠ざけて調節）
★煮るとき→煮立つまでは強火、煮立ったら中火
★蒸すとき→強火、蒸気が上がってから蒸す
★焼くとき→遠火の強火

塩加減

重量の1％の自然の塩が、野菜の旨味を引き出す下ごしらえの基本です。500ｇの野菜に小さじすり切り1杯の塩。最初は計って、塩をふっているうちに手計りの感覚がつかめます。おかずにするときはもう少し塩分が必要です。

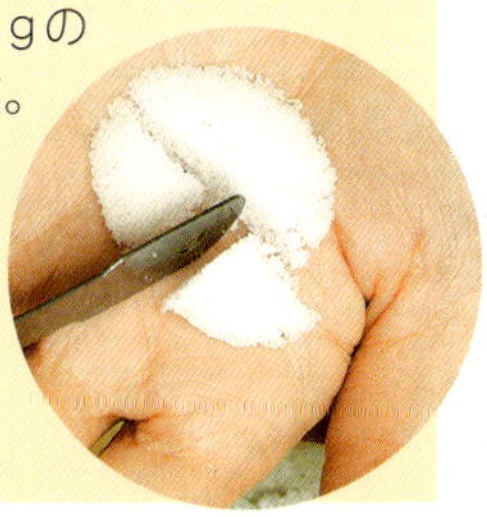

切り方で味が変わる

野菜は切り方で多彩なおいしさを引き出すことができます。また、同じ食材をよく煮たものとさっと煮たものや生ものと組み合わせたり、違う切り方を組み合わせて使うことを、野菜の2段使いと呼んで活用しています。

野菜をさわってながめてから、仕上がりの味や歯ごたえを想像しながら、真剣に大きさや形を決めて切ります。そして、ワクワクドキドキしながらの味見。そのとたんに、「やったー！　ねらい通り」というときと、「あれ？　やっぱりもう少し厚く切ればよかったかな」というときがあります。うまくいったときの満足感も最高ですが、あれ？と思った原因をまたまた想像して、次なる料理づくりにチャレンジするのも、また楽しいものです。

こんなふうに野菜と遊んでいると、いつしか、ぴたぴたっと思い通りのおいしさに出会うことができるようになります。

コンブ

体を守る
命の必須食材は
海草の王様

コンブは、海の薬草と言われるくらい、微量ミネラルや栄養成分が多く、体を健康にしてくれる効果をはじめ、美容効果も絶大の海草です。
健康食品としてはもちろん、料理素材やだしに大活躍するコンブは、味のベースとなり料理のおいしさを支える、私たちの食生活に欠かせない身近で大切な食材です。
毎日の食卓で、コンブだしの旨味とコンブそのもののおいしさを多様に楽しむことができる、手軽な活用術をご紹介しましょう。

□コンブは洗わず使う□

コンブの表面に浮き出ている白い粉は、汚れやカビではなくマンニットという旨味成分なので、洗ってしまうと旨味まで流れていってしまいます。汚れが気になるときは水で洗うのではなく、ふきんでふきとるくらいにしましょう。

基本のコンブだし　旨味たっぷりの万能だし

<つくり方>

コンブを水から入れて強火にかけ、煮立ったら中火でコトコト10分ほど煮る。

♪ 水1カップにつきコンブ3cm角がめやすです。途中でコンブを取り出す必要はありません。コンブの旨味をたっぷり引き出しましょう。

新タマネギとコンブのサラダ　味なトッピング素材として

<つくり方>

①だしをとったあとのコンブを繊維に垂直の千切りにする。長ければ食べやすい長さに切る。
②新タマネギ1個を、繊維に垂直の薄切りにして、たっぷりの水にさらしてシャキッとさせる。すぐに水を切ってコンブの千切りと合わせる。
③梅酢小さじ1に油小さじ2を合わせた梅酢ドレッシングをつくり、②とあえる。

♪ じっくり煮たものや、2度だしをとって使ったコンブはやわらかいので、繊維に直角に切って歯ごたえを残します。

コンブ簡単活用 4ステップ

Step 1 使いやすく保存する

5cmくらいに切って、空気の入らない専用の容器に入れておく。

Step 2 だしに使う

2～3人分の味噌汁や煮物なら１枚。とくに濃いめのだしにしたいときや、たっぷりの汁物なら、2枚をそのまま鍋に入れて料理する。

Step 3 ストックor再びだしに

A コンブを引き上げ、2cm角に切って袋にためていき、冷凍庫へストック。
♪ 4～5日間冷蔵保存OK。
B またはコンブを引き上げて、もう1回煮物に使う。

Step 4 おいしく食べる

だしコンブとしての役割を終えたコンブも、食材の一つとして、おいしく料理していただきましょう。

A：2cm角で

冷凍したコンブがたまったら、醤油と水でコトコト煮て佃煮に。

B：千切りで

コンブを千切りにして、サラダのトッピング、炒め物やあえ物の具に。

コンブの佃煮

だしがらのおいしい再利用

<つくり方>

鍋に醤油大さじ1、水大さじ2、だしをとったあとの2cm角のコンブ50gを入れて、コトコト煮る。炒りゴマをふってできあがり。
♪ たっぷりまとめて煮るとおいしくできます。たくさんつくるときは、コンブ150ｇに、醤油と水各1/2カップが基本です。
♪ ショウガや、戻した干しシイタケの千切り（戻し汁も利用）を一緒に佃煮にすると、さらにおいしさアップ。

コンブの佃煮は塩コンブとも呼ばれ、昔から常備菜として親しまれてきた保存食でもあります。

MEMO

コンブの力で身を守る
コンブは、ヨードやカルシウム、鉄、ビタミンA、食物繊維などが豊富です。ヨードは放射能を解毒排出する力があり、カルシウムは丈夫な骨や歯を、繊維は免疫力の高い細胞をつくる働きをもっています。コンブは環境汚染や放射能からも身を守る、頼もしい味方なのです。

カツオ節とコンブだし
カツオ節のだしの特徴は、香りの強さと素材の味を包み込むおいしさ。反対にコンブだしには素材の旨味を引き出す力があり、煮物なら、最初からコンブを入れて煮込むと、栄養も味もぐっとグレードアップします。少量のコンブで濃厚な旨味が出るし、全部食べ切れるので経済的です。

煮込んでおいしい
コンブは水でだしをとる、煮立つ前に引き上げる方がおいしいだしがとれる、などとよく言われますが、実は煮立てたコンブだしはおいしいのです。野菜と一緒に煮込んだコンブは味もしみてやわらかく、料理の幅を広げてくれる食材です。安心して気軽にコンブを活用してください。

便利なとろろコンブ
とろろコンブは、コンブをごく薄く削ったもので、お湯を注ぐだけでインスタントスープになる便利食材です。砂糖や添加物が入ったものもあるので、自然のままのものを選ぶようにしましょう。

コマツナやホウレンソウ、ミズナなどの冬の青菜はクセのないものが多く、おひたしやサラダにも合うさっぱり感。アシタバやモロヘイヤなどの夏の青菜はアクやぬめりが強いのが特徴で、油とよく調和するので、炒めたり、ナムルやマリネに合います。青菜は全体にビタミンやカルシウム、鉄分が豊富で、骨粗鬆症や貧血の予防など、健康に欠かせない野菜です。

青菜を炒め煮にする

干しシイタケと高野豆腐で旨味倍増

青菜の炒め煮

■材料（3人分）

チンゲンサイやコマツナなどの青菜2～3株（250g）、干しシイタケ2枚、高野豆腐1枚、ゴマ油大さじ1、白ゴマ大さじ1、塩小さじ1/4、酒大さじ1、醤油小さじ1

☺ 軸が太めの青菜なら何でも。干しシイタケ、高野豆腐のどちらか3枚でもOK。

■つくり方

1. チンゲンサイは1cmのザク切りにする。
2. 干しシイタケと高野豆腐を戻して約5mm角のサイの目切りにする。
3. 鍋にゴマ油を熱して白ゴマを炒め、チンゲンサイの軸と干しシイタケを加えて塩をふり、一混ぜしてチンゲンサイの葉先を入れる。
4. しんなりしてきたら、酒と醤油を加えて野菜とよくからめる。
5. 高野豆腐を加えてざっとかき混ぜて、できあがり。

5 高野豆腐は味を吸ってしまうので、最後に加える。

1 チンゲンサイはザク切りに。

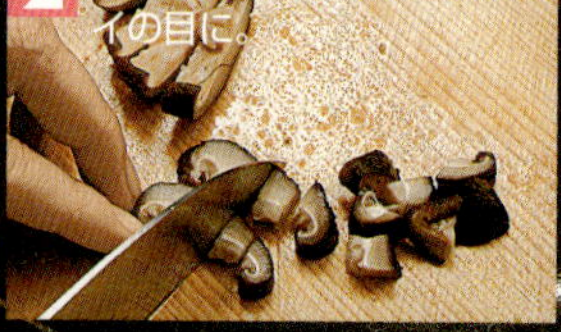

2 干しシイタケはこのようにサイの目に。

高野豆腐は水で戻して絞り、サイの目に。

3 鍋で最初に白ゴマを炒める。

肉厚なチンゲンサイ、香りの強いシュンギク、歯ごたえのあるコマツナなど青菜は個性豊か。同じ調理法でも種類を変えれば多彩な味が楽しめます。青菜のザクッとした歯ごたえに、干しシイタケと高野豆腐の旨味が加わった滋味深い味わいの炒め物は小龍包の具に使うと絶品。いつもと違う青菜料理にチャレンジしませんか？

青菜の炒め煮を使って

口に入れたとたん
具とスープがトロッ＊

青菜の小龍包

クズを練り込んだ透明な生地がポイント

■材料（12個分）

クズ粉（なければ片栗粉）50g、薄力粉50g、中力粉50g、塩小さじ1/4、ゴマ油小さじ1、熱湯1/2カップ、青菜の炒め煮（→P138）全量

☺ 中力粉がない場合は薄力粉100gでもOK。

■つくり方

❶ クズ粉をすり鉢ですって粉にしたらボウルに移し、薄力粉と中力粉、塩を混ぜ、さらにゴマ油を混ぜ合わせる。

❷ ❶をすりこぎなどで混ぜながら、熱湯を一気に加えてまとめ、まとまってきたら、つやが出るまで手でこねる。

❸ 12等分して薄く、丸くのばし、12等分した具を包む。

❹ 強火にかけた蒸し器で15分蒸す。

♪ 粉は熱湯でこねること。

1 クズ粉をすり鉢でする

2 熱湯を一気に加える。

粉が混ざってポロポロに。

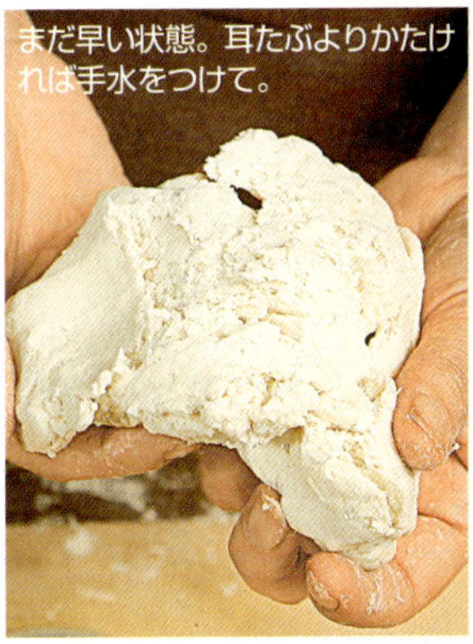

まだ早い状態。耳たぶよりかたければ手水をつけて。

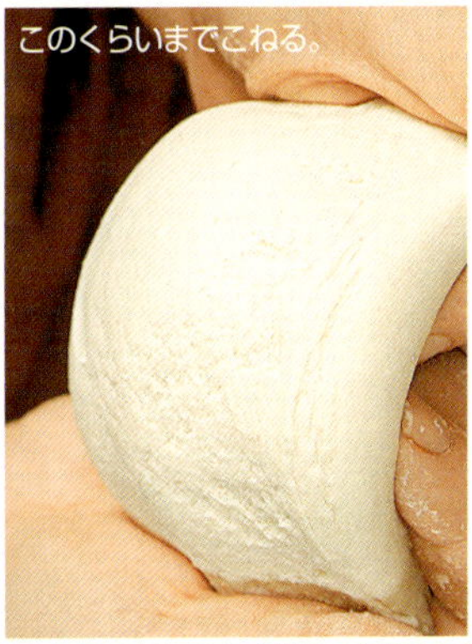

このくらいまでこねる。

3 生地のまわりを薄くのばす。

生地のまわりに水をつけてひだを寄せていく。

真ん中をひねってできあがり。

青菜をゆでる

青菜類は鮮度が決め手。プランターでも育てることができ、自分で育てると貝割れのころから次々つまんで楽しめます。小さな間引き菜を丸ごとさっとゆでて醤油をつけて食べると、まるで畑のおさしみという味わい。日々育っていく青菜を毎日楽しむのは、最高にぜいたくです。ゆで方の基本をマスターしましょう。

青菜のゆで方

❶ 大きなボウルに水をたっぷりはって、葉先→根元の順にザブザブッとふり洗いし、取りにくい部分は泥をかき出すようにする。根元が太いようなら縦に切り込みを入れると洗いやすい。

☺ 水道の水を流しっぱなしにしても水のムダになるだけで、効率よく洗えません。

❷ たっぷりの湯に塩を少々加え、根元からゆでる。しんなりしてきたら、箸でおさえて葉先まで湯につける。

❸ ゆであがったらザルにとり冷ます。冷水にはとらない。

❹ 半量に分け、根元と葉先を互い違いにまとめ、軽く絞って水気を切り、好みの長さに切る。強く絞りすぎるとおいしさが逃げるので注意。

♪ 好みの醤油をかけていただきます。半ずりの煎りゴマをふっても。おひたしにノリをちぎってまぶし、醤油をかけてあえた青菜のノリあえは簡単で栄養バランスもよくおいしい大人気メニューです。

♪ 切った青菜を密閉容器で保存すれば、2〜3日はおいしく食べられます。生のままの青菜は、どんどん枯れて栄養分も旨味も落ちてしまうので保存に注意。

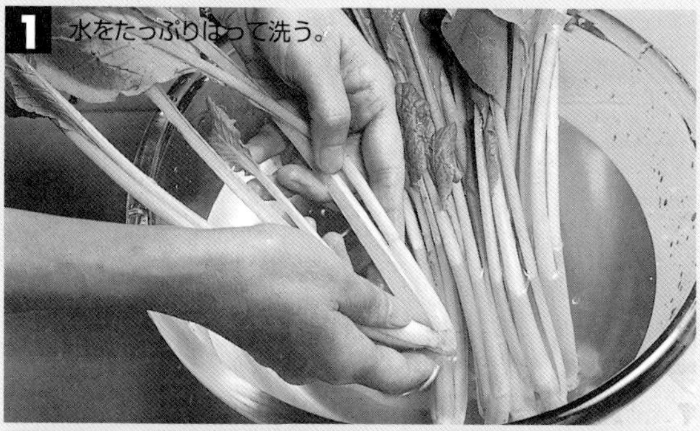
1 水をたっぷりはって洗う。

2 ゆでるときは根元から。

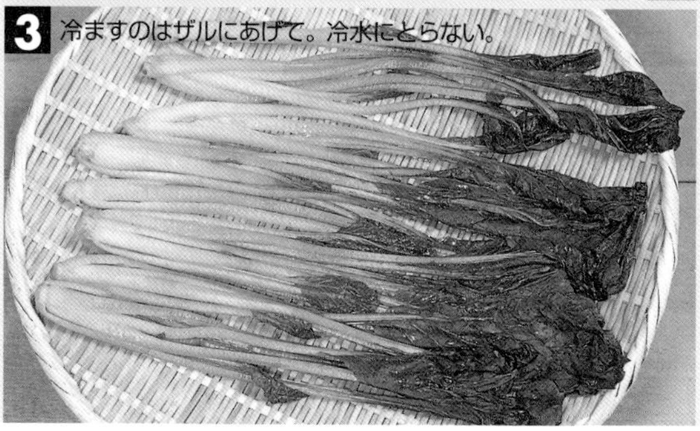
3 冷ますのはザルにあげて。冷水にとらない。

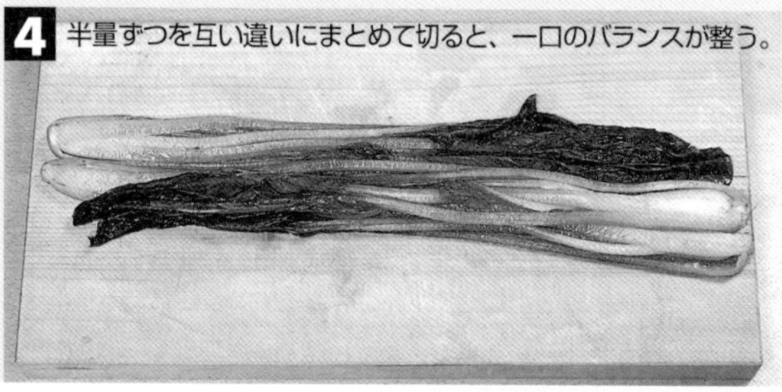
4 半量ずつを互い違いにまとめて切ると、一口のバランスが整う。

梅酢でつくる二杯酢は
旨味がたっぷり

青菜とワカメの二杯酢あえ　梅酢をきかせたあえ物

■材料

ゆでた青菜・ワカメ（戻して）各適量、二杯酢（梅酢1：酒1：水1）

■つくり方

❶ 上記のように青菜をゆで、3〜4cmの長さに切る。ワカメは一口大に切る。

2 材料は梅酢と酒と水。

❷ 二杯酢の材料を混ぜ合わせ、青菜とワカメにかける。

♪ 二杯酢は必ず梅酢、酒、水の順に合わせること。

青菜とクルミは
相性抜群！

青菜のクルミあえ

香ばしくて子どもたちにも人気です

■材料（3人分）

青菜150g、クルミ（または好みのナッツ）大さじ2、醤油大さじ1

■つくり方

❶ 青菜をゆで（→P140）、3〜4cmの長さに切る。

❷ クルミをフライパンで煎ってすり鉢で砕き、醤油を加えて混ぜ合わせる。

❸ 青菜を❷であえる。

♪ ナッツは大きめに砕いてください。

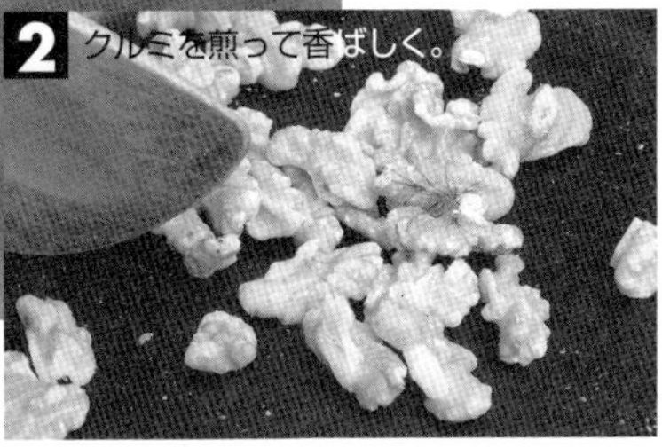

2 クルミを煎って香ばしく。

調味料は醤油だけ。

シャキシャキの
新鮮サラダ

青菜と生野菜のサラダ

意外と合う新鮮サラダコンビネーション

■材料

ゆでた青菜（→P140）・ニンジン・ダイコン・レタス各適量、梅酢ドレッシング（梅酢1：ゴマ油2）

■つくり方

❶ ゆでた青菜を2.5cmに切る。

❷ ニンジンを扇切りに、ダイコンを半分の薄いイチョウ切りにし、レタスは手でちぎる。

❸ ❶、❷の野菜をすべて混ぜて、梅酢ドレッシングの材料を順に混ぜたものであえる。

2 ニンジンは扇切りに。

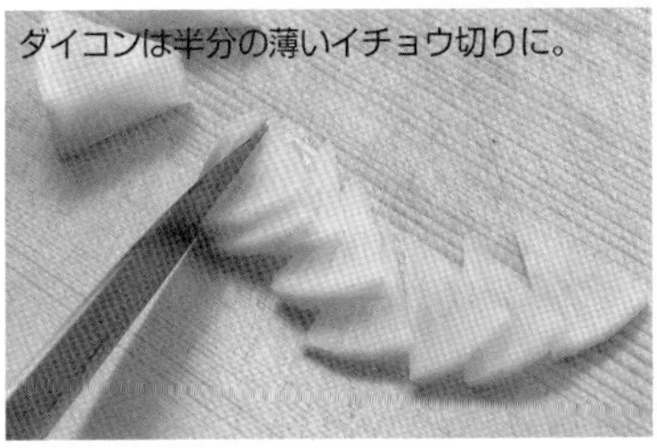

ダイコンは半分の薄いイチョウ切りに。

シュンギクを使って

シュンギクの味噌レモンあえ

酢味噌あえとは、一味違うジューシーなおいしさ

■材料（3人分）

シュンギク150g、干しワカメ5g、クルミ小さじ2、ゴマ油小さじ1、味噌大さじ3、レモン汁大さじ3

■つくり方

1. シュンギクは、軸の根元が白くなっていたら、カットする。
2. シュンギクを軸からゆでて、ザルに広げて冷まし、長さ2～3cmに切る。
3. ワカメを戻して食べやすく切る。
4. クルミをフライパンで煎って、すり鉢でする。ゴマ油を加えてなめらかになったら、味噌とレモン汁を加えてのばす。
5. シュンギクとワカメを4であえる。

1 根元から白くなってくるので白くなっていたら切り取る。

2 軸からゆでていく。

広げて冷ます　冷水にとらない。

4 レモン汁が味の決め手。

味噌のコクがシュンギクの味をひきたてる

トロトロの食感に
おかわり続出!

シュンギクとナメコの味噌丼

キノコたっぷりのヘルシー丼

■材料（3人分）

シュンギク60g、ナメコ100g、油大さじ1、味噌大さじ2、酒大さじ2、ごはん適量

■つくり方

❶ シュンギクを長さ4cmに切る。

❷ フライパンに油を熱して、シュンギク、ナメコの順に炒め合わせ、酒で溶いた味噌を入れる。

❸ ナメコのぬめりが出て、酒のアルコール分がとぶまで炒めたら火から下ろし、アツアツのごはんにかける。

♪ キノコと味噌が青菜に合う！　ほかの青菜でもおいしくできるので、ぜひお試しを。

2 シュンギクはゆでずにそのまま炒める。

全体に油がまわったら、酒で溶いた味噌を入れる。

3 ぬめりが出て酒がとぶまで炒める。

旬のシュンギクは
これぐらい
潔く食べたい

シュンギクのナムル

おいしさがきわだつシンプルな味つけ

■材料（3人分）

シュンギク250g、醤油大さじ2、ゴマ油小さじ1、ゴマ少々

■つくり方

❶ シュンギクをゆでて約3cmに切る。

❷ ボウルに醤油とゴマ油を合わせ、シュンギクを入れてあえる。

❸ 器に盛ってゴマをふりかける。

♪ 好みの青菜でつくってもOK。

2 醤油とゴマ油だけであえる。

凍らせ豆腐

新感覚！
おいしくて経済的な
豆腐の新しい活用法

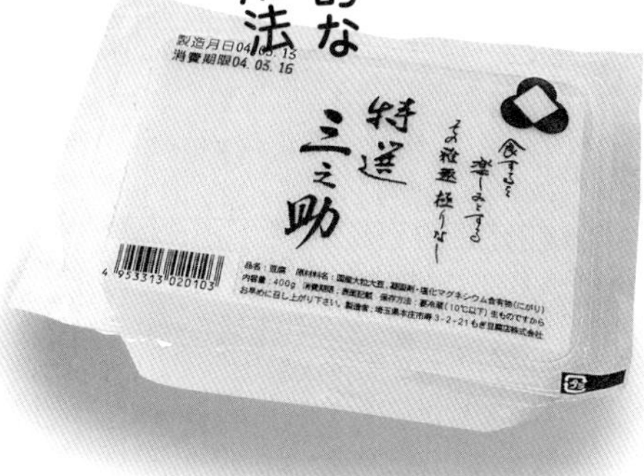

豆腐を冷凍するなんて考えたことがないかもしれませんが、一口大に切った豆腐を冷凍庫へ入れておくと、ユバ風味のふんわり新食感の食材に変身します。
豆腐1丁を食べ切れないとき、残りを凍らせ豆腐にすればムダなく使い切ることができ、おいしい本にがりの有機豆腐を見つけたときは、まとめ買いもできます。
調理は、凍ったまま煮てしまうのが簡単。冷凍から冷蔵庫に移して自然解凍して使うと、活用の幅が広がります。

凍らせ豆腐のつくり方・使い方

すぐに食べ切れない豆腐は、冷凍して凍らせ豆腐にしておきましょう。

凍らせ豆腐のつくり方

4等分、または縦に切ってから8～10等分にした豆腐を、バットに広げて冷凍するだけ。凍ってから袋に入れ替えれば場所もとりません。

凍らせ豆腐の使い方

煮物や味噌汁に使うならそのまま煮てOK。冷蔵庫に移し、自然解凍して使うこともできます。少人数の家族や一人暮らしの人に便利な食テクニックです。

♪ 凍ったまま煮て具を加え、味噌を溶くだけでボリュームのごちそう味噌汁に。

凍らせ豆腐の煮物　上品なごちそう感覚

<材料>

上記の凍らせ豆腐1丁分（8等分して凍らせたもの）、コマツナ120g、カブ120g、コンブ3cm、水1/2カップ、醤油大さじ3

<つくり方>

①コマツナは長さ3cm、カブは8～12等分の放射状に切る。
②鍋にコンブ、水、醤油、凍らせ豆腐（凍ったままでOK）、カブを入れて火にかけ、沸騰したらコマツナを加え、中火にしてカブに味がしみ込むまで煮込む。

♪ 生麩やがんもどきと並ぶ、存在感のある煮物に。生麩よりしゃっきりした歯ごたえ、がんもどきよりソフトな味わいです。

凍らせ豆腐の中華炒め　ヘルシーなボリューム炒め

＜材料＞

凍らせ豆腐1丁分（10等分して凍らせたもの／→P144）、生シイタケ50g、インゲン50g、長ネギ50g、ニンジン35g、ショウガ3g、油大さじ2、塩小さじ1/2、醤油大さじ1、酒大さじ1

＜つくり方＞

①凍らせ豆腐は自然解凍して斜め半分に切る。生シイタケ、ショウガは千切り、インゲンは3等分、長ネギは斜め切り、ニンジンは斜め輪切りを3等分する。

②フライパンに油を熱し、強火でショウガ、長ネギを炒めて、香りが出たらインゲン、ニンジン、シイタケを加え、塩をふってさらに炒める。

③醤油、酒をまわし入れ、凍らせ豆腐を加えて混ぜ合わせる。

♪ 凍らせ豆腐は、繊維がスポンジ状の層になっているので、味がしっかりしみ込んでおいしく仕上がります。

凍らせ豆腐のカツレツ　ユバ風味のソフトなカツ

＜材料＞

凍らせ豆腐1丁分（8等分して凍らせたもの／→P144）、溶き衣（小麦粉1/2カップ、塩小さじ1/2、水1/3カップ）パン粉・油各適量、割り味噌ソース（下記参照）

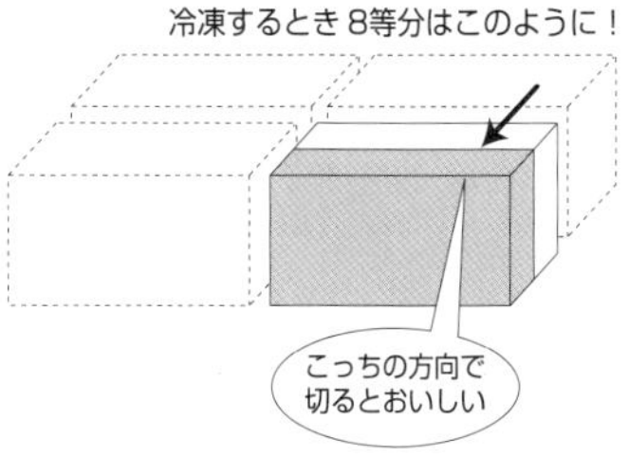

冷凍するとき 8等分はこのように！
こっちの方向で切るとおいしい

＜つくり方＞

①凍らせ豆腐を自然解凍して、両手ではさんで水気をしっかり切る。

②材料をすべて混ぜ合わせた溶き衣（溶き方→P28）とパン粉をつけ、180℃の油でカラッと揚げる。

③割り味噌ソースをつくり、カツにかけて完成。

●割り味噌ソース

味噌大さじ1を、同量の水で割る。

♪ 熟成した味噌には、発酵の過程でできる多様な旨味成分がいっぱい。味噌を同量の水で割るだけでおいしいソースになります。酵素もミネラルも繊維も豊富なヘルシーソースで、タンパク質と油の消化を促進してくれます。

MEMO

豆腐を保存する

豆腐は伝統の生鮮加工食品です。冷蔵庫のなかった時代には、お祭りや行事の日に食べる特別のごちそうでした。みんなでまとめてつくった豆腐を大切に料理し、残った豆腐は工夫して日持ちさせました。昔から豆腐の保存法には知恵が凝縮されているのです。

しめ豆腐も活用して

豆腐を1%の塩を入れた熱湯に入れ、中火で芯まで火を通します。ふきんに包んで2枚のまな板にはさんでバットなどに傾けて置き、高さが半分になるまで水を切ります。こうすると冷蔵庫で4～5日は保存できる「しめ豆腐」に（→P51）。スライスしてステーキにしたりハム感覚で使えます。

豆腐の醤油煮と味噌漬け

しめ豆腐を丸ごとか縦3等分にして醤油で煮ると、さらに日持ちします。バットに味噌を敷き、ガーゼを敷いてしめ豆腐をのせ、ガーゼをかぶせた上から味噌を詰めて2日くらい冷蔵しておくと、チーズ風味のおいしい味噌漬けになります。

豆腐クルミクリーム

煎ったクルミ50gと1丁分（300g）のしめ豆腐と塩小さじ1を、すり鉢でするかフードプロセッサーでペーストにすると、ふんわりおいしいクリームに。さらに小さじ2の塩を加えると、まるでカッテージチーズのようなペーストになり、ビンに詰めて冷蔵しておくと10日間くらい楽しめます。

キャベツを丸ごとザクッ

1個のキャベツから切り身が4つ

キャベツには、春と冬に出まわる2種類があります。春キャベツは、緑が濃く葉がやわらかいものが良質で、冬ものは重くしっかりしたものがベスト。特有の成分に、キャベジンを別名にもつビタミンUがあり、胃壁の粘膜を丈夫にし、炎症や潰瘍を予防してくれます。ビタミンCも豊富で、とくに芯の周辺に多いので、さまざまに工夫して、なるべく芯まで丸ごと食べましょう。

4 1枚の切り身で、用途はいろいろ。

5 切り方もいろいろ。

キャベツのさばき方

1 キャベツを縦に4等分する。

2 4等分の真ん中の2切れは、さらに半分に。

3 上半分は真ん中をはずし、外側の層を2等分。

キュッと巻いて、何枚もの葉が重なったキャベツ。丸ごとザバッと切り分けて、まずは分厚いロース肉のような切り身にして揚げてみましょう。衣に包まれ、ほどよく蒸し煮になったキャベツは旨味が凝縮され、歯ごたえも舌ざわりも感動もの。2人でキャベツ1個をあっという間に平らげてしまうほどのおいしさです。

キャベツの切り身を使って

キャベツの葉の層が
まるで肉のような食感！

ミルフェカツレツ

ナッツ入り衣とニンニク味噌のコクが旨味をひきたてる

■材料（4人分）

キャベツの切り身（→P146 B-1）4個、ニンニク1/2カケ、干しワカメ3g、味噌大さじ1と1/2、溶き衣（小麦粉1/2カップ、塩小さじ1/3、水1/3カップ）、クルミ50g、パン粉 100g、揚げ油適量

☺ ふわふわの春キャベツは向きません。なるべくよく締まったキャベツを使いましょう。

☺ 楊枝を刺して揚げると、形が崩れにくく、安心です。

■つくり方

1. 溶き衣の材料を混ぜる（溶き方→P28）。
2. クルミを煎って粗みじん切りにし、パン粉に混ぜて風味を出す。
3. ニンニクをすりおろし、戻したワカメを8mm角に切って、味噌と混ぜ合わせ、キャベツの層の真ん中にはさみ込む。
4. 3の表面に、1の溶き衣をまんべんなくつけてから、クルミを混ぜた2のパン粉をつけ、しっかり押さえつける。
5. 180℃の油で揚げる。途中、あまり動かさないように注意する。

2 パン粉にクルミを混ぜる。

3 キャベツの層（真ん中1層だけ）にニンニク味噌をはさむ。

4 層の中に溶き衣があまり入らないよう、へらなどでぬる。

パン粉半分は、上からかけて。

かけたら上から手でギュッと押さえる。

衣がはがれているところは修正。楊枝を刺すと崩れにくくなる。

キャベツの切り身を使って

ミルフェフリッター

コーンの衣の中で蒸し焼きキャベツの層が新食感

■材料（4人分）

キャベツの切り身（→P146 **B-1**）4個、塩適量、溶き衣（小麦粉1/2カップ、塩小さじ1/3、水1/4カップ）、ホールコーン1/2缶（50g）、揚げ油・レモン各適量

☺ 溶き衣はミルフェカツレツよりかためです。ゆるいとうまく揚がらないので注意。

■つくり方

❶ キャベツに楊枝を刺す。
❷ 溶き衣の材料を混ぜ（溶き方→P28）、水気を切ったコーンを入れる。
❸ ❶に塩をふり、❷の衣をつける。
❹ 180℃の油で揚げ、揚げあがったら楊枝をはずす。
❺ レモンのくし切りを添え、絞り汁をかけて食べる。

♪ 溶き衣はコーンを入れると水が出て、衣がゆるくなるので、混ぜたらすぐ使います。

♪ 余った衣をそのまま揚げれば、かき揚げ風に。

やさしい甘味が
子どもたちに大人気

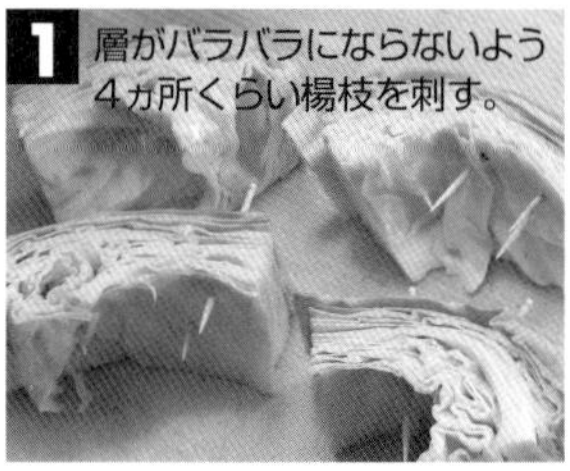
1 層がバラバラにならないよう4ヵ所くらい楊枝を刺す。

2 コーンは水気をしっかり切ること。

3 溶き衣はスプーンでかけながらつける。

4 上にコーンをのせて油に入れると、仕上がりがきれい。

キャベツをシャシャッと千切りにする

千切りは、芯を取ってやわらかいところを楽しみます。切ってそのまま使えるし、ほかの食材や調味料と味がなじみやすいので、スピーディに仕上げたい料理に活用しましょう。

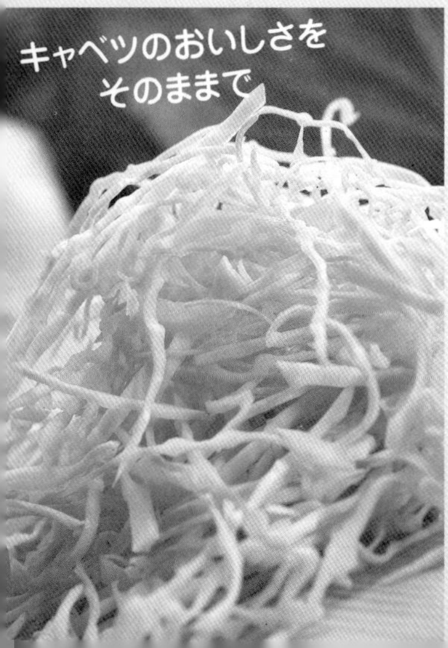

キャベツのおいしさを
そのままで

キャベツの千切りのつくり方

キャベツ1個を1/4に切って芯を取り（P154）、倒してそのまま細い千切りに。

♪ P146 **A-1**を使えば、芯を切り取る手間がありません。

ラッキョウサラダ 簡単千切りアレンジ

■材料（2人分）

キャベツの千切り150g、ドレッシング（ラッキョウの塩漬け（→P85）みじん切り3個分、ラッキョウの漬け汁大さじ1、レモンの絞り汁大さじ2、塩小さじ1/8、油大さじ1）

■つくり方

ドレッシングを、キャベツの千切りにかけるだけ。

♪ ニンジンやリンゴの千切りを加えてもおいしい。

キャベツをちぎって塩もみにする

塩もみはとっても簡単。キャベツをちぎって塩をまぶし、水気を絞るだけです。パリパリの食感とともに甘味が広がります。酒のつまみにも最高。いくらでも食べられます。

キャベツの塩もみ

■材料（1単位分）
キャベツ（→P146 **B-2**）250g、塩小さじ1〜1と1/2（キャベツの重量の2〜3%）
☺ ほかの材料を混ぜずにそのまま食べるときは、塩を多めにしてください。

■つくり方
❶ キャベツを3cm角くらいに手でちぎり、塩をさっとまぶしてそのまま15分おく。
❷ キャベツから水が出てきたら、キュッと絞って器に盛りつける。

いろんな組み合わせで
楽しめます

キャベツの塩もみを使って

さわやかな
磯の香り

塩もみキャベツノリ風味

ノリとショウガの香り＆風味が加わった絶品

■材料（3人分）
ショウガ6g、ノリ1/2枚、キャベツの塩もみ1単位
■つくり方
ショウガは千切りにし、ノリはちぎって、キャベツの塩もみと混ぜ合わせる。

ほのかな
甘さが
うれしい

塩もみキャベツアンズ風味

アンズの甘味がキャベツの塩分でよりひきたつ

■材料（3人分）
干しアンズ40g、キャベツの塩もみ1単位
■つくり方
干しアンズを千切りにして、キャベツの塩もみと混ぜ合わせる。

キャベツとシイタケのクリーム煮をつくる

レースのようなキャベツの煮びたしは、ちぎって10分煮るだけのお手軽クッキング。倍量つくっておけば、次の日は10分で本格的なクリーム煮に変身です。タマネギと小麦粉でつくる簡単クリーム煮は、植物油だから焦げる心配もありません。植物性のやさしいコクが新鮮で、体においしい一品です。

キャベツとシイタケの煮びたし

■材料（1単位分）

キャベツの切り身（→P146 **B-2**）200g、生シイタケ（またはほかのキノコ）100g、水2カップ、コンブ3cm、塩小さじ1と1/2、白ワイン（または日本酒）大さじ2

■つくり方

❶ キャベツは3cm角にちぎる。シイタケは放射状に切る。

❷ 鍋に水・コンブ・塩・ワインを入れて煮立たせ、シイタケ、キャベツを順に入れて強火にかけ、再び煮立ったら、中弱火で10分煮る。

♪ たっぷりつくれば、汁を薄めておいしいスープが楽しめます。煮込みスープめんもGood！

1 キャベツは、ちぎった方がラクチンでおいしい。

シイタケは放射状だと形が揃う。

キャベツ1個分
ペロリと食べちゃうおいしさ

キャベツとシイタケのクリーム煮

■材料（1単位分）

タマネギ50g、油大さじ3、小麦粉1/2カップ、上記のキャベツとシイタケの煮びたし1単位

■つくり方

❶ タマネギは薄いまわし切り（→P40）にして、鍋に油を熱して中火でタマネギを炒め、タマネギの表面に油がまわったら小麦粉をふり入れ、弱火で7～8分炒める。

❷ ❶に煮びたし（スープも）を一気に加えて火を止め、混ぜながらよく溶かす。

❸ ❷がある程度溶けたら再び火をつけて煮込み、好みのトロミになるまで煮る。

♪ 水1カップでのばせば、そのままクリームシチューに。

1 タマネギと小麦粉は、このくらいになるまで炒める。

2 煮びたしを一気に加える。

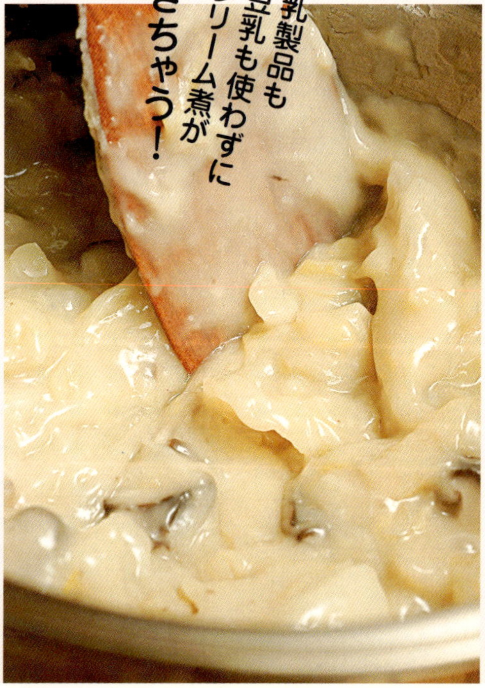

クリーム煮を使って

トロ〜リ
グラタンがとっても簡単

2 タマネギはマカロニと一緒にゆでる。

4 クリーム煮に入っているコンブを取り出して千切りに。

マカロニグラタン

マカロニをごはんに変えればドリアにも！

■材料（2人分）

タマネギ100g、マカロニ80g、キャベツとシイタケのクリーム煮（→P150）1単位、水1/2カップ

■つくり方

1. タマネギは歯ごたえが残るよう、繊維と平行に8mmくらいの幅に切る。
2. 熱湯にマカロニを入れて、ゆで時間残り4分くらいでタマネギを加え、一緒にゆでて水気を切る。
3. クリーム煮を火にかけながら水でのばす。
4. ❷に❸の半量を加えて混ぜ、耐熱容器に入れる。残り半量の❸と、❸に入っているコンブを千切りにしたものをのせ、200℃のオーブンで8分焼く。

お弁当にも
オススメ

キャベツ風味ライスクリームコロッケ

手軽にできて、おもてなし料理にもなるおいしさ

■材料（12個分）

ごはん250g、キャベツとシイタケのクリーム煮（→P150）200g、塩一つまみ、溶き衣（小麦粉1カップ、塩小さじ1/2、水2/3カップ）、パン粉・揚げ油各適量

■つくり方

1. ごはんとクリーム煮と塩一つまみを混ぜて40g弱ずつに丸める。
2. 溶き衣の材料を混ぜ（→溶き方P28）、❶につけてパン粉をまぶし、180℃の油でキツネ色になるまで揚げる。

1 最初に中身を16等分して丸めておくとムダがない。

2 右で溶き衣、左でパン粉をつけると手がダマにならない。

本格中華クリーム煮も
おまかせ

豆腐の中華クリーム煮

ショウガを加えれば中華のメインディッシュに

■材料（3人分）

豆腐1丁、キャベツとシイタケのクリーム煮（→P150）1単位、水1/2カップ、ショウガの絞り汁小さじ1、醤油小さじ1、千切りネギ（切り方→P54）少々

■つくり方

1. 豆腐は10等分。クリーム煮を火にかけ、水でのばしてからショウガ汁と醤油を加えて、豆腐を加える。
2. 豆腐が温まったら器に盛り、千切りネギを散らす。

キャベツを丸ごとゆでる

ゆでたキャベツというと、ロールキャベツなど包む材料と思われがちですが、マリネや炒め物にも使える便利な素材です。新鮮なうちにゆでて活用しましょう。

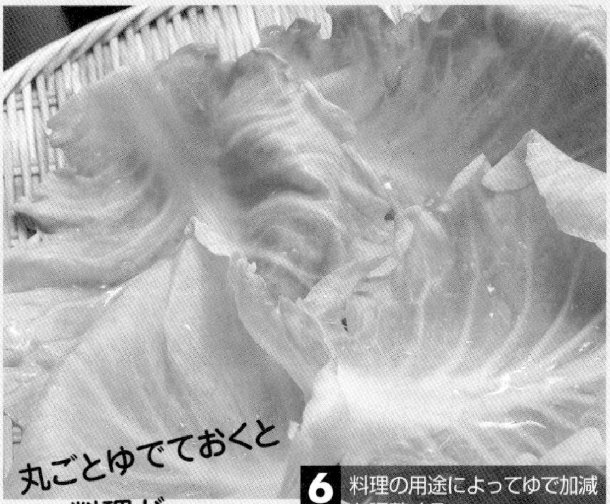

丸ごとゆでておくと 料理が スピーディ

キャベツのゆで方

❶ 大きな鍋にたっぷり湯を沸かし、塩を入れる。
❷ キャベツの芯の部分に、1枚分はがせるくらいの深さに切り込みを入れておく。
❸ 湯を強火にかけた状態で、キャベツの芯を上にしてゆでる。
❹ しばらくしてひっくり返し、芯の部分をゆでると、箸でつつくだけで自然にはがれてくる。
❺ ❷〜❹を繰り返して1枚ずつはがす。
❻ やわらかめに仕上げたい場合は、はがしてからしばらく鍋の中に入れておく。
♪ 中心にごく近い部分ははがしにくいので、残しておいてきざんだり、ちぎったりして使いましょう。

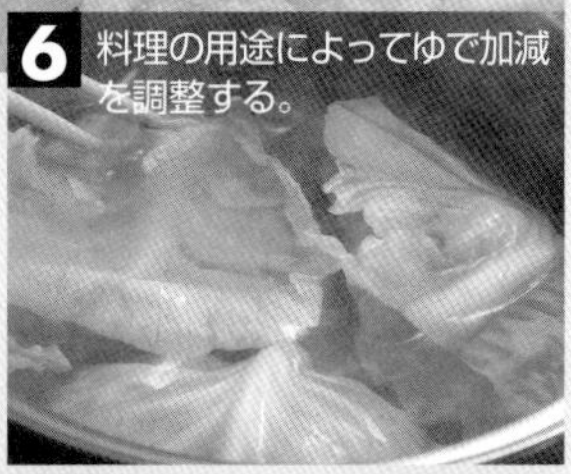

6 料理の用途によってゆで加減を調整する。

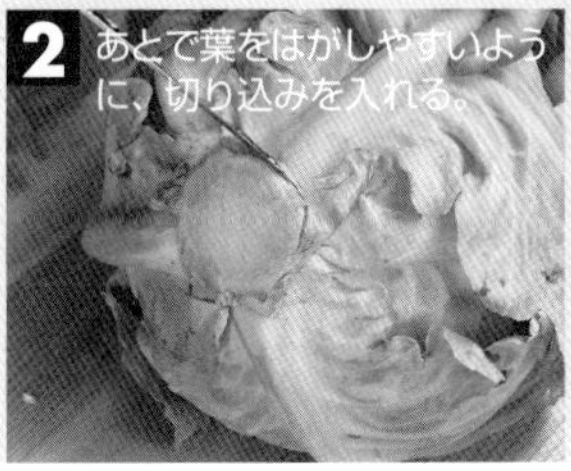

2 あとで葉をはがしやすいように、切り込みを入れる。

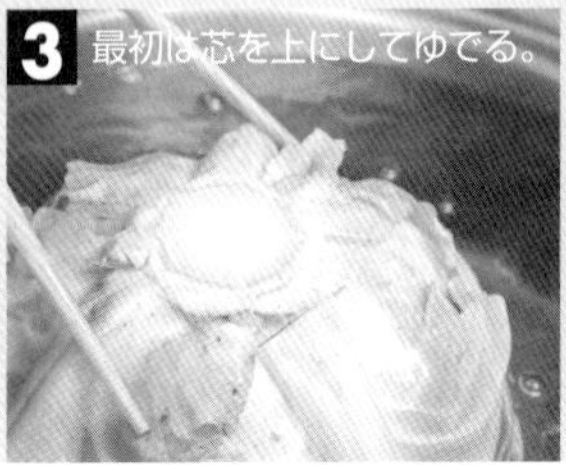

3 最初は芯を上にしてゆでる。

4 芯に切り込みを入れているので、すっとはがれる。

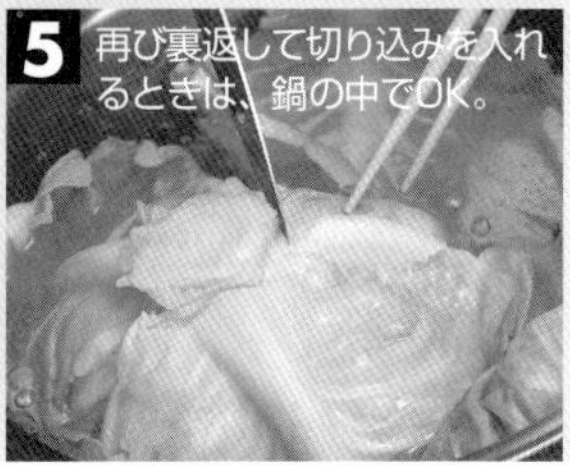

5 再び裏返して切り込みを入れるときは、鍋の中でOK。

ゆでたキャベツを使って

チャーハンやそばを 巻いても おいしい

キャベツ手巻きごはん

キャベツの甘さで包む、コックリさっぱりの手巻きごはん

■材料

やわらかめにゆでたキャベツ・ごはん・長ネギの千切り（→P54）・クルミなど好みのナッツ・油醤油（→P20）各適量

■つくり方

❶ ゆでたキャベツは平らに広げて半分に切る。
❷ 芯をそいで切り取り、切り取ったものを斜めに細く切っておく。
❸ ごはん、❷の芯、長ネギの千切り、煎って粗みじんにしたナッツを❶にのせ、油醤油をかけて包んで食べる。

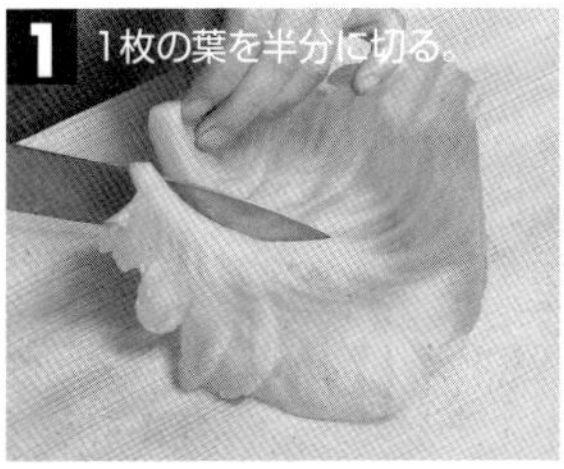

1 1枚の葉を半分に切る。

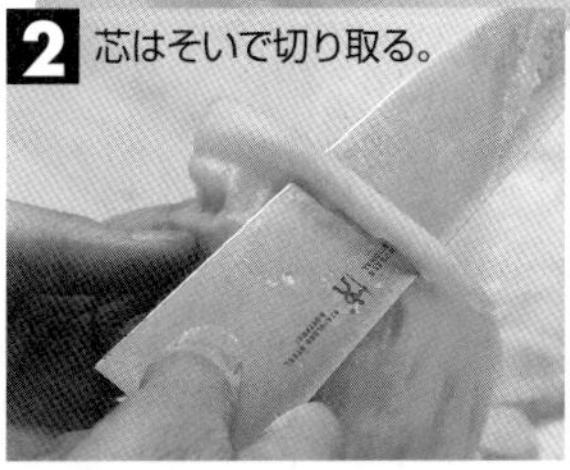

2 芯はそいで切り取る。

細く切って、具にする。

肉を使わなくても
満足感いっぱい★

キャベツとコンニャクのゴマ味噌炒め

難しい炒め物もゆでてあるから簡単

■材料（4人分）

かためにゆでたキャベツ（→P152）400g、長ネギ100g、コンニャク150g、練りゴマ（白）大さじ2強、味噌大さじ2/3、酒大さじ4、醤油大さじ1と1/3、梅酢小さじ2、ゴマ油大さじ1

■つくり方

❶ 長ネギを斜めのザク切りに、かためにゆでたキャベツを3cm角に切る。

❷ コンニャクを塩（分量外）でもんで、半分に切って切り目を入れ、厚めの短冊切りにする。

❸ 練りゴマと味噌を練り合わせ、酒、醤油、梅酢を少しずつ混ぜ合わせる。

❹ フライパンにゴマ油を熱して中強火で長ネギをさっと炒め、コンニャクを加えてよく炒めたら、キャベツと❸の合わせ調味料を加えてさらに炒める。

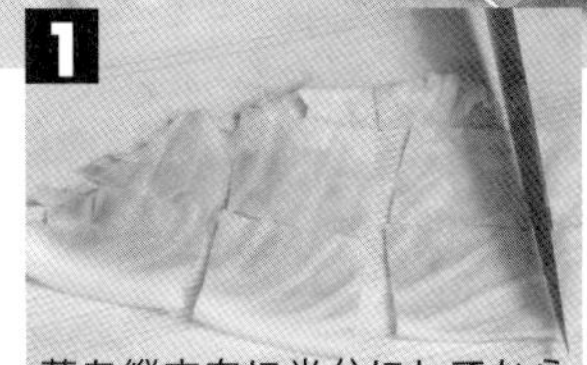

1 芯を縦方向に半分にしてから3cm角に切ると歯ごたえが揃う。

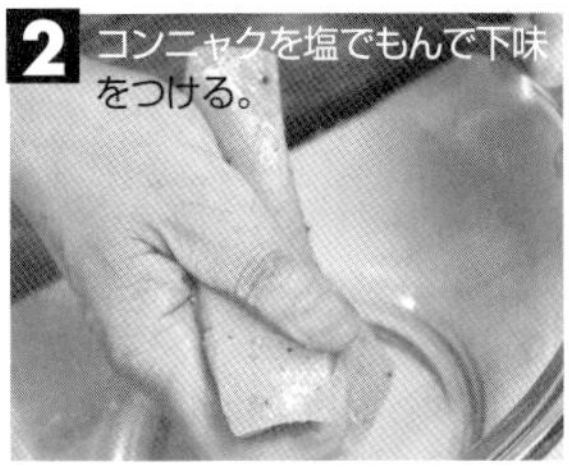

2 コンニャクを塩でもんで下味をつける。

半分に切る。

切り目を入れて味をしみやすく。

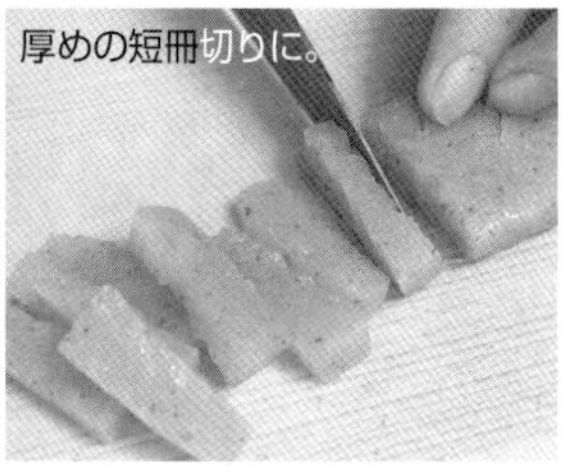

厚めの短冊切りに。

梅酢とカレーの
組み合わせに
ドキッ

ゆでキャベツのカレーマリネ

カレーの風味が食欲をそそる

■材料

かためにゆでたキャベツ（→P152）300g、マリネ液（梅酢・水各1/2カップ、カレー粉小さじ1、塩小さじ1/2）

■つくり方

❶ マリネ液の材料を混ぜ、煮立たせて冷ましておく。

❷ ゆでたてのキャベツを3cm角に切り（→上記の❶を参照）、熱いうちに❶のマリネ液に漬け込む。

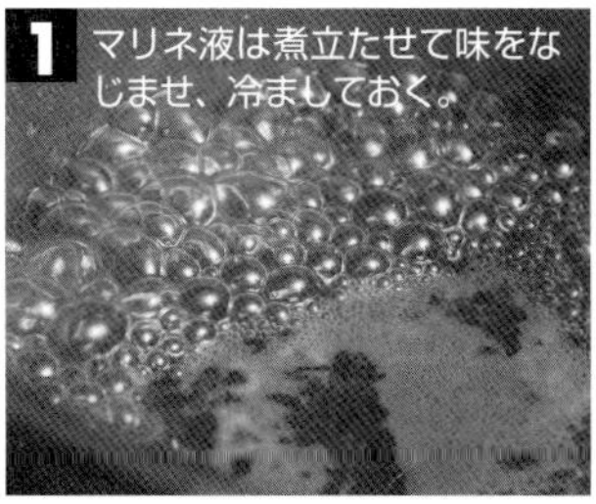

1 マリネ液は煮立たせて味をなじませ、冷ましておく。

2 ゆでたてをマリネ液に漬けると味がしみやすい。

キャベツのリボン蒸しをつくる

5～8mm幅の長いリボンのように切ったキャベツを蒸し器で7分蒸したら、リボン蒸しの完成。ふんわりやさしい新しい食味が誕生します。また、キャベツのあっさりした風味と漬け物の旨味を組み合わせると、ミネラルと酵素たっぷりでおいしさも栄養バランスも完璧です。

なんとも
ユニークな
食感！

キャベツのリボン蒸し

■材料（1単位分）

キャベツ200g

☺ P146の**A-1**を使えば、❶❷の手間が省けます。

■つくり方

❶ キャベツは1/4に切って、芯を取る。

❷ 真ん中をはずす。はずした部分は塩もみなどに利用。

❸ 倒して5～8mm幅のリボン状に切り、しっかり蒸気の上がった蒸し器で7分間、蒸す。

1

2

3

キャベツのリボン蒸しを使って

キャベツのリボン蒸し de パスタ

サラダ感覚の春パスタ。フライのつけ合わせにもGood！

■材料（2人分）

上記のキャベツのリボン蒸し1単位、パスタ160g、塩小さじ1、レモン汁大さじ6、オレガノなど好みのハーブ（あれば）少々

■つくり方

❶ パスタをゆでる。

❷ ❶に塩とレモン汁を合わせたものをかけ、蒸したキャベツとよく混ぜ合わせて好みのハーブをふる。

2 ゆでたてパスタをすぐ味つける。

レモン塩味が
新鮮！

リボン蒸しキャベツとラッキョウのマリネ

食感の違いがおもしろい

■材料（4人分）

上記のキャベツのリボン蒸し1単位、ラッキョウの塩漬け（→P85）10個、マリネ液（ラッキョウの漬け汁大さじ1、みりん小さじ1と1/2、酢・水各大さじ1）

■つくり方

マリネ液の材料を混ぜて、ラッキョウの千切りとキャベツのリボン蒸しとあえる。

キャベツを最後にあえる。

甘酸っぱさが
うれしい
マリネ

漬け物の旨味と組み合わせて

高菜漬けに
こんな食べ方が
あったなんて

リボン蒸しキャベツの高菜あんかけ

キャベツと漬け物で新感覚中華をどうぞ

3 クズ粉は必ず沸騰しているところへ入れる。

■材料（3人分）

キャベツのリボン蒸し（→P154）1単位、ショウガ少々、高菜漬け25g、油大さじ1、コンブだし汁1カップ、醤油小さじ2、クズ粉大さじ1と1/2（同量の水で溶く）

■つくり方

❶ ショウガを千切り、高菜はみじん切りにする。
❷ 鍋に油を熱し、❶のショウガと高菜を中強火でさっと炒め、コンブだし汁と醤油を入れる。
❸ 沸騰しているところに、水で溶いたクズ粉をまわし入れる。
❹ キャベツのリボン蒸しを皿に盛り、❸の高菜あんをかける。

漬け物の酸味が
蒸しキャベツとマッチ

しば漬け蒸しキャベツ

漬け物のもつ旨味と塩分が生きた新感覚のサラダ

■材料（3人分）

キャベツ1/4個（→P146**B-2**、またはどの部分でもOK）約220g、しば漬け40g、フノリ3g、割り醤油（醤油大さじ1、水大さじ1、しば漬けの漬け汁大さじ2）

☺ フノリの戻し方は、水にちょっとつけてから水を切るだけ。とっても簡単。

■つくり方

❶ キャベツをザク切りにする。
❷ しば漬けを絞り（漬け汁はとっておく）、大きいものは縦に2等分する。
❸ キャベツの上にしば漬けを散らして7〜8分蒸し、器に盛る。
❹ ❸が冷めたら水で戻したフノリをのせ、割り醤油の材料を混ぜて半量をかける。味が薄ければ、あとで足す。

♪ 割り醤油を混ぜるときは器に醤油を入れ、これを水で割る。漬け汁は最後に。

♪ 好みの漬け物でいろいろ試してみてください。それぞれ違ったおいしさが楽しめます。また、好みの生野菜やトッピングを加えて、サラダのベースとしてもバリエーションを楽しめます。

フノリは水に少しつけて水切りする。

1 キャベツは食べやすくザク切り。

3 一緒に蒸すのがポイント。

ゴマ油
ナタネ油
オリーブ油

昔づくりの
植物の栄養たっぷり油で
旨味アップ

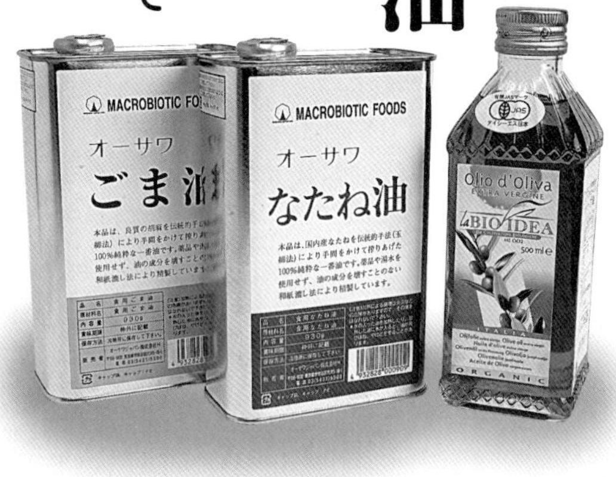

食べ物のコクや風味、おいしさ、満足感を高めてくれる旨味アップ調味料が油。
炒めるときや揚げ物に使うだけでなく、植物油に塩を加えて溶かしバター風にした油なら、パンにつけて楽しむこともできる万能油になります。
また、植物油を動物性のバター代わりに使えば、必須脂肪酸たっぷりのクリームソース（→P127、P150）やパイ、クッキー（→P82）がつくれ、ヘルシーで健康的。焦げにくいので失敗もしにくく、扱いも簡単です。

基本の塩油　溶かしバターの風味

<つくり方>

油大さじ2と、塩小さじ1/2を混ぜ合わせればできあがり。そのままパンにつけたり、ドレッシングとしても活用できます。

♪ 好みのハーブを加えると変化が楽しめます。

♪ イタリアンの調味は、塩をオリーブ油で溶かした塩オリーブが基本。ピザやパスタにどんどん活用してみてください！

油が決め手の定番ドレッシング

ドレッシングは、油を均一にしっかり混ぜ合わせると、サラダに味がなじみやすくなります。専用のビンに入れて使うたびにシェイクし、少なくなったら材料を追加していくとムダがありません。

フレンチドレッシング

材料をしっかり混ぜ合わせるのがポイント。

♪ さっぱり味のユズやレモン汁でつくるのがオススメ。

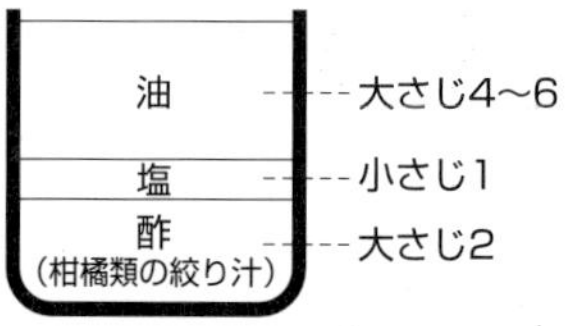

イタリアンドレッシング

つくりおきのフレンチドレッシングにプラスするだけ。

♪ ニンニクをタマネギみじん切り40gにしてもOK。

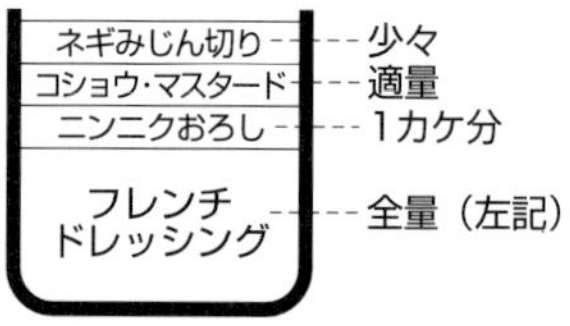

野菜マリネ　保存も兼ねた料理術

<つくり方>

①ダイコン、レンコンを厚さ3～4mmの輪切り、ゴボウは5～6mm、長ネギは幅1cmの斜め切りにして、それぞれ網などで素焼きにする。

②塩油（→P156）を容器に入れて野菜を漬け込み、そのまま食べる。

♪ タマネギ、ナス、ピーマン、ジャガイモ、カボチャ、ズッキーニなど何でも、焼いたり蒸したりして漬け込んでください。サラダにしてもおいしいです！

ヒジキマリネ

ヒジキの食感も楽しんで

<つくり方>

①ヒジキはそのまま熱湯で5分ゆでる。

②ヒジキが熱いうちに、塩油（→P156）に漬け込む。

♪ ふた付きの容器に入れて、冷蔵庫で2～3週間保存できます。

♪ そのままでもおいしい一品ですが、長ネギの千切り（→P54）や好みの野菜を切ってあえたり、上記の野菜マリネにのせてもGood。

ヒジキマリネとキャベツのサラダ

ヒジキマリネが調味料

<つくり方>

キャベツ170gを4cm角に切って蒸し、上記のヒジキマリネ100gとあえるだけ。

♪ つくりおきのヒジキマリネがあれば、短時間でさっとできる応用メニューです。温野菜にトッピングすると、ヒジキマリネが調味料の役割を果たして味がしみ込み、おいしく仕上がります。

MEMO

油は三大栄養素の一つ

とくに植物油は、細胞膜形成に欠かせないリノール酸とアルファリノレン酸を含む必須脂肪酸のかたまりです。脳の発達や免疫機能の形成など、たくさんの働きを担っています。血液サラサラ効果や肥満防止、栄養吸収を高めるなど、効果は数えきれません。

毎日の使い方のコツ

1日に大さじ2～3杯の植物油が、食事の満足度を高めて健康を守ります。過度な油ぬき食生活は、体の機能を失調させてしまいます。とくに動物性食品をあまり食べない食生活では、より多めの植物油を摂ることが重要です。

ナタネ油とゴマ油を7:3で

植物油は、ナタネ油とゴマ油がオススメです。リノール酸とアルファリノレン酸のバランスがよいナタネ油を主に、薬効成分が多いゴマ油をときどき組み合わせて使うと、必須脂肪酸のバランスがとれて、味のバランスも風味も楽しめます。オリーブ油は、夏の料理のアクセントとして少量使います。

昔ながらの圧搾製法

いい油選びのポイントは、伝統の圧搾製法であること。現代の経済性を優先した製法は、圧搾した原料から、さらに有機溶剤を使って油分を抽出しています。圧搾製法の油でないと、脂肪酸の多くが変質しているので、健康効果は期待できません。

ニンジンの鮮やかなオレンジ色は、豊富なカロチンの色。カロチンは体内でビタミンAに変化して、器官や胃腸の粘膜を保護し、風邪の予防や目の疲れ、肌荒れなどにも効果を発揮します。50gで1日のビタミンAの必要量を満たし、火を通したり油と合わせると吸収率がアップするので、煮る・蒸す・揚げるなど、料理を楽しみながら毎日食べたい野菜の一つです。

ニンジンを蒸す

甘味全開の簡単下ごしらえ

1 皮ごと好きな形に切ったニンジンに、重量の1%の塩をまぶす。

2 蒸し器に並べて10分蒸す。違った形でも一緒に蒸せる。

3 丸ごと蒸す場合は蒸し時間を長めにし、竹串で火の通りを確認。

塩をまぶして皮ごと蒸したニンジンは、そのままでニンジンの甘味全開、バターや砂糖を使うグラッセとは一味違う、つけ合わせ野菜として楽しめます。やさしい自然の甘味は、クセがなく甘すぎることもないので、サラダなどの具としてもいろいろ活用できて、とても便利。切り方をさまざまに変えて蒸せば、形も楽しい料理素材として大活躍して、料理がもっと楽しくなりますよ。

見た目はまるでエビフライ
味わいはさらに感動もの！

蒸しニンジンを使って

蒸しニンジンのフライ

ニンジンがメインディッシュに変身！

■材料（2人分）

縦1/6にした蒸しニンジン（→P158）12本、溶き衣（小麦粉1/2カップ、塩小さじ1/4、水1/3カップ）、パン粉・揚げ油各適量、ニンジンケチャップ（下記参照）適量

■つくり方

❶ 溶き衣の材料を混ぜて（溶き方→P28）蒸しニンジンにつけ、パン粉をまぶす。
❷ ❶を180℃の油で揚げる。
❸ 皿に盛り、フライの上にニンジンケチャップをかける。
♪ 蒸したニンジンは折れやすいので、やさしく扱ってください。

2 180℃の油でカラッと揚げる。

1 濃いめの溶き衣をしっかりつけて。

エビフライのように、尻尾の部分を残してパン粉をつける。

さっぱりしてヘルシー！ フライにぴったりの野菜ソース

ニンジンケチャップ

■材料

ニンジン梅酢ピューレ（→P164）40g、醤油小さじ2、水小さじ1

■つくり方

ニンジン梅酢ピューレに醤油と水をよく混ぜ合わせる。
♪ ニンジン梅酢ピューレは、マッシュしたニンジンでつくる便利調味料。どんどん活用しましょう。

蒸しニンジンを使って

クルミあえ

塩味のきいたクルミクリームは、ほっぺたが落ちるおいしさ！

■材料

乱切りにした蒸しニンジン（→P158）150g、クルミ60g、水1/2カップ、塩小さじ1/2

■つくり方

❶ クルミを焦がさないようにフライパンで煎る。
❷ ❶をすり鉢に少量の水を入れてする。すりながら水を少しずつ加えてペースト状にし、塩で味をととのえる。
❸ 蒸したニンジンを❷であえる。
♪ ニンジンの代わりに蒸しダイコンや、ゆでブロッコリーなどほかの野菜でもおいしくできるので、旬の野菜でお試しを。

1 クルミは煎る。

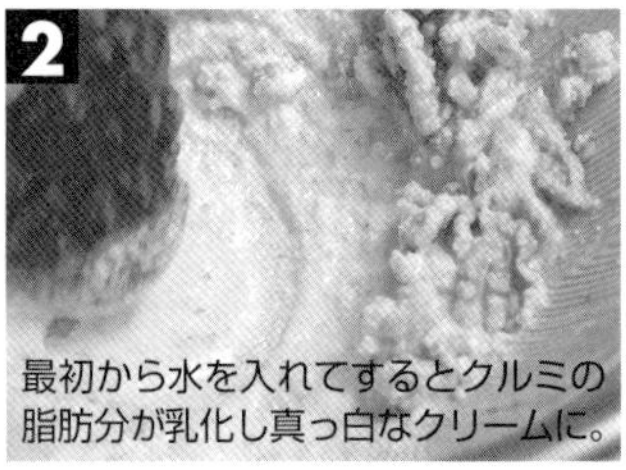

2 最初から水を入れてするとクルミの脂肪分が乳化し真っ白なクリームに。

生クリームで
あえたように真っ白！

ニンジン丸ごとパイ

パイの中でニンジンが丸ごとジャムに変身

■材料（3本分）

丸ごと蒸しニンジン（→P158）3本、パイ生地（→P82）1単位
☺ 春の小さめニンジンでつくるとかわいく仕上がります。

■つくり方

❶ パイ生地を3等分し、1枚ずつめん棒でのばす。
❷ ❶でニンジンを巻いて、余分なところを切り落とす。
❸ パイ生地をくっつけてニンジンを完全に包み込む。
❹ 包丁で、ニンジンらしくなるように模様をつけ、竹串で全体に空気穴をあけておく。
❺ ❹を180℃のオーブンで20～25分焼く。

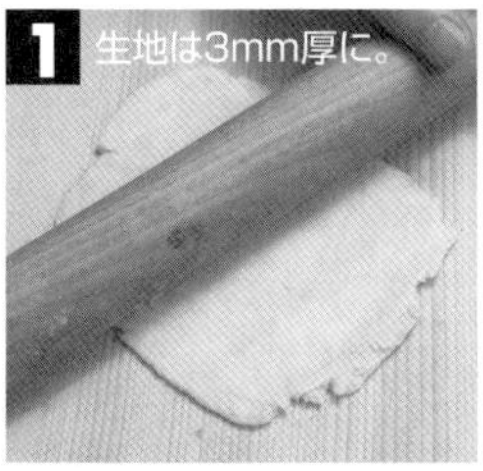

1 生地は3mm厚に。

2 くるっと巻いて、余分なところは切り落とす。

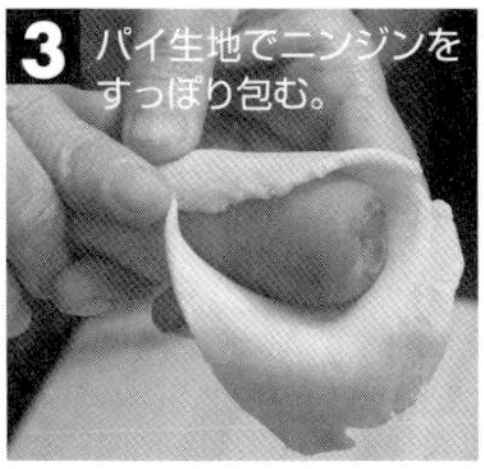

3 パイ生地でニンジンをすっぽり包む。

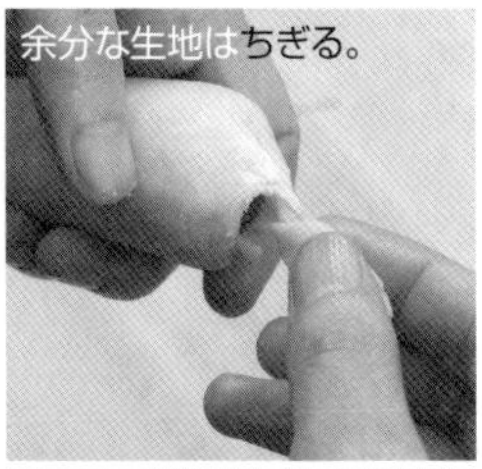

余分な生地はちぎる。

♪ ニンジンの葉がついているときは、カリッと素揚げしてパイに添えるとおいしく、見た目も楽しくなります。

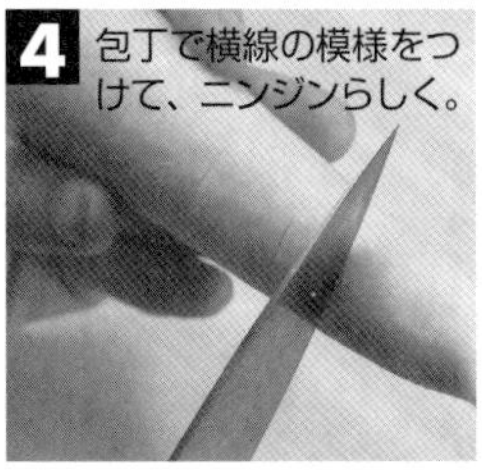

4 包丁で横線の模様をつけて、ニンジンらしく。

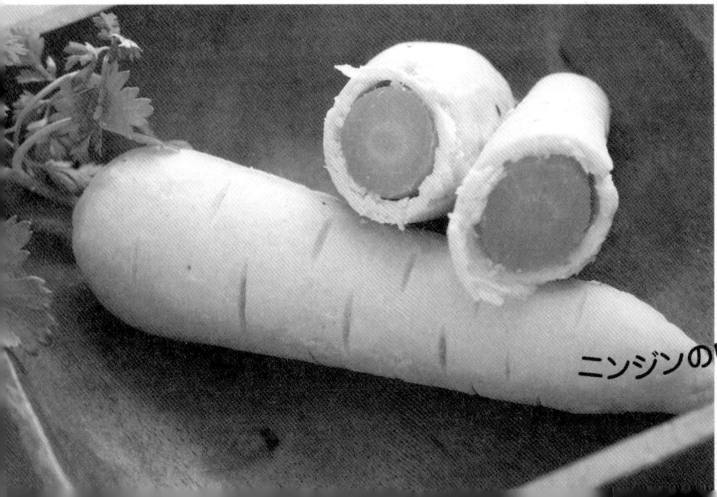
ニンジンの中から
ニンジンが登場！

ひまわりフリッター

かわいくて食感のトーンもGood

■材料

輪切りにした蒸しニンジン（→P158）適量、溶き衣（小麦粉1/2カップ、塩小さじ1/4、水1/3カップ）、パン粉・雑穀（写真はキヌア）・好みのナッツ・揚げ油各適量

☺ ニンジンの代わりにダイコン・サツマイモなど旬の野菜でもおいしくできます。必ず、塩をまぶして蒸す下ごしらえを忘れずに。

■つくり方

❶ 溶き衣の材料を混ぜて（溶き方→P28）、輪切りにしたニンジンの周囲だけにつけ、パン粉や雑穀、ナッツをまぶす。

❷ 170℃の油でさっと揚げる。

♪ 溶き衣とパン粉は、平らな器に入れるとつけやすい。

♪ きざんだナッツを同量パン粉に混ぜても、おいしくできます。

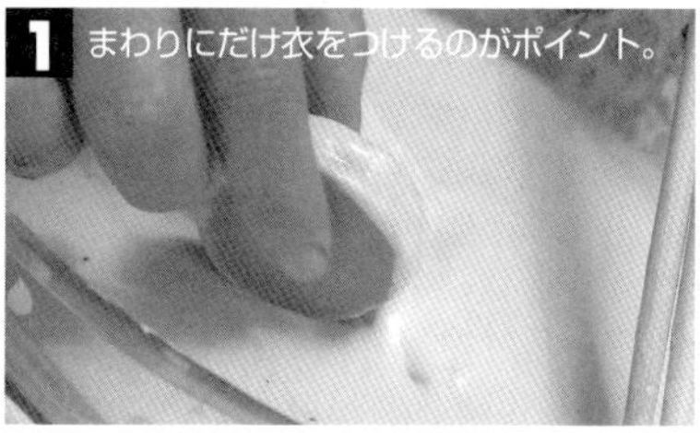
1 まわりにだけ衣をつけるのがポイント。

キヌアなどの雑穀でもおいしい。

ナッツの衣が香ばしい。

余ったパン粉でつくれるエコロジー＆エコノミーな料理

キノコのオーブン焼き

■材料（10個分）

生シイタケ10枚、パン粉1カップ、タマネギ100g、ハーブ・ナッツ各適量、オリーブ油大さじ4、塩小さじ1/2

☺ シイタケの代わりに、好みの野菜でつくってもOK。

揚げ物よりも簡単！
パン粉料理が楽しくなる

■つくり方

❶ タマネギ、ハーブ、ナッツをそれぞれみじん切りにする。

❷ パン粉にオリーブ油、塩、❶を混ぜて、シイタケに詰める。

❸ 200℃のオーブン（またはトースター）で、表面がこんがり色づくまで焼く。

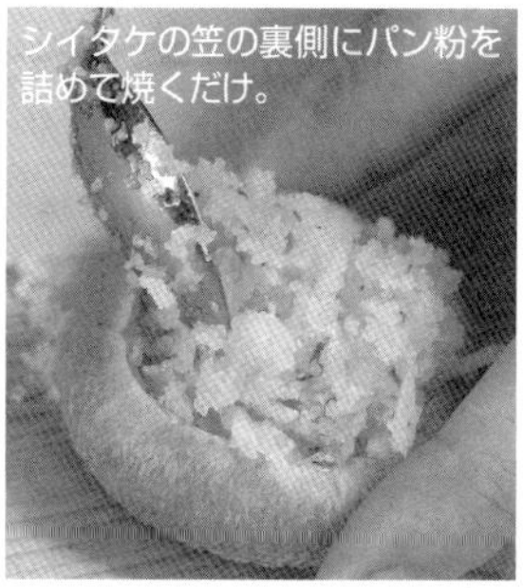
シイタケの笠の裏側にパン粉を詰めて焼くだけ。

旬のニンジンをマッシュする

旬のニンジンは蒸してマッシュすると、ニンジン臭さのまったくない、驚くほど甘いペーストになります。そのままジャム代わりに、きんとんやサラダのベースに大活躍。時間がたつとますます甘くなります。

ニンジンだけとは思えない
驚きの甘さ

ニンジンマッシュ

■材料（1単位分／できあがり410g）
ニンジン500g、塩小さじ1（ニンジンの重量の1%）、塩小さじ2/3

■つくり方
❶ ニンジンを皮ごと適当な大きさに切って塩をまぶし、15分蒸す。
❷ ❶をフードプロセッサーにかけ、塩を加える。
♪ フードプロセッサーがない場合は蒸し時間を長め（30分以上）にしてザルなどで裏ごしてください。

1 皮ごと切って、1%の塩をまぶす。

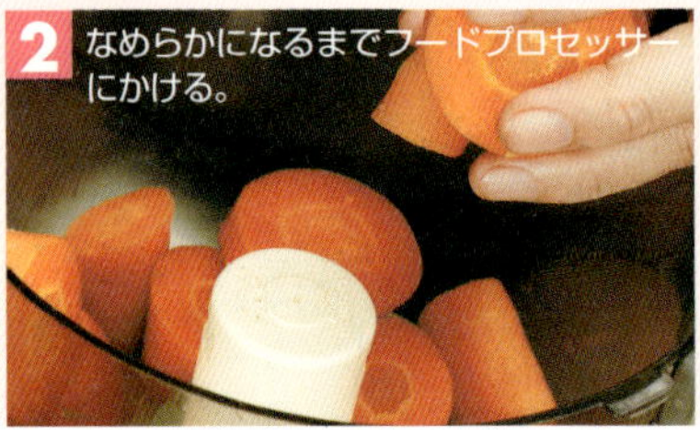

2 なめらかになるまでフードプロセッサーにかける。

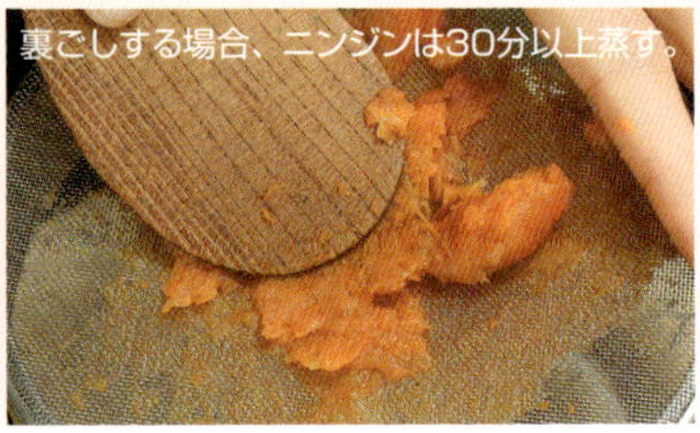

裏ごしする場合、ニンジンは30分以上蒸す。

ニンジンマッシュを使って

ピーナッツ
ペーストのように
コクがあって甘い

キャロットセサミディップ

練りゴマの油がニンジンのカロチン吸収を助けます

■材料（1単位分）
上記のニンジンマッシュ80g、練りゴマ（白）40g、塩小さじ1/2

■つくり方
材料をすべて混ぜるだけ。
♪ 練りゴマの油は酸化しにくく抗酸化物質や免疫物質に富んでいます。練りゴマ大さじ2に醤油大さじ1（または塩小さじ1/2）を加え、大さじ2の水で溶いて、バター感覚で食べるのもオススメです。

リンゴは3.5%の塩水にくぐらせ、薄切りにする。

一つまみの塩をまぶして蒸す。

カシューナッツはフライパンで煎って粗みじんに。

マッシュニンジンサラダ　アラカルト

自然の甘味がうれしいデザート感覚のサラダが集合

■材料（3人分）

ニンジンマッシュ（→P162）100gに対してそれぞれ：リンゴ60g、レーズン30g、カシューナッツ20g、カボチャ60g、塩適量

■つくり方

ニンジンマッシュに、それぞれ下ごしらえした素材を混ぜて、塩で味をととのえるだけ。

♪ 全部を混ぜると、豪華なパーティサラダに。

レーズンは水で戻してみじん切り。

ニンジンマッシュと各素材を混ぜ、塩で味つける。

リンゴ
レーズン
カシューナッツ
カボチャ
中身を変えてオリジナルサラダにも挑戦しちゃおう

ニンジンマッシュでニンジン梅酢ピューレをつくる

ニンジンマッシュに梅酢を加えれば、保存性の高いニンジン梅酢ピューレになります。オレンジ色の鮮やかなフレッシュソースとして、ケチャップのように活用できます。

ニンジン梅酢ピューレ

■材料（できあがり500g）
ニンジンマッシュ（→P162）1単位、梅酢大さじ3、塩小さじ1と1/3

■つくり方
材料をすべて混ぜ合わせるだけ。

ニンジン梅酢ピューレを使って

梅酢入り
ニンジンピューレが
甘くさわやか

森のフリッター＆ニンジン梅酢ピューレ

ブロッコリーのグリーンにオレンジが映えて色鮮やか

■材料（4人分）
ブロッコリー1株、溶き衣（小麦粉1/2カップ、塩小さじ1/4強、水1/3カップ）、揚げ油適量、上記のニンジン梅酢ピューレ適量

■つくり方
❶ ブロッコリーを適当な大きさに切る。
❷ 溶き衣の材料を混ぜて（溶き方→P28）❶につけ、180℃の油で揚げる。
❸ ❷を半分に切って、ニンジン梅酢ピューレをかける。

2 ブロッコリーは生のまま衣をつける。

表面をつつき、かたくなったら揚げあがり。

3 半分に切って断面を見せると、かわいい。

オープンサンド　のせてかわいい！おいしい！

■つくり方
上記のニンジン梅酢ピューレをそのままパンに薄くぬって、ルッコラなどのハーブをのせて。

お腹を元気にする
シンプルブルスケッタ

キャロットセサミパテ　用途でディップと使い分けて

■材料
上記のニンジン梅酢ピューレ80g、練りゴマ（白）40g

■つくり方
材料を混ぜるだけ。
♪ P162のキャロットセサミディップと似ていますが、甘さがコクに変わり、一味違ったパテになります。

野菜スティックのトッピングに

キャロットテリーヌ

鮮やかな朱色がパーティにぴったり

■材料（8×14×4.7cmの流し缶1個分）
ニンジン梅酢ピューレ（→P164）250g、棒寒天5g（1/2本強）、水1と1/2カップ、塩一つまみ

■つくり方

❶ 寒天をたっぷりの水（分量外）に3時間以上つけておく（急いでいるときは、ぬるま湯で）。
❷ ❶がしっかり水を含んだら、洗ってしっかり絞る。
❸ ❷と分量の水と塩を鍋に入れて強火にかけ、沸騰したら中火で寒天が溶けるまで煮る（途中混ぜない）。
❹ ❸が70℃くらいに冷めたら、ニンジン梅酢ピューレを混ぜ、水でぬらした流し缶に入れて冷やす。
❺ 好みの形に切って器に盛る。

♪ 寒天はゆっくり溶かすのがコツ。途中でかき混ぜると溶けないので注意。まったく混ぜなくても、すっかり溶けてなくなります。
♪ ニンジン梅酢ピューレを入れるタイミングは、熱すぎても、冷たすぎてもダメ。要注意です！

寒天で寄せて　おしゃれなオードブルに

角切りにして、海草や生野菜にのせてサラダにしても。

5 かたまったら、型から抜く。

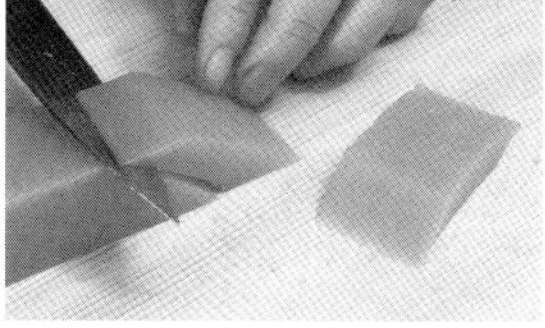

こうして切ると上の写真の形に。

とっておきのニンジン料理

ステーキ感覚の　アメ色ニンジン

ニンニク風味ニンジンクズ煮

ニンジン料理のイメージを一新するおいしさ

■材料
ニンジン1本（200g）、油あげ1枚、ニンニク1カケ、ゴマ油大さじ2、水1カップ、濃口醤油大さじ2と1/2、クズ粉小さじ1（大さじ1の水で溶く）

■つくり方

❶ ニンジンはヘタをくり抜き、2等分して厚さ5mmに切る。油あげとニンニクは千切りにする。
❷ 鍋にゴマ油とニンニクを入れ、火にかける。香りが出てきたら、ニンジンを加えてよく炒め、水と醤油、油あげを加え、ふたをして煮る。
❸ 煮汁がほとんどなくなったら、水で溶いたクズ粉をまわし入れ、トロミのついた煮汁をニンジンにからめる。

♪ 豪快な切り方がポイント。
♪ クズ粉は3回くらいに分けて入れると上手にできます。

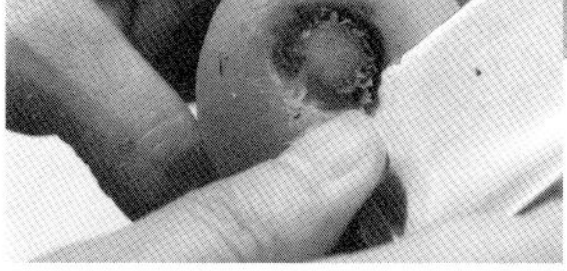

1 ヘタは栄養たっぷりなので切らずにくり抜く。

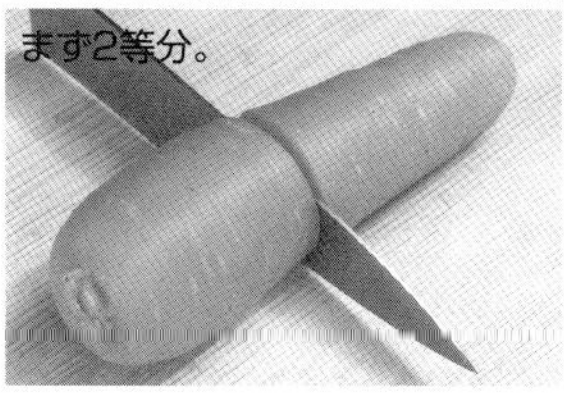

まず2等分。

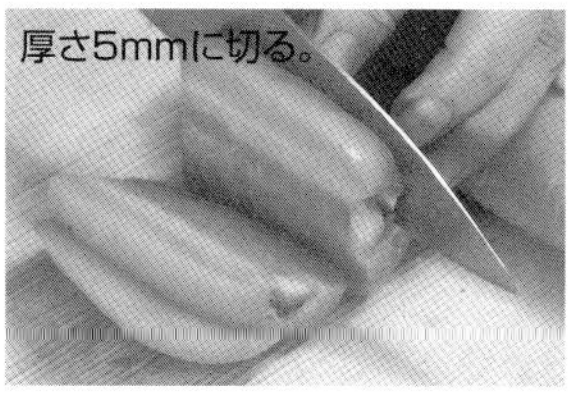

厚さ5mmに切る。

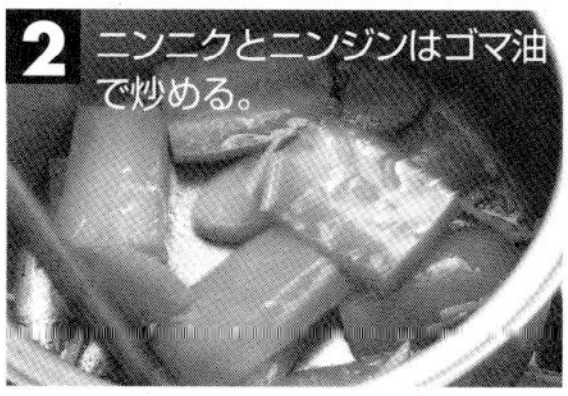

2 ニンニクとニンジンはゴマ油で炒める。

3 クズ粉を入れトロミをつける。

ジャガイモは世界で一番多く栽培されている野菜。血圧予防に効くカリウムやビタミンCが豊富です。ビタミンCは、でんぷん質に保護されているため加熱しても壊れにくく、煮ても揚げても栄養満点。春に出る新ジャガと冬ものがありますが、新ジャガはとくにビタミンCが豊富です。高紫外線にあたるとソラニンという有毒物質の芽が出るので、日陰での保存が原則。

ジャガイモを丸ごと味噌煮にする

味噌のパワーで、ジャガイモを生かし切る

ジャガイモ丸ごと味噌煮

■材料（1単位分）

ジャガイモ1kg、ゴマ油大さじ2、味噌大さじ5、水1と1/2カップ、コンブ5cm、塩小さじ1

■つくり方

1. よく洗って芽を取ったジャガイモを、皮ごとゴマ油でよく炒める。
2. 水を加え、鍋底にコンブを入れて味噌を上に乗せて塩をふり、ふたをして火にかける。
3. 煮立ったら中弱火でコトコト煮る。汁が鍋底から1cmくらいになるまで煮たら、全体に混ぜる。

♪ 途中でかき混ぜないのがコツ。

1 皮はむかずに、気になる芽だけ取る。

3 汁気がこのくらいの量になるまで絶対混ぜない。

混ぜるのはできあがり直前。

ジャガイモはカリウムをたくさん含んでいますが、味噌煮にすると、カリウムを中和して、おいしさを引き出します。そのままでもおいしく食べられますが、冷蔵庫で数日保存できるので、たくさんつくってストックしておけば、カツレツやグラタンの具に、サモサやサラダの具にと、アレンジが広がります。よく熟成した味噌を使って、風味もしっかり楽しんでくださいね。

ジャガイモ丸ごと味噌煮を使って

コロッケと同じ材料とは思えないごちそう感

ジャガタマカツレツ オリエンタルソース

ジャガイモとタマネギ、ダブルの食感が楽しめる

■材料（4人分）

ジャガイモ丸ごと味噌煮（→P166）2個、タマネギ1個、溶き衣（小麦粉1/2カップ、塩小さじ1/4、水1/3カップ）、パン粉、揚げ油、オリエンタルソース（下記参照）

☺ 溶き衣以外は各適量です。

☺ ジャガイモとタマネギの大きさを揃えると、重ねたときキレイ。

■つくり方

❶ 味噌煮とタマネギを、それぞれ厚さ1.3cmに切って、ジャガイモとタマネギを1枚ずつ重ねる。

❷ 溶き衣の材料を混ぜて（溶き方→P28）❶にたっぷりつけ、パン粉をまぶす。

❸ 170℃の油で5分揚げる。

♪ 溶き衣は濃いめにつくるのがポイント。溶き衣とパン粉をしっかりつけて、カラッと揚げましょう。

1 タマネギは1.3cmの厚さに。

味噌煮とタマネギは同じ厚さに切る。

2 味噌煮とタマネギを1枚ずつ重ねて衣をつける。

フライやグリルに合うカラフルソース

オリエンタルソース

■材料（1カップ強分）

レモン汁・醤油各大さじ1、塩小さじ1/2、練りカラシ小さじ1/2、水大さじ3、長ネギ（白い部分）20g、長ネギ（青い部分）10g、トマト60g、ピーマン（緑・黄・赤を混ぜるとキレイ）55g

■つくり方

野菜をすべて細かいみじん切りにして、調味料と混ぜ合わせる。

♪ 日持ちのする、便利なソース。油大さじ2を加えればドレッシングになります。

ジャガイモ丸ごと味噌煮を使って

味噌ジャガサモサ

インド料理も味噌煮でお手軽に

■材料（8個分）
ジャガイモ丸ごと味噌煮（→P166）120g、インゲン（またはピーマン）20g、残りごはん（または雑穀を炊いたもの）30g、塩小さじ1/4、カレー粉小さじ1/6、パイ生地（→P82）1単位、揚げ油適量

■つくり方
❶ 味噌煮を1.5cm角のサイの目に切り、インゲンを塩（分量外）ゆでして小さく切る。
❷ パイ生地を4等分し、それぞれ直径15cmの円形にのばして、半月型に切る。
❸ ボウルに❶とごはん、塩、カレー粉を混ぜて8等分し、❷の上に置き、三角形に包む。
❹ ❸を180℃の油で揚げる。箸で表面をつついて皮がかたくなったらできあがり。

つまんで
パクッが
楽しい

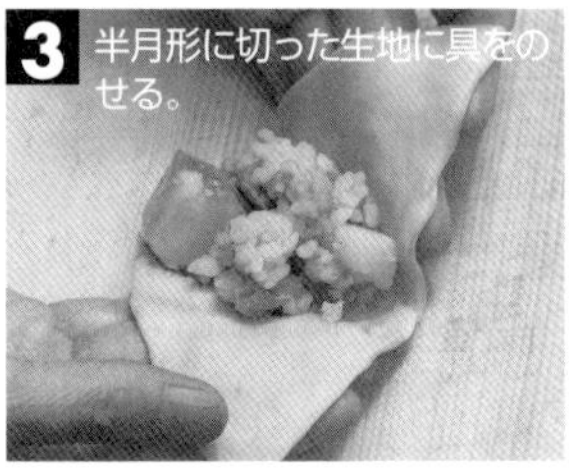
3 半月形に切った生地に具をのせる。

生地の一辺をくっつける。

底を全部くっつけて、イカの頭のような形に仕上げる。

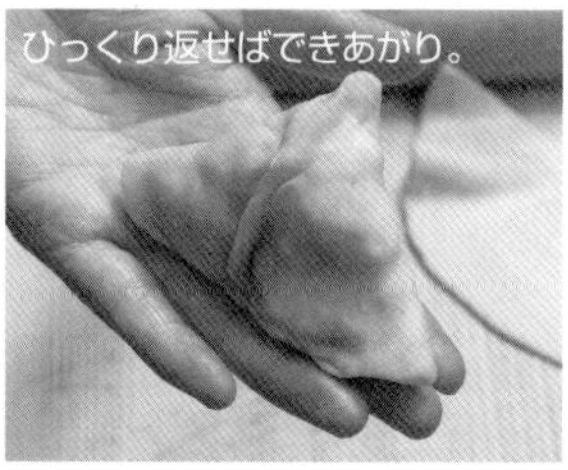
ひっくり返せばできあがり。

味噌ジャガパン粉グラタン（香草焼き）

残り野菜がごちそうに変身する南欧料理

■材料（4人分）
ジャガイモ丸ごと味噌煮（→P166）250g、タマネギ1/2個、油小さじ1/2、塩小さじ1/4、パン粉1カップ、油（パン粉用）大さじ2、青ジソなど好みのハーブ少々
☺ バジルやローズマリーなどのハーブも合います。

■つくり方
❶ 味噌煮を厚さ5mmの輪切りまたは半月切りにする。
❷ タマネギを薄切りにして油で炒め、塩をふる。
❸ ❶と❷を交互に耐熱容器に並べる。
❹ パン粉を油でさっとソテーし、みじん切りにしたハーブを混ぜ、❸の全体を覆うようにかける。
❺ 200℃のオーブンで表面に焦げ目がつくまで10分ほど焼く。

カリッ
ジュワッ
サクッと
おいしい

3 味噌煮とタマネギは交互に並べて。

ジャガイモ丸ごと味噌煮は、そのほかこんな料理にも…
●スライスして、ゆでたヒジキと一緒に塩とオリーブ油を合わせた調味液に漬ければ、味噌ジャガマリネ
●一口大に切って、セロリやシソ、レタスと合わせて味噌ジャガサラダにも！

マッシュポテトをつくる

ホロホロッとした繊細な口あたりの秘密はつぶし方。泡立て器を使ってつぶすだけで、いつものジャガイモがまるで違う食材に生まれ変わります。

泡立て器でつぶせば新食感！

マッシュポテト

■材料（1単位分）
皮を厚めにむいたジャガイモの中身（→P171）100g、塩小さじ1/5（ジャガイモの重量の1％）

■つくり方
❶ ジャガイモに塩をまぶし、蒸し器に入れて15分蒸す。
❷ 熱いうちに泡立て器でつぶす。

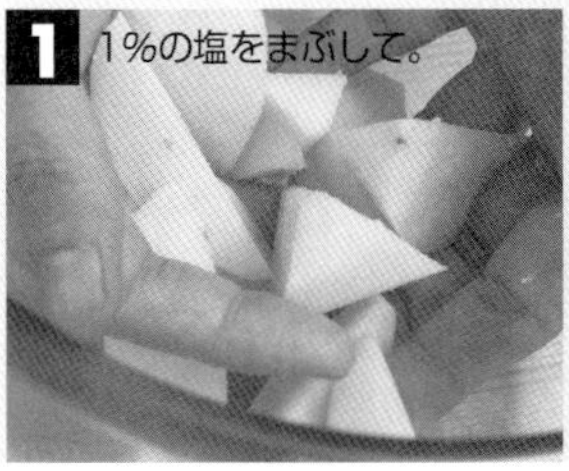

1 1％の塩をまぶして。
蒸し器に入れ、15分蒸す。
2 熱いうちにつぶす。

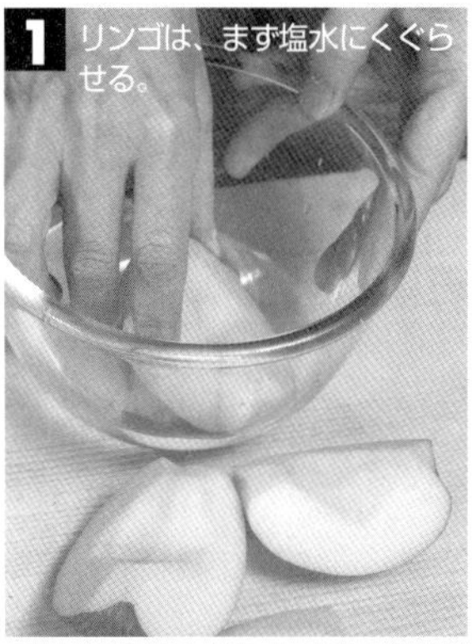

1 リンゴは、まず塩水にくぐらせる。
薄くスライスする。
2 紅ショウガを混ぜるのが味の決め手。

マッシュポテトを使って

マッシュポテトのリンゴあえ
薄切りリンゴに、繊細なマッシュポテトをまとわせて

■材料（3人分）
上記のマッシュポテト1単位、リンゴ1/4個、濃度3.5％の塩水（水1/4カップ、塩小さじ1/3）、紅ショウガ（千切り）適量

■つくり方
❶ リンゴ1/4個を塩水にくぐらせてから、薄くスライスする。
❷ ❶をマッシュポテトであえて、紅ショウガを混ぜ合わせる。

紅ショウガとリンゴの意外なベストマッチ

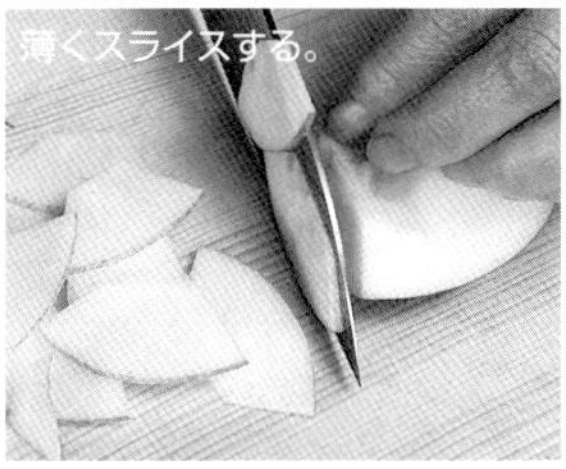

マッシュポテトと一緒につくる

マッシュポテトのイリオ

キリリと引き締まったビターな味わいのアフリカ料理

■材料

皮を厚めにむいたジャガイモの中身（→P171）200g、インゲン（ブロッコリーでも）40g、ニンジン40g、タマネギ40g、ホールコーン40g、ニンニク1/2カケ、ショウガの絞り汁小さじ1、塩適量

■つくり方（4人分）

❶ ジャガイモはくし形に、インゲン、ニンジン、タマネギはコーンに合わせて5mm角に切り、それぞれ重量の1%の塩をまぶす。

❷ ❶とニンニクをすべて一緒に15分蒸す（野菜はそれぞれ小皿に入れて蒸すとよい）。

❸ ❷のジャガイモとニンニクを一緒につぶし、マッシュポテトをつくる（→P169）。これにほかの野菜を混ぜ合わせ、ショウガ汁で味つけする。

ショウガの風味が新鮮！

2 野菜は一緒に蒸せば、マッシュポテトと一緒にできてしまう。

3 ショウガの絞り汁がポイント。

やわらかなブロッコリーがおいしい！

マッシュポテトとブロッコリーのサラダ

蒸すのもつぶすのも全部一緒のお手軽サラダ

■材料（4人分）

皮を厚めにむいたジャガイモの中身（→P171）200g、塩小さじ2/5（ジャガイモの重量の1%）、ブロッコリー80g、塩一つまみ、ニンニク1/2カケ、赤梅酢小さじ2、ゴマ油小さじ2

■つくり方

❶ ジャガイモに塩をまぶし、塩一つまみをふったブロッコリー、ニンニクと一緒に15分蒸す。

❷ ❶をすべて一緒にボウルに入れ、マッシュポテト同様に、泡立て器でつぶす（→P169）。

❸ 赤梅酢にゴマ油を合わせてドレッシングをつくり、❷にかける。

1 野菜は一緒に蒸して一緒につぶす。

3 赤梅酢とゴマ油で、旨味のあるドレッシングに。

ジャガイモの皮を厚くむく

ジャガイモの皮には独特の風味があって、捨てるなんてもったいない！　皮つきのまま煮たり揚げたりするのがオススメですが、皮と中身を分けると、二つの素材のできあがり。それぞれおいしくいただけます。

ジャガイモ二段活用術

1 皮はむかずに、気になる芽だけ取る。

2 1個を6〜8等分のくし切りにする。

3 皮と中身が同量になるくらいまで厚めに皮をむく。

4 皮と身を分けた状態。

ジャガイモは、皮がおいしいことを実感

厚めにむいたジャガイモの皮を使って

ポテトスキンフライ　数倍おいしい皮つきのフライドポテト

■材料

上記の厚めにむいたジャガイモの皮、揚げ油、カレー塩（カレー粉2：焼き塩1）各適量

☺ カレー塩は、塩コショウでもOK。

☺ カレー塩は、ストックしておくと便利。おにぎりなどにも合うので、ふりかけてどうぞ。

■つくり方

❶ 180℃の油でジャガイモの皮の中心までしっかり揚げて取り出す。

❷ 油の温度を200℃に上げて、❶を再び入れ、カリッと揚げる。

❸ ❷が熱いうちに、カレー塩をふっておく。

♪ ジャガイモは一度にたくさん入れて揚げてもOK。

1 ゆっくり火を通し、一度取り出す。

2 200℃の油でもう一度揚げる。

こんがりカリッと揚がったら完成。

味噌汁＆スープ

具だくさんおかず味噌汁 & 1％塩分スープでお腹も心も大満足

1％の塩分、これが海のミネラルバランス。
1％の塩スープ、1％の味噌汁は、細胞のすみずみまでをうるおす母なる海のおいしさをもっています。
具をたくさん入れると塩分は打ち消されるので、基本のバランスを覚えて、具だくさんにする場合は多めの塩や味噌加減にします。ここで紹介する具だくさん味噌汁は、我が家で大人気の夏バージョンと秋冬バージョンです。
味噌汁の基本、スープの基本を覚えて、オリジナルのおいしさを発見し、楽しんでください。

基本の味噌汁
野菜や海草の自然のだしと旨味が味噌汁の原点

＜材料＞ 1人分
具（ダイコン、ワカメ）適量、コンブ3cm、水180cc、味噌大さじ1強（15〜18g）

＜つくり方＞
①具のダイコン、ワカメは食べやすく一口大に切る。
②鍋に水を入れ、コンブとダイコンを水から入れて煮て、ダイコンが煮えたら、味噌を溶き入れる。
③一煮立ちさせてからワカメを入れ、火を止める。
♪ダイコンとワカメで紹介しましたが、好みの具で楽しんでください。根菜は水から煮て、ワカメなどの海草は火を止める直前に入れるのがコツです。

1％のインスタント塩スープ
古代海水の濃さを体験

＜つくり方＞
カップに塩小さじ1/3と薬味（青ジソなど）少々、フノリなど好みの海草少々を入れ、熱湯180ccを注ぐだけ。
♪32億年前、古代の海で生まれた生命細胞の子孫である私たちの体液と同じ、1％の塩分濃度のスープです。1％の塩スープで母なる海の味を感じてください。

夏野菜の炒め味噌汁　ちょっぴりイタリアン

＜材料＞ 4人分

トマト1個、ナス1個、キュウリ1本、油大さじ1、コンブ5cm、水3カップ、味噌60g

＜つくり方＞

①トマトはザク切り、ナス・キュウリは縦半分に切って3mmの斜め薄切りにする。

②鍋に油を熱してキュウリ、ナス、トマトの順に炒め、コンブと水を入れて煮込み、味噌を溶き入れる。

タマネギとダイコンとシラタキの炒め味噌汁

体の芯から温まるおいしさ

＜材料＞ 4人分

タマネギ1個、ダイコン100g、シラタキ250g、ネギ（薬味用）適量、ゴマ油大さじ2、コンブ5cm、水3カップ、塩小さじ1/2、味噌大さじ4、七味トウガラシ少々

＜つくり方＞

①タマネギは一口大（切り方→P176）、ダイコンは皮はむかず一口大に切る。シラタキは食べやすく切る。

②鍋に油を熱してタマネギを炒め、色が透き通ってきたらシラタキ、ダイコンの順に炒め合わせる。

③コンブと水を入れ、ふたをして強火で煮て、煮立ったら塩を加えてふたをして中弱火で煮る。ダイコンがやわらかくなったら味噌を溶き入れ、火を止める。

旨味を楽しむ野菜スープバリエーション

長ネギとヤマイモのスープ

＜材料＞3人分

ヤマイモ100g、小麦粉大さじ2、長ネギ10cm、だし汁3カップ、塩小さじ1と1/2、焼きノリ・おろしワサビ各少々

＜つくり方＞

①ヤマイモは皮ごとすりおろして小麦粉と混ぜる。

②鍋にだし汁と塩を入れて煮立て、ヤマイモをスプーンで一口大ずつ落とし、浮いてきたら小口切りのネギを加えさっと煮立てる。

③器に盛り細切りの焼きノリとおろしワサビをのせる。

ニラとハルサメのスープ

＜材料＞3人分

ニラ1/2束（50g）、ハルサメ30g、水（またはだし汁）3カップ、塩小さじ1と2/3、酒大さじ2

＜つくり方＞

①ニラは3cmに切り、ハルサメは熱湯でゆでて水にさらし、すぐに水気を切って食べやすい長さに切る。

②鍋に水、塩を入れて煮立て、ニラと酒を加えてさらに煮て、ニラに火が通ったらハルサメを加え、味をみて塩（分量外）で味をととのえる。

キャベツとエノキのスープ

＜材料＞3人分

キャベツ1.5枚（60g）、エノキ100g、水（またはだし汁）3カップ、塩小さじ1と1/5

＜つくり方＞

①キャベツは千切り、エノキは根元を落として半分に切り、ほぐす。

②鍋に水、塩、キャベツ、エノキを入れて強火にかけ、煮立ったら中火で具がやわらかくなるまで煮る。

MEMO

だしを変えて楽しむ

だしは、コンブや干しシイタケ、干しシメジなど、いろいろな味を楽しんでみましょう。具をたくさん入れるときや海草が入るときは、だしなしでも材料から充分旨味が出ます。野菜も水からコトコト煮れば、とくにだしがなくてもおいしく仕上がります。

好みの味噌の割合で

食べ合わせるものや季節を考えて味噌の濃さを変えると、よりおいしい味噌汁がつくれます。夏には少なめの味噌と塩で味をつけて、さっぱり味に。いつもの1/3程度の味噌と多めの塩の味つけなら、パン食にも合うスープ感覚の味噌汁になります。

具の工夫いろいろ

具を細め、または薄く切って、だし汁が沸いてから加えれば、あっさりタイプの味噌汁に。大きく切って水から煮るとボリュームタイプの味噌汁がつくれます。ちぎったり、すりおろしたり、具の切り方によっても、味のしみ込み方も変わるので、いろいろ試してみてください。

メインディッシュにも

具だくさん味噌汁やスープに、すいとんや餅、めんなどを入れると、メインディッシュに早変わりします。野菜も穀物も一緒に摂ることができて、消化もよく、簡単につくれるので時間がないときにはとても重宝する一品になります。

きざむと涙が出るのは、タマネギの硫化アリルという辛味成分。これはビタミンB1の吸収を高め、新陳代謝をよくして、疲労回復や食欲不振・夏バテに効果的。加熱すると甘味のある成分に変化し、炒めるほど甘く旨味が増します。風通しのよい場所で長期保存が可能。ただし甘くやわらかい春先の新タマネギは、ほかの季節のものより保存がきかないので注意して。

オニオンリングをつくる

イカリングに見たてて遊び心いっぱいに味わう

1 タマネギを8mm〜1cmの厚さの輪切りにする。

2 輪切りにしたタマネギをパラパラにほぐす。

♪ まわりのリングの部分だけ使います。中心に近い部分は、きざんで別の料理に。

オニオンリングフライ　プレーンと青ノリ風味、2種類の味を楽しんで

■材料

タマネギ1個、溶き衣（小麦粉1/2カップ、塩小さじ1/2、水1/3カップ）、パン粉・揚げ油・青ノリ各適量

■つくり方

1. オニオンリングにしたタマネギに、溶き衣とパン粉をつける。青ノリ風味は、パン粉に青ノリを混ぜる。
2. 170℃の油でカラッと揚げる。

♪ 溶き衣に青ノリを混ぜてそのまま揚げれば、スペイン風フリッター「カラマレス」になります。

1 パン粉に青ノリを混ぜて揚げれば青ノリ風味に。

タマネギを1cmの輪切りにしてほぐしたオニオンリング。これをイカに見たてて、リングフライはいかが？
輪切りのときとはまったく違った味が楽しめます。

タマネギだけの
天ぷらとは思えない
満足感★

オニオンリングを使って

オニオンリングのかき揚げ丼

軽く歯ごたえのいいかき揚げを丼に

■材料（4人分）

オニオンリング1個分弱、パプリカ1個、溶き衣（小麦粉1/2カップ、塩小さじ1/2、水1/3カップ）、ごはん・万能たれ（下記参照）・揚げ油各適量

■つくり方

❶ オニオンリング3〜4枚と、輪切りにしたパプリカ1枚を重ねるようにして溶き衣をつけ、170℃の油で揚げる。
❷ 丼にごはんを盛り、❶をのせて万能たれをかける。
♪ 板麩、インゲンなどをプラスするとよりおいしい。

1 オニオンリングとパプリカを重ねて揚げる。

丼、素焼き野菜、ソテーにも大活躍！

万能たれ＆照り焼きのたれ

■材料

豆味噌小さじ1、醤油大さじ1と1/2、酒大さじ3、水大さじ3、リンゴジュース大さじ1

■つくり方

鍋に材料を順に入れて混ぜ合わせ、煮立てると万能たれに。これに、クズ粉大さじ1を3倍の水で溶いてまわし入れ、トロミをつければ照り焼きのたれになります。

タマゴなしでつくるマヨネーズ風ソース

タマネギレモンクリームソース

■材料（1カップ分）

タマネギ100g、ゴマ油大さじ1、塩小さじ1と1/2、小麦粉1/4カップ、水1カップ、レモン汁大さじ2

☺ タマネギは中1個が約200gなので覚えておくと便利です。

■つくり方

❶ タマネギをみじん切りにして油を熱した鍋で軽く炒め、塩と小麦粉をふり入れて2〜3分くらいとろ火で炒める。
❷ ❶に水を加えて火を止め、粉を泡立て器などで完全に溶く。
❸ 強火にかけ、トロミが出るまでかき混ぜる。
❹ トロミが出たらレモン汁で風味づけをして混ぜ、火を止める。

これがあれば
マヨネーズは
いらない

1 粉にしっかり火を入れて、粉っぽさをなくす。

2 必ず火を止めて粉を完全に溶かないと、ダマになる。

3 強火でトロミが出るまでかき混ぜる。

4 最後にレモン汁で風味づけ。

一口タマネギをつくる

タマネギを放射状に切ると中心の方は細かくなりすぎ、料理すると先に火が通ってくちゃくちゃになってしまいます。そこで写真のように切り方を工夫すると、形が揃い、味が均等にしみ込む一口タマネギができます。透き通ったタマネギの、ほんわか甘い独特の食感を楽しむ一口切りは、白い透明感を楽しむ具として、主役にもアクセントにもさまざまに活用できます。

一口タマネギの切り方

1 4等分したタマネギを、横半分に切る。

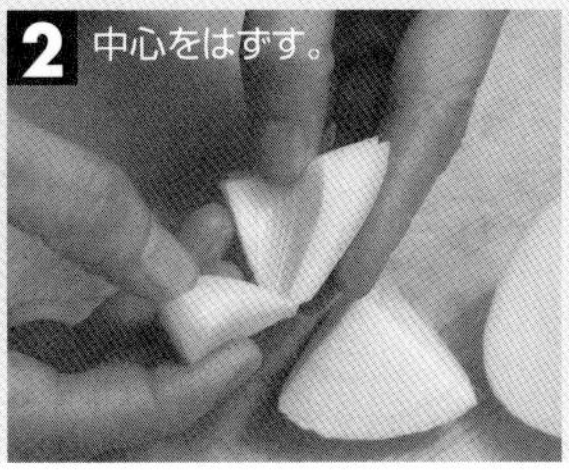
2 中心をはずす。

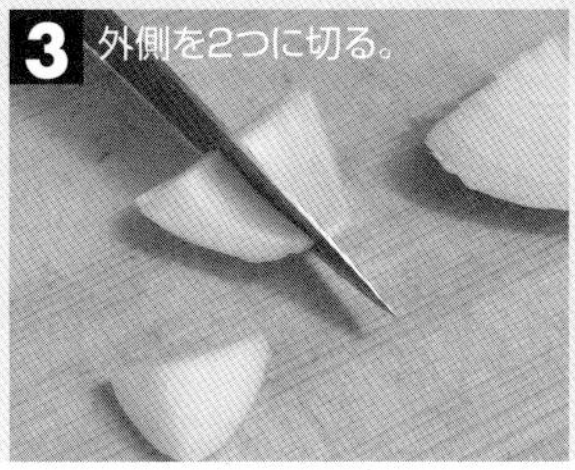
3 外側を2つに切る。

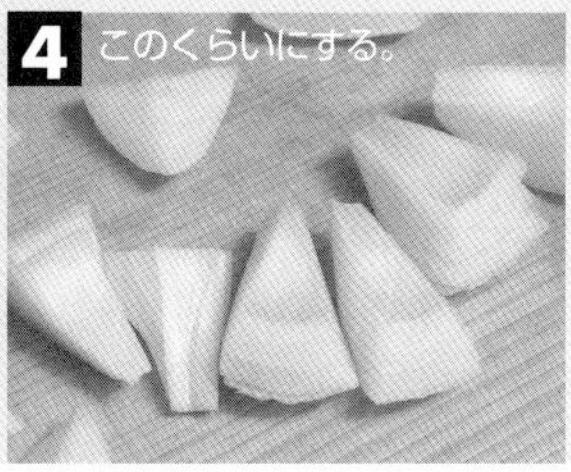
4 このくらいにする。

一口タマネギを使って

野菜の中華炒め

塩油熱湯で下ごしらえして本格的に

■材料（6人分）

上記の一口タマネギ1個分、ナス2個、ピーマン2個、ショウガ5g、油通し用（水3カップ、油小さじ1、塩小さじ1）、油大さじ1、調味料（味噌5g、醤油大さじ1、梅酢小さじ1、酒大さじ1/2、水1/2カップ）、クズ粉大さじ1（倍量の水で溶く）

■つくり方

❶ ショウガを千切りにし、ナス、ピーマンは一口大に切る。

❷ 油通し用の材料を鍋に入れて火にかけ、グラグラと煮立ったところにタマネギ、ナス、ピーマンを入れ、一煮立ちしたらザルにあげて水気を切る。

❸ 中華鍋を強火にかけ、油を熱してショウガを炒め、❷の野菜をさっと炒める。

❹ 調味料の材料を合わせたものを加え、煮立ったら、倍量の水で溶いたクズ粉をまわし入れてトロミをつける。

♪ 甘さを出したいときは、具にリンゴやパイナップルを加えたり、調味料の酒をみりんに代えて。

つやつや
しゃっきり
旨味いっぱいの
炒め物

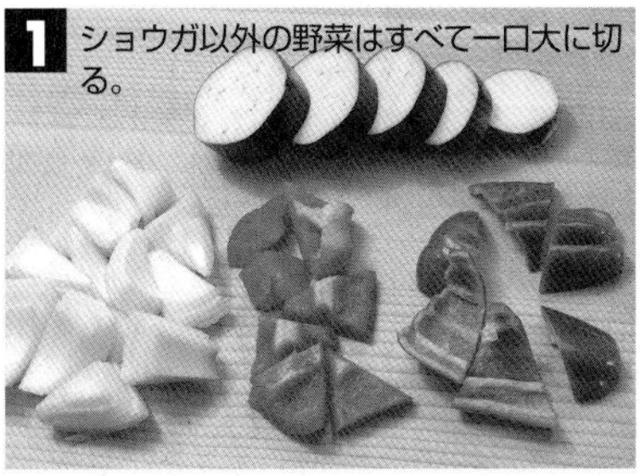
1 ショウガ以外の野菜はすべて一口大に切る。

2 野菜は全部一緒に油と塩の入った熱湯に入れて油通しする。

4 調味料は先に混ぜておいて加える。

一口タマネギと高野豆腐を使って

高野豆腐とタマネギのカポナータ（トマト煮）

トマトの水分だけで煮込むのがポイント

■材料（6人分）

高野豆腐4枚、トマト250g、油小さじ2、一口タマネギ（→P176）250g、塩小さじ1と1/2

■つくり方

❶ 高野豆腐を水、または熱湯で戻して絞り、一口大のそぎ切りにする。トマトも一口大に切る。

❷ タマネギを油でさっと炒めて、高野豆腐とトマトを加え、塩をふってふたをして中弱火で煮込む。タマネギが透き通ってクタッとしてきたらできあがり。

♪ 高野豆腐に衣をつけて揚げれば、まるで鶏肉のようなカツレツに変身。たくさんつくってお弁当のおかずにも利用しましょう。

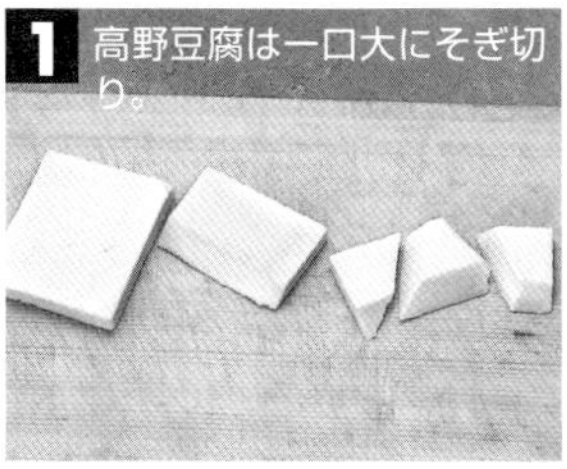

1 高野豆腐は一口大にそぎ切り。

トマトは皮を下にするときれいに切れる。

2 塩をふって煮込むだけ。

高野豆腐とタマネギの炒め塩煮

タマネギと高野豆腐の食感のハーモニーが楽しい

■材料（6人分）

高野豆腐3枚、一口タマネギ（→P176）1個分、インゲン200g、コンブ5cm、水1/2カップ、油大さじ3/4、塩小さじ2/3

■つくり方

❶ 高野豆腐を戻し、上記のカポナータ同様にそぎ切りにする。

❷ タマネギを油で炒めて半量の塩をふり、コンブと水を加えて残りの塩をふる。

❸ インゲンと高野豆腐を❷の上にのせてふたをし、煮立ったら中火にして、ときどきヘラで表面を押しながら煮込む。タマネギがクタッとして、インゲンがやわらかくなればできあがり。

♪ コンブ・水を入れるとき一緒に醤油小さじ1/2を加えて煮れば、醤油風味になって、これもおいしく仕上がります。

2 タマネギを炒めて1回目の塩をふる。

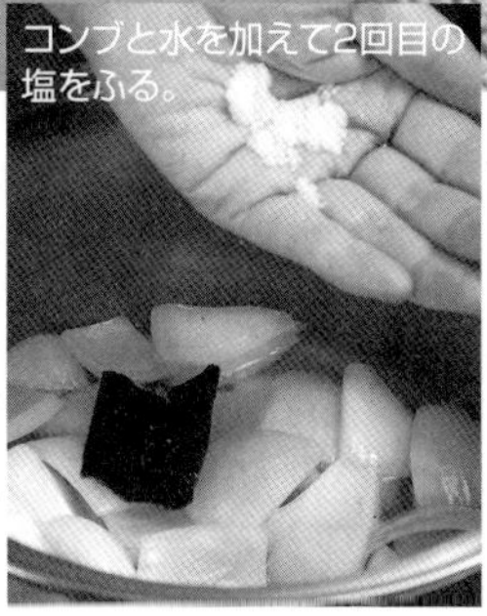

コンブと水を加えて2回目の塩をふる。

3 高野豆腐に味をしみこませながら煮込む。

タマネギコーンをつくる

コーンのようにコロコロに切ったのがタマネギコーン。新タマネギの季節には、旬のみずみずしいタマネギコーンを楽しみませんか。主役になりにくいタマネギも、この新鮮な食感を利用すれば印象的な料理になります。

タマネギコーンの切り方

1 タマネギを縦に1.5〜2cmの輪切りにする。

2 横に倒してそのまま1.5〜2cm角に切る。

根菜のやさしい
甘さにいやされる

タマネギコーンを使って

根菜のミネストローネ風 油を使わない、あっさり透明スープ

■材料（4人分）

上記のタマネギコーン1/2個分、ダイコン60g、ニンジン20g、ジャガイモ40g、トマト400g、水3カップ、コンブ5cm、塩小さじ2

2 トマト以外の野菜をだしで煮込む。

3 沸騰したら塩とトマトを加えてさらに煮込む。

■つくり方

❶ 野菜をタマネギコーンくらいのサイの目に切る。

❷ トマト以外の野菜と水・コンブを一緒に鍋に入れて火にかける。

❸ 沸騰したら塩とトマトを入れ、中火でコトコト10分くらい煮込む。

♪ マカロニ（20g）やスパゲティを入れて塩味をととのえたら、主食にもなるスープパスタに。

野菜の甘味が
ほんのり

タマネギとコーンの蒸し煮クズサラダ

体を冷やさないクズ入りサラダ

■材料

上記のタマネギコーン60g、トウモロコシ（ホール缶）100g、キュウリ60g、塩小さじ1/6、クズ粉小さじ1（大さじ1と1/2の水で溶く）、梅酢小さじ1/3

■つくり方

❶ キュウリをトウモロコシと同じくらいのサイの目に切る。

❷ タマネギを鍋に入れ、塩と大さじ1の呼び水を加え、タマネギが透き通るまで弱火で蒸し煮する。

❸ ❷を火にかけたまま、❶のキュウリとトウモロコシを加える。

3 水気が少ないようでも、水溶きクズを加えるとツヤが出る。

❹ 梅酢で味をととのえ、水で溶いたクズ粉をまわし入れて、全体にトロミをつけてからめる。

♪ 生のトウモロコシをゆでて使う場合は、塩を小さじ1/3にし、タマネギと一緒に蒸し煮にする。

ミネストローネの
＊和風バージョン

1 高野豆腐はサイの目に切る。

3 最初にゴボウを炒めて旨味を引き出す。

根菜のざくざく煮

東北各地の定番伝統料理。DNAに響く故郷の味です

■材料（1単位分）

タマネギコーン（→P178）200g、ゴボウ50g、ニンジン60g、ダイコン60g、高野豆腐2枚、コンニャク1/2枚、干しシイタケ4枚、水1と1/2カップ、コンブ5cm、油大さじ2、塩小さじ1、醤油大さじ1

■つくり方

1. 高野豆腐をサイの目に切る。
2. 干しシイタケは分量の水で戻し、野菜とコンニャクとともに高野豆腐と同じくらいの大きさのサイの目に切る。ダイコンは高野豆腐より大きめ、ニンジンは小さめにする。
3. 鍋に油を熱し、ゴボウがツーンとした匂いから甘い香りに変わるまでよく炒める。
4. コンニャク、干しシイタケ、ニンジン、ダイコンの順に炒め、干しシイタケの戻し汁、コンブを加える。
5. タマネギコーンと高野豆腐を加え、沸騰したら塩と醤油を足して、コトコトと10分くらい煮込む。

♪ 野菜を炒める順番がポイント。

♪ 日持ちがするのでまとめてつくると便利。炒りおからや炒り豆腐、チャーハン、ちらしずしの具などに活用できます。

根菜たっぷりで
体にうれしい

1 ジャガイモは皮つきのままつぶして使う。

2 ざくざく煮のゴロゴロ感がおいしい。

形は好みで。

お惣菜コロッケ

ざくざく煮をアレンジして食感の楽しいコロッケを

■材料（10個分）

ジャガイモ4個（約530g）、塩小さじ1強（ジャガイモの重量の1%）、上記の根菜のざくざく煮1/2単位、塩小さじ1、溶き衣（小麦粉1/2カップ、塩小さじ1/3、水1/3カップ）、パン粉100g、揚げ油適量

■つくり方

1. ジャガイモを皮つきのまま、塩をまぶして15分蒸してつぶす。
2. ジャガイモ、根菜のざくざく煮、塩を混ぜ、10等分して小判形にする。
3. 溶き衣の材料を混ぜて溶き（溶き方→P28）、パン粉をつけて揚げる。

高野豆腐

栄養豊富！
豊かな風味で
乾燥精進ハムの
味わい

高野豆腐は、豆腐を自然の寒さで凍結させ、乾燥させたもの。
良質なタンパク質やミネラルなど、豆腐の豊富な栄養は残したまま、伝統の技術でつくった乾物なので、風味豊かで栄養も保存性も優れた健康食品です。
お湯や水ですぐに戻り、味もつけやすいので、もう一品ほしいというとき、手軽に使えてとても便利。ぜひ常備しておきたい食材でもあります。
下味をつけた含め煮にしておけば、揚げ物や炒め物に加えてハムやチキン感覚で活用できます。

高野豆腐の含め煮　料理素材に大活躍！

<材料>

高野豆腐4枚、コンブ5cm、水1カップ、醤油大さじ1（または塩小さじ1/3）

<つくり方>

①高野豆腐は水か湯（分量外）にひたして戻し、水気を絞る。塩で煮る場合は戻さなくてOK。
②鍋にコンブを敷いて水と醤油（または塩）を入れ、高野豆腐を並べふたをして煮る。煮立ったら弱火でコトコト煮汁がなくなるまで煮る。
♪ 醤油大さじ1で煮ると、料理素材として応用がきく下味つき高野豆腐。醤油大さじ1と1/2にすればしっかり味になり、さらにショウガやニンニク、八角などを入れて煮ると中華風のおかずになります。
♪ 塩小さじ1/3で煮たものは、そのまま食べても、レンコンやダイコンとはさみ揚げにしても、おいしいです（レシピ→P95、P132）。

高野豆腐の中華ハム風　じっくり煮込んだ深い味わい

<材料>

高野豆腐4枚、揚げ油適量、コンブ5cm、水1カップ、醤油大さじ1と1/2、ショウガ1カケ、ニンニク少々

<つくり方>

①高野豆腐は戻さず、油でキツネ色に揚げる。
②鍋にコンブを敷いて水と醤油、ショウガとニンニクの千切りを入れ、高野豆腐を並べふたをしてコトコト煮る。
③高野豆腐をヘラで押しても水分が出なくなるまで煮たら火を止め、冷まして薄くそぎ切りして器に盛る。
♪ ゆでた青菜や海草などと一緒にどうぞ。

□形や切り方を変えて□

高野豆腐は切り方を変えると、また違った味わいに。細長く切ったり、薄くシート状に切って野菜などを巻いてみても。いろいろな形や切り方を試して、料理に活用してください。

高野豆腐のバンバンジー　さっぱりチキンの風味

<材料>

高野豆腐の含め煮（→P180）5枚、キュウリ適量、溶き衣（小麦粉1カップ、塩小さじ1/3、水2/3カップ）、揚げ油適量、ゴマ味噌ソース全量（下記参照）

<つくり方>

①高野豆腐の含め煮を縦3つに切って軽く絞り、溶き衣（溶き方→P28）をつけて180℃の油でカラッと揚げる。

②揚げた高野豆腐が冷めたらそぎ切りにして、キュウリの千切りの上に盛りつけ、ゴマ味噌ソースをかける。

●ゴマ味噌ソース　練りゴマ大さじ2、味噌大さじ1、醤油小さじ1～2、梅酢・ショウガ絞り汁各小さじ2、水大さじ3を順番にすり鉢ですり混ぜる。

高野豆腐のニラ巻き揚げ　野菜をやさしく包み込んで

<材料>

高野豆腐の含め煮(→P180) 2枚、ニラ適量、揚げ油適量、溶き衣（小麦粉1カップ、塩1つまみ、水150～180cc）

<つくり方>

①高野豆腐の含め煮は1枚を2枚に薄くそいで、4枚にする。ニラは高野豆腐の幅に切る。

②ニラを芯にして高野豆腐を巻き、楊枝でとめて、溶き衣をつけて揚げる。

高野豆腐ハムのチャンプルー　炒めても存在感たっぷり

<材料>

高野豆腐の中華ハム風（→P180）2枚、ショウガ5g、ネギ50g、ニンジン30g、コマツナ200g、豆腐1/2丁、ゴマ油大さじ1/2＋1/2、塩小さじ1/3＋1/3、醤油小さじ1

<つくり方>

①ショウガはみじん切り、ネギとニンジンは千切りにする。コマツナはザクザク切って、高野豆腐中華ハム風は1cm幅の短冊切りにする。

②鍋にゴマ油大さじ1/2を熱し、ネギとショウガを炒めて塩小さじ1/3をふり、豆腐を崩し入れて強火で炒め、皿に移す。

③鍋にゴマ油大さじ1/2を熱し、ニンジン、コマツナを炒めて塩小さじ1/3をふり、高野豆腐と②も鍋に戻し炒め合わせ、香りづけに醤油をまわし入れる。

MEMO

豆腐を超えた豆腐

豆腐からつくる高野豆腐は植物性タンパク質や脂質が多く、カルシウム、鉄分などのミネラルも豊富。その栄養素は高野豆腐1丁で豆腐半丁分になります。水に戻しても豆腐より水分量が少なく、同じ栄養を摂るにも、食べる量が少なくてすむ優れた食材です。

無添加の本物を

高野豆腐の市販品にはアンモニアを加えてふんわり感を出しているものがありますが、添加物を使っていない自然のものより風味も味も劣るので注意しましょう。国産大豆で無添加の豆腐を使ったものなら味も栄養も安心で、戻さずそのまま料理しても自然の風味が味わえます。

高野豆腐の名前

高野豆腐は、高野山が発祥地なのでこの名前がついたと言われています。ほかにも凍り豆腐、凍（し）み豆腐、ちはや豆腐など、地方によって違う名前がありますが、すべて同じもの。栄養豊富な豆腐を長持ちさせる工夫は、どこでも一緒だったのです。

保存のポイント

乾物は、なるべく光のあたらない涼しいところで保管します。高野豆腐は、表面に小さな穴があいていて水分もしみやすいのですが、匂いも吸着しやすいので、匂いの強いものと一緒に置いていると匂いが移るので注意しましょう。

レタスを大きめにちぎる

不揃いな形が醸し出すおいしさ

レタスは、ビタミンCのほか、血液の循環をよくするビタミンE、カロチン、カルシウム、鉄分などのミネラルを含み、増血や貧血防止に有効です。包丁で切ると苦味が強くなり、切り口が褐色に変化しますが、これは包丁で細胞が壊されるため。ですから、手でちぎるのがベスト。レタスは収穫後ビタミンが低下してしまうので、早めに食べ切るのがポイントです。

1 軸の方から葉をはがす。

2 手で大きくちぎる。

3 冷水に1分くらいつける。

4 ザルにあげる。

レタスはゴボウやシュンギクと同じキク科の作物で、歯ごたえのある独特の食感は、食物繊維が豊富だから。生野菜のイメージが強いですが、シャキッと炒めるのもおいしいもの。量もたっぷり食べられます。

大きめにちぎったレタスを使って

カレー味がレタス&トマトとマッチ

レタスとワカメ&トマトのカレー炒め

個性派の旨味3種をカレーの風味でつないで

■材料（4人分）

レタス400g、トマト300g、ワカメ（戻したもの）80g、ナタネサラダ油大さじ2、塩小さじ2（2回に分けて使う）、カレー粉小さじ2

2 レタスは最後に入れて、蒸す。

■つくり方

1. レタスは大きめにちぎり（P182）、トマトをくし形に、ワカメを一口大に切る。
2. フライパンに油を熱し、1を入れ塩小さじ1をふって強火で炒め、レタス、塩小さじ1を加えてふたをして蒸す。
3. カレー粉を加えてトロミをつける。

レタスとワカメ&ニラの味噌炒め

3段階のグリーンを味噌の風味で包み込む

■材料（4人分）

レタス400g、ニラ100g、ワカメ（戻したもの）80g、ナタネサラダ油大さじ3（2回に分けて使う）、塩小さじ1/2、割り味噌（味噌大さじ3、酒大さじ2）

■つくり方

1. レタスは大きめにちぎり（P182）、ニラは3cmの長さに、ワカメは一口大に切る。
2. フライパンに油大さじ2を熱し、ワカメとニラを入れ、塩をふって強火で炒める。
3. 2にレタスを加え、残りの油大さじ1をまわし入れて、割り味噌の材料を混ぜたものを加え、混ぜ合わせる。

♪ うどんにのせても、さっぱりしておいしい。

これだけでもしっかりしたおかずに

3 残りの油はレタスのあとに入れる。

おいしいだけじゃないカラダお助けレシピ

レタスとヒジキの醤油炒め　陸海の食物繊維の王様

■材料（4人分）

レタス400g、ヒジキ30g、ナタネサラダ油大さじ1、ゴマ油大さじ1、塩小さじ1/2、醤油大さじ2

■つくり方

1. レタスは大きめにちぎり（P182）、ヒジキは戻さずに熱湯に入れて5分ゆで、ザルにあげる。
2. フライパンにサラダ油とゴマ油を熱し、1のヒジキとレタスを入れ、塩をふって強火で炒める。
3. ふたをして蒸らし、醤油をまわしかける。

レタスと青ジソを一緒に巻いて

レタスと青ジソの巻きずし

シャキシャキレタスでサラダ感覚のノリ巻き

■材料（1本分）

ごはん150g、レタス2枚、青ジソ3枚、青ジソとゴマの切りあえ味噌（→P187）5g、ノリ1枚

■つくり方

巻き簾の上にノリ、ごはん、レタスと青ジソ、味噌を置いて巻いていく。

♪ 味噌の代わりに、タクアンなどを細かくきざんでごはんに混ぜて巻いてもおいしい。

一番上に味噌を置く。

ふわふわしないようしっかり巻く。

青ジソの風味が口に広がる

レタスと青ジソの揚げ巻き

切って巻いて串に刺す。香りと歯ごたえが新鮮

■材料（12個分）

油あげ（大）2枚、塩適量、レタス2枚、青ジソ6枚、串6本、ショウガ・醤油各適量

■つくり方

❶ めん棒で油あげの上を転がしてから、油あげの3辺を切り開き、塩一つまみをふる。
❷ 油あげ1枚にレタス1枚、青ジソ3枚をのせ、くるくる巻いていく。
❸ 6ヵ所に串を刺して、6等分に切り分ける。
❹ 片面ずつフライパンで軽く焦げ目がついてカリッとするまで焼き、ショウガ醤油をつけて食べる。

くるくる巻いて
食感 シャキシャキ！

1 めん棒で転がすと、油あげをきれいに開くことができる。

3辺を切り開き、塩も忘れずに。

2 レタス・青ジソをくるくる巻く。

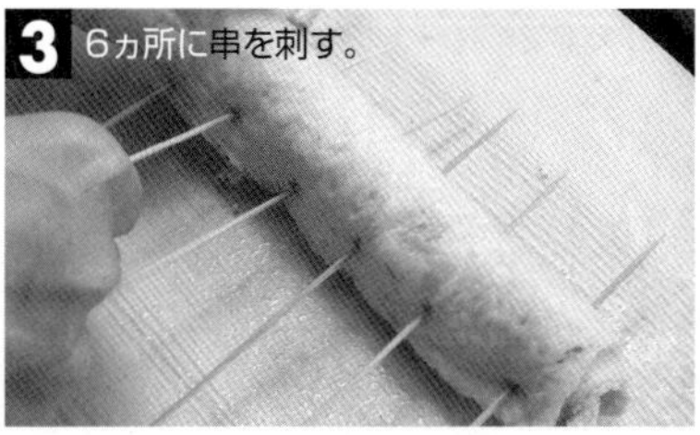
3 6ヵ所に串を刺す。

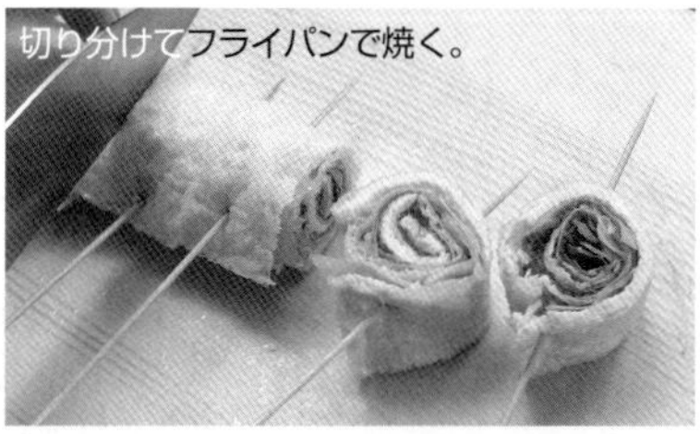
切り分けてフライパンで焼く。

レタスと青ジソを使って

千切りにした
レタスの
食感が新鮮！

千切りレタスと青ジソのサラダ

シソの香りをレタスにまとわせて

■材料

レタス1/4個（200g）、青ジソ3枚、キュウリ1/2本、簡単フレンチドレッシング（レモン汁大さじ2、塩小さじ1、油大さじ4）

■つくり方

❶ レタスの葉の間にシソをはさみ込んで幅3mmに切り、斜め薄切りにしたキュウリと一緒に器に盛る。

❷ ドレッシングの材料をすべて順に混ぜ合わせて、❶にかけていただく。

1 レタスの間にシソをはさんで一緒に切ると仕上がりもきれい。

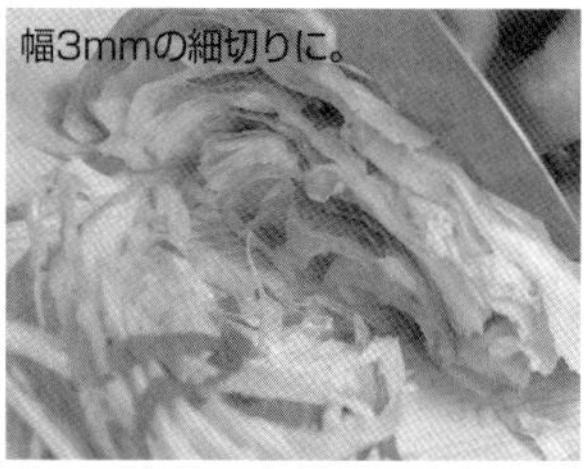

幅3mmの細切りに。

皮はカリッ
中身はシャキッ

ぎっしりレタスの春巻き

サラダにニラをプラス。包んで揚げて！

■材料（春巻きの皮1枚につき）

上記の千切りレタスと青ジソのサラダ30g、キュウリ斜め薄切り3切れ、ニラ1本、小麦粉・水各適量、揚げ油適量、ショウガ・醤油各適量

■つくり方

❶ ニラは2cm、キュウリは斜め薄切りにしたものを2等分する。

❷ レタスとニラ、キュウリを春巻きの皮にのせ、ぎっしり巻いて、小麦粉を水で溶いたもので端をとめる。

❸ 180℃の油でカリッと揚げて半分に切り、ショウガ醤油をつけていただく。

2 たくさん具を入れる。

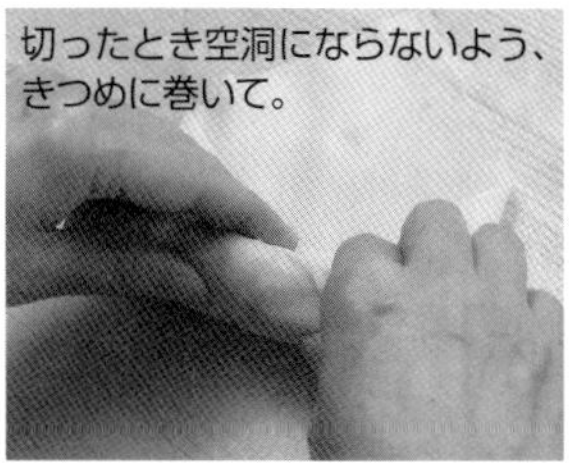

切ったとき空洞にならないよう、きつめに巻いて。

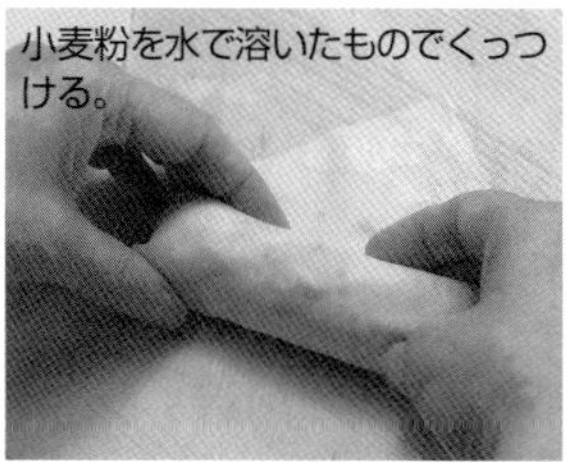

小麦粉を水で溶いたものでくっつける。

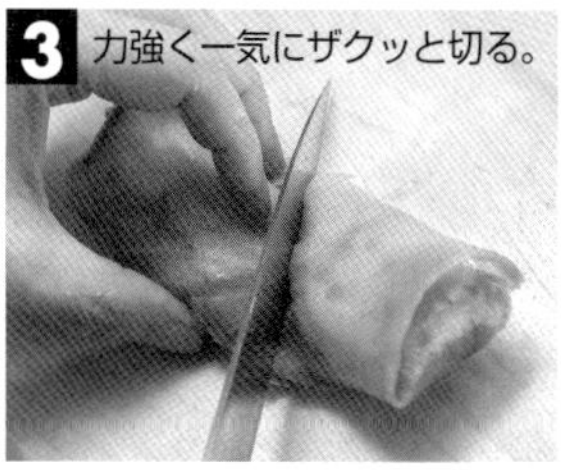

3 力強く一気にザクッと切る。

レタスを湯引きする

レタスを炒めたり、生のままのシャキシャキ感を楽しむのもおいしいものですが、意外なおいしさで病みつきになるのが、湯引きレタス。旬のレタスなら醤油をかけるだけでもおいしくいただけます。

湯引きレタス

■材料（2人分）
レタス1/2個（400g）
水2カップ
塩小さじ1

1 レタスを4つ割りにする。

2 鍋に水と塩を入れ沸騰したらレタスを入れる。

3 大きく返しながら全体が透明になるよう1分ゆでる。

4 ゆであがったらザルにとる。

♪ ゆでると部分的に茶色くなる場合がありますが、味は変わりません。

ツルッと食べられるから、いっぱいつくりたい

中華レタス

塩と油入りの熱湯でレタスを湯引きして

■材料（2人分）
レタス1/2個、水2カップ、塩小さじ1、油大さじ1、油醤油（醤油大さじ3、ゴマ油大さじ1、コショウ少々）

■つくり方

1 塩と油入りの熱湯でゆでて中華風に。

❶ 熱湯の中に塩と油を入れて、上記の湯引きレタスと同様に湯引きする。
❷ ❶を一口大に切って器に盛り、油醤油の材料を混ぜ合わせてかける。
♪ 油醤油は必ず醤油、ゴマ油、コショウの順で混ぜること。

これならたっぷり食べられる

レタスのおひたし

レタスを好みのドレッシングで

■材料（2人分）
上記の湯引きレタス1/2個、好みのドレッシング適量

■つくり方
湯引きレタスを一口大に切って器に盛り、好みのドレッシングをかけて食べる。
♪ 醤油だけで食べるのがオススメです。

青ジソでお役立ち常備菜2品

青ジソはヒマラヤ原産、奈良時代以前から食べられてきた薬味野菜です。料理素材の酸化防止剤としての役目も果たす若返りの野菜、バジル、セージ、ローズマリー、タイムもシソ科の仲間です。香りは強力な殺菌成分で、鎮痛、健胃のほかに精神の鎮静作用もあります。抗ガン作用が注目されている野菜でもあり、野菜のなかで一番多量のβ-カロチンを含んでいて、抗酸化成分、ビタミン類も豊富です。梅干しづくりに欠かせない赤ジソにも、同じ効果があります。私の住んでいる山形の集落では、青ジソを茎ごと干して保存し、お茶にしたり、煮出した液で塩味ごはんを炊きます。悪くなりにくく、体にも良くて香り高いおいしいおにぎりがつくれます。

青ジソが冬まで食べられる！

青ジソの塩漬け　青ジソの長期保存テクニック

■材料

青ジソ20枚、塩小さじ1、水大さじ2

■つくり方

❶ 塩を溶かした水に、青ジソを1枚ずつくぐらせ、密閉容器に重ね入れる。塩水が残ればそれも一緒に入れて重石をして漬け込む。

❷ そのままおにぎりを包んだり、水洗いして料理に使う。

♪ 2〜3日後から食べられて、ふたをしっかり閉めて冷蔵すれば冬まで楽しめます。

1 濃い塩水にくぐらせて。

重石は塩分で変質しないものなら何でもOK。

青ジソの香りが味噌の旨味を倍増させる

青ジソとゴマの切りあえ味噌

ごはんの友に、巻きずし・おにぎりの具に

■材料

青ジソ10〜15枚（12g）、味噌25g、ゴマ大さじ2

■つくり方

青ジソを粗みじん切りにして味噌と混ぜ、きざみながらあえる。途中、煎ったゴマを合わせて、さらに切りながらあえる。

宅配野菜と、野菜まるごと料理術。
2つがつながると、
畑も体もみるみる元気になります。

畑とキッチンを有機的に結ぶ宅配野菜

世界中から集められて店頭に並んでいる野菜たち。一年中売られている夏野菜。旬の素性のわかる野菜を手に入れるのは難しい時代になりました。

早くから有機栽培に取り組んでいる生産者から産直宅配で野菜を買うことが、一番確かな国産旬野菜の獲得法です。

そうは言っても、野菜は種類も多いので、どの野菜も個人が直接生産者から手に入れるということになると大変です。また、一人の生産者では供給に限りがあります。国産有機野菜の宅配システムを通して顔の見える安全な野菜を手に入れ、産地訪問などにも参加してつながりを深めていくと、信頼とともに旬の野菜を楽しむことができるようになります。

都会に住んで、野菜の旬を楽しむには信頼のできる地域の有機野菜の宅配システムを利用するのが一番だと思っています。週に一度、大地からの新鮮な便りが届く。箱を開けて、大地の匂いとともに生命力いっぱいの野菜を手に取り、さあて、どうやって料理しようかと思いめぐらしたり、１週間で上手に使いこなす工夫に闘志を燃やし、上手に使いこなせたときの何とも言えない満足感、食べる前から、そして食べる以外の楽しみもいっぱいです。何よりうれしいのは毎日の買い物に費やす時間がいらなくなったこと。宅配野菜を利用することは日本の耕地の健康と国内自給力の確保に貢献することにもなります。

日本の野菜の出番をもっと増やしたい

有機野菜の共同購入運動からスタートした野菜の宅配システムは、健全な畑を守り、心ある農家を応援することで、安心な野菜が誰でも買える社会を目指す消費者運動として、30年以上前にスタートしました。毎日食べる野菜にこだわって、顔の見える生産者の畑から直接買うことで、畑の未来、子どもたちの未来を守る、グリーン購入の先駆けです。地道な活動が実って、有機栽培の野菜の重要性が社会的に認知され、産直宅配の会社も日本中にできて、大きな成功を収めました。

ところが、ここ数年、購入者数はのびているのに野菜の消費量が減っているという現実があります。次々に出版される料理の本は、肉料理の引き立て役や飾りのような料理、種類ばかり多く手がかかって多くの野菜が余ってしまうような料理、輸入野菜や新種の洋野菜、アジアの野菜、一年中夏野菜等々、不自然な野菜を使ったレストランやカフェ仕様の料理ばかりが紹介されて、日本の畑でとれる野菜の出番がないのです。これでは、せっかく育ってきた畑とキッチンを結ぶパイプが切れてしまいます。

かといって、週1回の宅配野菜だと使い切れないという声もよく耳にします。いくら安全で質のいい野菜というハードを提供しても、それを食べこなす料理術というソフトをつけなかったら、生かすことができないのです。

野菜は、一番おいしいときに皮ごとダイナミックに調理しておけば、1週間はおいしく食べられます。そして、下ごしらえ済みのインスタント料理材料としても多彩に活用できる料理術を身につけることで問題は一気に解決、野菜も畑も大喜びです。おまけに、キッチンの生ゴミの量が驚異的に少なくなり、料理時間も大きく節約できます。

料理することで畑がよみがえる

季節季節に大地から贈り出される生命力に満ちた野菜たちを受け止めて、食卓に生かす技術が忘れられつつあるのはさびしいですね。これでは、畑はどんどん荒れてしまいます。

畑からとれる野菜にはその土地、その季節に適応していくための多種類の元気の素が、多彩な旨味成分と一緒にたっぷり含まれています。季節のおいしさを楽しんでいれば、カロリー計算や栄養計算などをしなくても自然にバランスのとれた食生活になります。つくりたい料理のために野菜を揃えるのではなくて、「今、この野菜があるからこれをどう料理してやろうか」というのが本来の料理です。

畑の野菜を丸ごとどっさり食べこなす技ありレシピ、活用してください。畑を耕しながら毎日の食卓づくりを楽しむ日々から野菜たちに教えられ、伝統の技に学んで生まれた料理たちです。驚きのおいしさを楽しんでいるうちに、日本の畑がよみがえるなんて素敵だと思いませんか。

受け身の料理

14年前に大地とつながった手応えのある生きた暮らしを夢見て、山形県飯豊（いいで）山麓の谷あいの集落に移り住みました。

家族ぐるみで畑を耕しながら、日本の伝統の食生活についてのさまざまな資料をひもとき、土地のお年寄りたちの話に耳を傾けて料理する毎日は、発見と感動の連続。

大地から次々と生み出される季節季節の恵みを、どーんと受け止めて食べこなす豪快さに、それまでの料理に対するちまちましたイメージは丸ごとひっくり返ってしまいました。

小さな朱色の根がやっとふくらんだばかりのカゴいっぱいの間引きニンジンを、やわらかい葉っぱごとザクザクきざんでかき揚げして食べたときのおいしさは忘れられません。山のようなかき揚げでしたが、家族みんなであっという間に平らげてしまいました。

旬にどーっと採れる野菜と真剣に遊んでいたら、それまでもっていた野菜への先入観がどんどん溶けていきました。生でかじったときのおいしさ、蒸したときのおいしさ、切り方による味わいの違い、野菜それぞれの食感や旨味の個性をつかむことができました。

柔道でも空手でも合気道でも、大切なのは受け身です。山での半農半著生活を本気で楽しんでいるうちに、畑といのちを同時に生かす受け身の料理術が身につきました。

キッチンは、いのち創造のアトリエ

食べ物を育てた大地のぬくもり、お日さまの熱いエネルギー、雨、風、大地をうるおす水の流れが、野菜とともにキッチンに伝わります。

キッチンは人のいのちを創造しつづける中枢、家の中で一番エネルギーの高い場です。

全身の力を抜き、アタマを空っぽにして、受け身で楽しむ料理を通した自然との対話。水と火と塩と風というエネルギーをあやつって、大地の結晶である旬の野菜を料理する。

バランスがとれた瞬間に、感動的なおいしさと新たなエネルギーが生まれます。生命力がぎっしり詰まった丸ごとの食べ物がそれぞれ個性を主張しながら、鍋の中で溶け合って生まれるおいしさは最高です。

「野菜ってこんなにおいしかったんだ！ お日さまに、雨に、風に、大地にごちそうさま！」

あるときピンとひらめきました。「キッチンは、いのちを生かすおいしさを創造するためのアトリエなんだ」。

オーガニッククッキングの力

オーガニックの意味は、野菜そのものの栽培法にとどまらず、畑との有機的な関係や有機的な料理法も含めたオーガニッククッキングにまで高まったときに、本当の力を発揮するんだなあとの実感がどんどん深まっています。

国産の旬の食材をたっぷり使いこなす食生活は、生産者を応援し健康な畑を育てます。宅配野菜、日曜菜園や自給を目指しての農的生活を始めた皆さんにとっても本書で紹介する受け身の野菜まるごと料理術は大きな力になる技術です。

有機野菜や無添加の食品にこだわっている人たちにこそ、この野菜の使いこなしソフトをぜひぜひ伝えたいと、大地を守る会の協力を得て週報に野菜料理の連載を始めたのが3年前です。

畑を守り育てる野菜レシピへの反響は大きく、目からウロコのそのシンプルさ、おいしさに多くの共感が寄せられ、励まされました。野菜の売り上げが時には7割増しになるほどの効果に感動の連続でした。

「日本の畑を生かし守り育てるおいしい野菜まるごと料理術をもっともっと多くの人に知らせたい」と、畑を生かす野菜料理図鑑の出版を思い立ちました。すぐに暮らしに役立つリアリズムの本づくり、200ページにも及ぶ内容をイキイキと伝えられる本をつくりたいという私の提案を受けて、デザインと印刷をシービーの尾崎さんが引き受けてくださり、岸田美由喜さんが膨大なレシピと写真を構成編集して2人目のベビーと月子での本の出産をとがんばってくれました。本の出版を引き受けてくださったメタ・ブレーンの太田さん、高橋さんはレイアウトの仕上げに夜を徹して取り組んでくれました。写真の一部をこころよく提供してくださった大地を守る会、そして、事務局の坂野純子を筆頭にいるふぁスタッフとわが家の子どもたちの多大な協力のたまものでこの本は生まれました。

岸田さんのベビーの誕生から3ヵ月、今ここに、本書は誕生します。

農家の方、宅配流通の方、暮らし手の皆さん、一家に一冊常備して畑を生かす料理を楽しみ、その輪を広げることに協力してください。そして、自分で野菜をつくっていない方は、ぜひぜひ地域の宅配野菜を通じて日本の心ある農家と畑を応援してください。

野菜の消費量が倍になる本です。

大谷ゆみこ

お日さまに、雨に、風に、大地に
ごちそうさま！

大谷ゆみこ（おおたにゆみこ）

暮らしの探検家・食デザイナー。カラダと地球の元気を同時に取り戻すことができる穀物中心のベジタリアン食生活を「未来食」として提案。東京都文京区で創作雑穀料理とノーシュガーデザートが人気の「つぶつぶカフェ」を運営。クッキングセミナーも開く。畑とつながった日々の暮らしから生まれた、とびきりおいしくておしゃれでシンプル＆ユニークな穀物レシピと野菜レシピのファンが全国で急増中。2001年に穀物と野菜の創作料理を提案するピースアースフードケータリングの専門会社「チームE」を発足。エコウエディングパーティのコーディネートやエコイベントの料理コーディネートに注目が集まっている。暮らしの拠点は山形県飯豊山麓の自然豊かな谷あいの土地に建てた自前のエコハウス「いのちのアトリエ」。家族はパートナーと4人の子どもと犬一匹。雑穀をシンボルに食からピースアースな暮らしを考える市民団体「いるふぁ」代表。著書は『雑穀つぶつぶ食で体を変える』（講談社）、『雑穀つぶつぶクッキング』（創森社）ほか多数。現在、年3回発行の雑誌タイプ書籍『つぶつぶ』に力を注いでいる。http://www.tsubutsubu.jp

本書は2002年7月から2004年3月まで、大地を守る会発行の『プロセス』で連載した「野菜とあそぼ」のレシピを、加筆編集したものです。

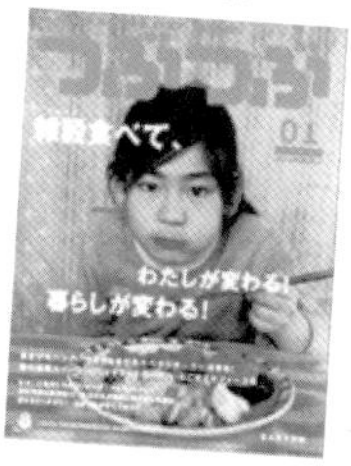

野菜料理大図鑑

野菜だけ？

目からウロコの野菜まるごと料理術

大谷ゆみこ著

2004年10月1日　初版第1刷発行
2006年　2月1日　初版第2刷発行

発行者　太田順子
発行所　株式会社メタ・ブレーン
東京都渋谷区恵比寿南3-10-14-214　〒150-0022
Tel：03-5704-3919／Fax：03-5704-3457
印刷所　株式会社シービー
大阪府大阪市中央区南船場3-3-10
Tel：06-6245-6048／Fax：06-6245-6047

構成・編集　岸田美由喜
編集　高橋英子（株式会社メタ・ブレーン）
デザイン　早川陽平・羽土明（株式会社シービー）
撮影　沼尻淳子
料理スタッフ　坂野純子　伊藤雄治　大谷祥　郷田優気　郷田未来　河井美香
写真協力　大地を守る会　森野卓郎　いのちのアトリエ
Special thanks　白金丈英　木幡恵　橋本光江　金盛由紀子　池田義彦　白井容子

ISBN4-944098-57-X C0077